NEWM

SCHADUWKANT

Van Ruth Newman zijn verschenen:

Vleugels van angst

Schaduwkant

Ruth Newman

SCHADUWKANT

SIJTHOFF

Uitgeverij Sijthoff en drukkerij Bariet vinden het belangrijk om op milieuvriendelijke en verantwoorde wijze met natuurlijke bronnen om te gaan

Eerste druk juni 2010
Tweede druk juli 2010
Derde druk augustus 2010

Oorspronkelijke titel: *The Company of Shadows*
Vertaling: Yolande Ligterink
Omslagontwerp: Pete Teboskins
Omslagfotografie: Sebastien Tabuteaud / Arcangel Images

ISBN 978 90 218 7918 5
NUR 332

www.boekenwereld.com
www.uitgeverijsijthoff.nl
www.watleesjij.nu

Voor Sylvia en Brett Van Toen

Twee mensen hebben van mij een schrijver gemaakt. De een leerde me lezen en ze leerden me allebei *lezen*. Bedankt dus voor de eindeloze aanvoer van boeken, voor de typemachine, daarna de elektrische typemachine, vervolgens de elektronische typemachine en ten slotte de Amstrad, en omdat jullie me geleerd hebben dat 'boeken je een plek geven waar je heen kunt gaan als je moet blijven waar je bent'.

Mam, ook bedankt voor de vriendelijke kneepjes, Redgate en Bluegate en de Mandeer, het feit dat je mijn broer dát kapsel hebt laten nemen, dat je me bij het schoolhek op stond te wachten met die brief in je hand en dat je achterwaarts de waterloop af bent gegaan (ik weet dat je graag doet alsof dat niet opzettelijk was), dat je een eenvrouws pr-afdeling bent en voor je machiavellistische aanpak in boekenwinkels in het hele land. Iedereen zegt dat hun moeder de beste op de wereld is, maar die van mij wint het van alle andere.

Brett, ook bedankt omdat je altijd bereid was me dingen te leren en uit te leggen, van schaken tot Manic Miner, van het identificeren van vogels tot het identificeren van de dingen onder de motorkap van mijn auto. Voor de ritjes op de Gold Wing en de wandelingen in Epping Forest. Maar niet voor de spinazie op brood.

DEEL I

MIAMI

HOOFDSTUK EEN

Vannacht droomde ik dat ik weer naar Mandalay ging. Niet Manderley, het prachtige landhuis in *Rebecca*, maar het eigentijdsere en meer pretentieuze Mandalay Bay Hotel in Las Vegas. Het hotel waar Charlie en ik onze huwelijksnacht hebben doorgebracht.

Het lijkt wel of ik bijna elke nacht over Charlie droom. Soms is het een mooie droom, zoals deze. We zitten bij de pokertafels ons geld te vergokken en te lachen. De trouwring aan mijn hand glanst van nieuwigheid. Smetteloos. De mensen van het hotel horen ons nieuws en we mogen verhuizen naar een van de bruidssuites. In de droom ruik ik zijn aftershave en voel ik de warmte van zijn huid onder mijn vingertoppen.

Andere nachten droom ik over de dag dat hij verdween. In deze nachtmerrie blijft de geur van de citroenen in het citroenbomenbosje in mijn neusgaten hangen als ik met een bonzend hart wakker word. En in weer andere nachten is het zijn ontbindende lichaam waarmee mijn slapende geest me kwelt.

Maar zelfs die dromen bezorgen me een vreemd tevreden gevoel dat het grootste deel van de morgen blijft hangen. Ze willen zeggen dat ik hem niet vergeten ben. Ze willen zeggen dat hij nog steeds in mijn gedachten aanwezig is.

Ik werd die ochtend wakker uit de droom over Las Vegas omdat de deurbel ging. Het ene moment lag ik in Charlies armen onder de satijnen lakens van het gouden bruidsbed terwijl het zonlicht door het raam naar binnen viel, en het volgende lag ik in mijn eentje in onze tweekamerflat in Noord-Londen. Het duurde even voor ik besefte waar ik was en waarom ik wakker was. De deurbel ging nogmaals en ik sprong uit het tweepersoonsbed en gooide mijn badjas om, woedend op degene die me juist vandaag ruw uit die droom had doen ontwaken.

Een mannetje keek om een groot boeket bloemen heen toen ik de voordeur openrukte.

'Bestelling voor Kate Grey.'

Witte rozen en grote rode bloemen waarvan ik de naam niet kende. 'Van wie zijn ze?'

'Er zit een kaartje bij, juffrouw. Wilt u hier even tekenen?'

Toen ik weer alleen was, scheurde ik de envelop open. Mijn handen trilden als die van een nerveuze presentator bij de uitreiking van de Oscars. Het was op de dag af een jaar geleden dat Charlie was doodgegaan, en ik zocht hem nog steeds.

'Voor Kate. Ik weet dat dit een moeilijke dag voor je moet zijn. Net als voor mij. Ik wilde je alleen laten weten dat ik aan je denk en dat ik vanavond vrij ben als je behoefte hebt aan gezelschap. Liefs, Luke xxx.'

Even voelde ik een vernietigende teleurstelling, maar toen begon ik te lachen. Wat had ik dan verwacht? Een cryptisch berichtje van Charlie, een boodschap van een geest? 'Wacht op me, schat, ik ben vlak bij je...'

Het was lief van Luke dat hij aan me dacht. Ik wist dat ik ook aan hem had moeten denken. Ik had Charlie maar twee jaar bij me gehad; Luke was met hem opgegroeid.

Ik hoefde niet naar mijn werk. Ik had sinds de dood van Charlie niet meer gewerkt; mijn dokter had me een paar maanden vrijgegeven en daarna was het geld van de levensverzekering binnengekomen en was tot me doorgedrongen dat dat genoeg was om een paar jaar van te leven. Dat betekende dat ik de wereld nog niet onder ogen hoefde te komen, dat ik me kon blijven verliezen in de herinneringen aan Charlie en kon proberen het verlies te verwerken.

Ik kocht zonnebloemen bij de bloemist en reed naar de begraafplaats. Charlies grafsteen was heel eenvoudig en het opschrift was kort en ter zake: zijn geboortedatum en zijn sterfdatum – slechts vierendertig jaar later – en de woorden 'hoe traag de deur zich sluit'. Als iemand ernaar vroeg, zei ik gewoon dat het uit een gedicht was. Ze moesten zelf maar weten of ze de moeite wilden doen om het op te zoeken.

De begrafenis was me bijna te veel geworden. Het was een maand na de eigenlijke dood van Charlie, zodat ik niet meer het voordeel had van het eerste stadium van het verdriet: totale verdoving. De meeste aanwezigen waren vrienden en collega's; Charlies ouders waren overleden, hij had geen broers of zussen en de weinige verre familieleden die Luke op de hoogte had weten te stellen, waren blijkbaar niet bereid honderden dollars aan reiskosten te betalen alleen om een kist de grond in te zien gaan. Met mijn eigen ouders had ik in mijn pubertijd ruziegemaakt en we meden elkaar nog steeds. Ik wist dat ze gehoord hadden dat hij dood was en begraven zou worden, maar ik hoorde niets van hen en ze stuurden ook geen bloemen. Het kon me niet schelen. Op dat punt kon niets me nog schelen. Ik had te veel pijn om me druk te maken om etiquette.

Ik verving de dode bloemen in de vaas door mijn zonnebloemen. De late middagzon op deze augustusdag liet de gele bloembladen gloeien. Ik ging in kleermakerszit bij Charlies graf zitten en streelde de granieten steen. Er kwam een man met een hond voorbij die me van opzij bekeek. Toen ik terugkeek, tikte hij met zijn vinger tegen de rand van zijn platte pet en knikte.

'Ik heb vannacht over Mandalay Bay gedroomd,' zei ik, terwijl mijn vingertoppen over zijn naam gingen, die in de grafsteen was gebeiteld. Ik praat voortdurend tegen Charlie, al doe ik dat meestal niet hardop. Maar ik ben er vrij zeker van dat er een bijzondere dispensatie geldt voor mensen die hardop met hun overleden man praten als ze naast zijn graf zitten. Je zult daarvoor bij een psychologische test niet snel voor gek verklaard worden.

'Ik droomde dat ik weer bij je was. Weet je nog hoe we de woestijn in gingen om naar de sterren te kijken?' Er leken meer sterren aan de woestijnhemel te staan, die ons vanuit de duisternis toe straalden als een miljoen verre vuurtorens. 'Herinner jij je die vrouw in de kapel nog die onze gegevens opnam?' Ze was op zijn minst tachtig geweest en zeker veertig kilo te zwaar, en ze had een dikke laag foundation en poeder op haar gezicht gehad met daarin ogen als spinnen, zo dik had ze de mascara aangebracht. *Kijk die twee tortelduifjes nou eens aan*, had ze temend gezegd. *Komen jullie een boterbriefje halen? Jullie hebben toch niet te veel pina colada's gedronken, hè?* We waren niet eens aangeschoten. Dat was niet de reden waarom we hadden besloten te trouwen, ook al kenden we elkaar pas drie dagen.

Een paar regendruppels sloegen met kleine stofwolkjes in de droge aarde op Charlies graf. Ik bleef nog een tijdje zitten.

Samantha riep 'ik kom eraan!' aan de andere kant van de dikke voordeur en ik hoorde haar de houten trap af kletteren. Ze deed de deur met een zwaai open en omhelsde me, haar springerige goudblonde krullen dansten om haar hoofd.

'Wauw, wat ben je bruin,' zei ik.

Ze maakte een pirouette voor me. 'Niet slecht, hè? Maar we zijn eergisteren pas teruggekomen, dus het zal wel gauw weg zijn!'

David verscheen achter haar en was ook al zo jaloersmakend bruin. 'Hoi, Kate. Sam, laat je haar nog binnen, of moet ze je nog langer bewonderen?'

Geïnspireerd door hun vakantie in Miami had Samantha heel kruidig gekookt. Bij de burrito's vertelde ze over Davids nieuwe partner op zijn advocatenkantoor.

'Hij is erg knap, nietwaar Dave?'

Dave rolde met zijn ogen. 'Geen idee. Zeg jij het maar.'

'Ja, hij is knap. En zijn carrière loopt duidelijk op rolletjes nu hij voor zijn veertigste al partner is geworden. Hij is heel grappig en hij doet ook aan gevaarlijke sporten, dus jullie hebben iets gemeen.'

'Sam, hij heeft een jaar of vier geleden een tandem parachutesprong gemaakt,' sprak David haar tegen. 'Hij is niet bepaald Evel Knievel.' Ik keek David geamuseerd aan en zijn mond vormde het woord 'sorry'.

'Maar wat denk je ervan?' drong Samantha aan.

Ik schudde mijn hoofd en draaide mijn trouwring rond mijn vinger. 'Vergeet het maar.'

'Kate, hoor nou eens... hoe lang is het nu al niet geleden, een jaar?'

'Precies een jaar, eigenlijk.'

'En je draagt je ring nog steeds,' zei ze. Het feit dat ik haar net had verteld dat het Charlies sterfdag was, leek niet tot haar door te dringen. 'Je hebt nog geen andere man aangekeken.'

Ik zag uit mijn ooghoeken dat David zachtjes zijn hoofd tegen haar schudde.

'Samantha, ik ben getrouwd,' zei ik.

'Maar wat wil je dan, je hele leven geen relatie meer hebben?'

Ik staarde haar aan. 'Ik ben *getrouwd*.'

Er viel een stilte en toen begon David de tafel af te ruimen. 'We hebben chocoladetaart als toetje,' zei hij. 'Met ijs van Ben & Jerry erbij. Sam, pak jij de foto's even, dan kunnen we Kate afleiden met het dessert terwijl we haar dwingen onze saaie vakantiekiekjes te bekijken.'

De foto's waren gewone kiekjes van zeventien bij twaalf centimeter, en de kwaliteit werd bepaald door wie ze had genomen, David of Samantha. Haar foto's waren allemaal keurig scherp en mooi van compositie. Die van hem waren lachwekkend slecht; vaak stond het onderwerp helemaal niet centraal in beeld of zag je voornamelijk zijn duim. Op de mooiste stond Samantha naast een dolfijn in SeaWorld. Je zag de hele dolfijn en zelfs een ruimte van zo'n anderhalve meter naast het dier, maar van Samantha, die rechts van de dolfijn stond, zag je precies de helft.

'Ik probeer het niet persoonlijk op te vatten,' zei Samantha toen ze hem aangaf. Het was de bovenste foto van het stapeltje. Ik beet op mijn lip om niet te lachen, want ik wist dat Davids onhandigheid met alle techniek een teer punt was. Ik gaf de foto aan hem door en hij stak hem zorgvuldig op volgorde tussen de andere die we al hadden gezien.

'Dit is een fantastisch restaurant op South Beach, waar we de laatste avond naartoe zijn gegaan,' zei Samantha, en ze gaf me een foto van een zeegroene gevel die was volgehangen met kerstboomlampjes. 'Het wordt gerund door een familie die in de jaren zestig uit Cuba is overgekomen. Het zit er blijkbaar al jaren en is heel populair bij de plaatselijke bevolking. El Cangrejo Dorado heet het, de Gouden Krab.' Er was nog een foto van een zeegroene muur, dit keer met Samantha in een sarong en een wit shirt erover die vrolijk naar een bord wees waarop EL CANGREJO DORADO stond. Alleen waren op de foto enkel de letters 'El Cangrej' te zien. Ik beet opnieuw op mijn lip.

'Het is heel mooi van binnen,' zei ze. 'Er groeit jasmijn langs de pilaren en het ruikt er goddelijk. We hebben fantastische schaaldieren gegeten en ze hebben de allerbeste mojito's die ik ooit heb gedronken.'

Ze gaf me nog een foto, die waarschijnlijk genomen was door een kelner, want Samantha en David stonden er samen op. Ze grijnsden met hun hoofden tegen elkaar naar de camera. Ik zocht op de rest van de foto naar de met jasmijn begroeide pilaren en toen zag ik iets dat alles stil deed staan.

'Onze kelner heeft die foto gemaakt,' zei Samantha. Ik dacht dat mijn hart was gestopt met kloppen. Ik haalde geen adem. Ze praatten en bewogen om me heen en ik zat als verstijfd naar die foto te staren.

'Daar is hij,' probeerde ik te zeggen, maar ik had geen lucht om een woord uit te brengen. Samantha hield me de volgende foto voor. David had mijn gezicht gezien en vroeg of ik me wel lekker voelde. Ik slaagde erin wat lucht naar binnen te zuigen en voelde mijn hart één keer slaan tegen mijn ribben en toen klopte het weer.

'Daar is hij,' zei ik weer, en ik keek naar de man op de achtergrond met zijn vertrouwde donkere haar, vertrouwde blauwe ogen, vertrouwde glimlach.

'Daar is Charlie.'

HOOFDSTUK TWEE

Ik staarde zonder iets te zeggen naar de foto. Mijn handen trilden zo erg dat ik hem op tafel moest leggen om hem duidelijk te kunnen zien. Toen ik overeind kwam en me eroverheen boog om hem beter te bekijken, stootte ik per ongeluk mijn stoel om, zodat Samantha opschrok.

'Kate?' zei ze. Ze klonk angstig.

Het kon Charlie niet zijn. Dat kon gewoon niet. Hij lag anderhalve meter onder de grond op een begraafplaats in Noord-Londen. Ik had zijn overlijdensakte in een map op de plank waar hij altijd zijn koffiekop op zette. Maar toch zag ik mijn man als ik naar de foto keek.

'Kate, het kan Charlie niet zijn. Deze foto is pas een week geleden genomen,' zei David, en hij legde zijn hand op mijn arm. Hij wilde de foto van me overnemen, maar kreeg hem niet onder mijn vingertoppen vandaan.

'Ik geef hem heus wel terug,' beloofde hij. Ik liet de foto met tegenzin los, zodat hij hem kon oppakken en dicht bij zijn gezicht kon houden. Hij fronste terwijl hij hem bestudeerde, en uiteindelijk haalde hij zijn schouders op. 'Ik geef toe dat hij veel op Charlie lijkt. Maar het kan hem natuurlijk niet zijn.'

Ik griste de foto uit zijn handen. 'Kijk dan hoe hij lacht. Dat is de lach van Charlie. Kijk hoe hij dat biertje vasthoudt! Jezus, David, hij lijkt als twee druppels water op hem.'

'Ik denk dat een heleboel mannen in dat deel van Amerika op Charlie lijken als je ze wazig en op een afstand ziet. Weet je wat, we bekijken hem op de computer. Wat meer details en dan zie je de verschillen wel.'

'David,' kwam Samantha tussenbeide, scherp waarschuwend.

'Het is goed, Sam,' zei hij. 'Ze moet alleen even gerustgesteld worden, en dan gaan we ons toetje eten.'

Hij ging me voor naar de logeerkamer, waarvan ze een provisorisch kantoor hadden gemaakt. Hij zette hun computer aan en Windows werd opgestart. Samantha keek me van opzij bezorgd aan. Ik vertrok mijn mond tot een halve glimlach om haar ervan te verzekeren dat ze de mannen in de witte jassen nog niet hoefde te bellen.

David dubbelklikte op het icoontje van de digitale camera. Toen het programma was opgestart, opende hij de map die Miami heette en zocht de foto op. Hij nam maar een paar centimeter van het beeldscherm in beslag. David zoomde in tot hij op honderd procent zat en verschoof het beeld een beetje om de man op de achtergrond in het midden te krijgen. Ik wachtte af, met ingehouden adem.

Charlies gezicht vulde het scherm. Hij glimlachte om iets wat de man tegenover hem zei, met zijn vingers rond de hals van een flesje bier alsof hij op het punt stond nog een slokje te nemen. Ik kende die vingers, ik kende die glimlach. Als het bewegend in plaats van stilstaand beeld was geweest, had ik met absolute zekerheid kunnen voorspellen hoe hij het bierflesje naar zijn lippen zou brengen, hoe zijn adamsappel zou bewegen als hij slikte en hoe hij het flesje weer op tafel zou zetten.

We staarden met z'n drieën naar het scherm, sprakeloos van verbazing.

'Nou, eh...' begon David, die het omgekeerde resultaat kreeg van wat hij had gehoopt te bereiken. 'Zijn haar is te kort. En ik weet dat Charlie vaak naar de sportschool ging, maar deze kerel ziet eruit alsof hij zó op de omslag van *Men's Health* kan.'

Ik klikte over zijn schouder een paar keer op de printknop. De printer kwam zoemend tot leven. Terwijl de vellen papier eruit rolden, duwde ik David zachtjes opzij en bekeek ik de rest van de foto's, maar er waren geen foto's meer van de man die zoveel leek op mijn overleden echtgenoot. Het leek wel alsof hij kort na die eerste foto van zijn tafeltje was opgestaan. Voor de veiligheid stuurde ik de foto als bijlage in een e-mail naar mezelf.

'Kate,' zei Samantha. En toen ik niet omkeek nog eens: '*Kate*.'

Ik keek haar over mijn schouder heen aan. Ze was duidelijk geschokt door de foto, maar dat zou ze nooit toegeven. 'Je weet toch dat die man op de foto... Het is hem niet. Het is Charlie niet.'

'Dat weet ik,' loog ik. 'Ik weet dat hij het niet is, maak je maar geen zorgen.' Ik pakte de afdrukken, vouwde ze zorgvuldig op en liet ze in mijn achterzak glijden. Ik dwong mezelf tot een namaakglimlach. 'Nou, het was enorm gezellig, maar ik geloof dat ik beter naar huis kan gaan. Bedankt voor het eten.'

'Kate, je kunt nu niet weggaan,' zei Samantha.

'O, nee?' Ik stootte een lachje uit. 'Kom op, Sam, je overdrijft.'

'Vind je? We kunnen je in deze toestand niet alleen naar huis laten gaan.'

'Doe niet zo raar. Ik voel me prima. Nou ja, zo prima als iemand zich kan voelen die net de dubbelganger van haar man op een foto heeft gezien. Maak je nou maar geen zorgen. Ik weet dat het Charlie niet is. Ik had alleen niet zo'n goede dag, dus ik kon dit niet echt gebruiken. Meer is het niet.'

Ze bestudeerde mijn gezicht, maar ik wist de schok en de verwarring zo goed te verbergen dat ze besloot dat ze me veilig kon laten gaan.

'Het spijt me dat we het zelf niet gezien hebben,' zei ze. 'Als ik had geweten dat er iemand op stond die zoveel op Charlie leek, zou ik hem uiteraard uit de stapel hebben gehaald voordat we die aan jou lieten zien.'

'Dat weet ik,' zei ik, en ik kneep in haar arm. 'Ik weet heus wel dat je niet met opzet door Miami bent gerend om foto's te nemen van alle mannen die op hem lijken om mij een adrenalinestoot te bezorgen.'

Het was een zwakke poging tot humor, maar genoeg om hen nog wat meer gerust te stellen.

'Je mag gerust blijven slapen,' zei Samantha. 'Ik vind het geen fijne gedachte dat je alleen bent nadat je zo'n schok hebt gehad.'

Ik haalde mijn schouders op. 'Om eerlijk te zijn, zou het toch niet helpen. Ik moet hier gewoon doorheen.'

Ze sloeg haar armen om me heen en ik probeerde haar warmte te voelen. Maar ik wilde naar huis, in mijn eentje, zodat ik dit masker af kon doen. 'Neem in ieder geval wat taart mee,' zei ze.

'Oké,' zei ik, omdat ik dacht dat het gemakkelijker zou zijn als ik haar de kans gaf de rol van therapeute te verwisselen voor die van gastvrouw. Ik haalde mijn tas uit de woonkamer, pakte mijn jas van het haakje in de gang, nam een Tupperware-bakje aan met een stuk taart erin en zoende mijn vrienden.

Het was donker buiten. Toen we de voordeur opendeden wierp de kale gloeilamp in de gang een gele rechthoek op het pad, en mijn schaduw strekte zich voor me uit toen ik hun huis uit stapte en de nacht in liep. Ze keken me vanuit de deuropening na. Ik liep weg en wachtte tot het lichtblok zou verdwijnen, maar in plaats daarvan voelde ik de hele straat hun ogen in mijn rug.

Hoe verder we de tunnels in gingen, hoe moeilijker ik het vond om mijn zelfbeheersing te bewaren. Ik voelde me te kijk staan in het felle licht van de metro. Ik wilde wanhopig graag alleen zijn, op de eenzame plek die nu mijn thuis was. Ik wilde in een donker hoekje van het appartement gaan zitten en mezelf de pijn laten voelen die op de loer lag.

De flat bevond zich slechts een klein eindje van metrostation Angel. Ik hield het allemaal binnen terwijl ik me langs de donkere huizen met dichte gordijnen haastte. De zwakke miezerregen maakte mijn haar en mijn gezicht vochtig en vormde een waas in de oranje gloed van de straatlantaarns.

Ik liep met mijn hoofd naar beneden, dus zag ik de lange man met het korte, lichtblonde haar voor de voordeur van mijn gebouw pas toen ik al halverwege de betonnen trap was. Toen ik hem eindelijk in de gaten kreeg, viel ik bijna naar beneden.

'Jezus christus, Luke!' zei ik met mijn hand op mijn hart. 'Ik schrik me dood.'

'Wat ben je weer scherp, Kate,' zei Luke met zijn Louisiana-accent.

Zijn stem klonk als een ratelslang die door de stroop gleed. 'Niet te kort. Heb je alleen nachtzicht, of zit er ook nog ergens een sonar, zoiets als vleermuizen hebben?'

Ik haalde mijn sleutels voor de dag en maakte de deur voor ons open. 'Sarcasme is vanavond niet aan mij besteed,' zei ik, terwijl ik de beklede trap naar mijn flat op de eerste verdieping op liep.

'Dat weet ik,' zei Luke. 'Ik maak er gek genoeg geen gewoonte van om bij je voor de deur te gaan staan wachten, hopend dat je snel thuis zult komen. Daarom heeft God mobiele telefoons uitgevonden.'

'Samantha heeft je zeker gebeld,' raadde ik, en ik voelde iets van de spanning van mijn schouders glijden toen we mijn flat binnengingen, met zijn vertrouwde geur en de troostende herinneringen aan Charlie in elke kamer.

'Eigenlijk was het David,' zei hij. 'Hij zei dat je helemaal over je toeren was geraakt door een vakantiefoto van hun reisje naar Miami en dat je dacht dat je Charlie had gezien.' Lukes stem was heel luchtig, maar hij keek me nauwlettend aan.

Ik gaf hem een van de afdrukken. Hij deed het licht in de woonkamer aan en ging op de armleuning van de bank zitten, verdiept in het vel A4-papier in zijn handen. Hij was zo stil, zo geconcentreerd, dat ik even dacht dat ik het kon geloven.

'Het is hem, toch?' stootte ik uit.

Luke keek naar me op, en ik had zijn ijsblauwe ogen nog nooit zo triest gezien.

'Nee, Kate. Charlie is dood.'

Ik had het gevoel dat ik moest overgeven. Als Luke niet geloofde dat het Charlie was, wist ik dat ik het zelf ook niet mocht geloven. *Het is hem niet, Kate. Hou jezelf niet voor de gek. Het is te gevaarlijk om te denken dat hij het zou kunnen zijn.*

'Misschien is het een neef of zo,' zei ik, toen ik er eenmaal redelijk zeker van was dat ik dat kon doen zonder te gaan huilen. 'Een neef, een of ander familielid met de familietrekken.' Luke knikte. 'Het is alleen gek dat er nog wat foto's van hetzelfde restaurant zijn en dat hij daarop niet meer aan dat tafeltje zit, bijna alsof hij Samantha en David heeft gezien en ervandoor is gegaan, alsof hij niet wilde dat ze hem zagen.'

Luke schudde zijn hoofd. 'Kate, kom hier.' Ik schoof zo ver naar hem toe dat onze knieën elkaar raakten en hij pakte mijn handen.

'Hij is al een jaar dood, Kate. Precies een jaar. Die vent lijkt op onze Charlie, maar dat geldt voor zoveel mannen. Ik denk dat je gewoon extra gevoelig was omdat het zijn sterfdag is en dat je gezien hebt wat je wilde zien.'

'O, rot op, Luke,' zei ik, en ik rukte mijn handen los. 'Die man kon zijn dubbelganger zijn, dus probeer me nou niet te vertellen dat hij vandaag meer op Charlie lijkt dan hij gisteren gedaan zou hebben.'

'Je weet dat het hem niet is, toch?' Hij stond op en boog zich naar me toe. 'Toch?'

Ik kon me niet langer inhouden. 'Het is alleen...' Ik moest stoppen tot ik mijn stem weer in bedwang had. Mijn strottenhoofd maakte hem helemaal pieperig en hortend. 'Even dacht ik dat hij nog leefde.' De spieren van mijn kin vertrokken toen ik probeerde te praten. De tranen liepen over mijn wangen.

Luke pakte me vast en hield me in zijn armen, en ik hoefde niets meer uit te leggen en mocht snikken tot ik eindelijk weer lucht kreeg.

Luke bleef die nacht bij me, maar hij sliep net zomin als ik; ik hoorde hem draaien op de bank, opstaan en door de woonkamer lopen, een glas water pakken en een tijdschrift doorbladeren dat op de salontafel lag. Uiteindelijk stonden we allebei op en ik maakte een ontbijtje voor hem voordat hij naar zijn werk ging. Hij gaf me een zoen op mijn voorhoofd toen hij wegging en beloofde me die avond te bellen.

Zodra hij weg was, zette ik mijn laptop aan en las ik mijn e-mail. Ik vond de bijlage en opende de foto met de man in het restaurant. Ik zat tien minuten roerloos naar het beeld te kijken. Het was Charlie, het was Charlie, het was Charlie.

Ik ging zo ver om een visum aan te vragen en te kijken welke trans-Atlantische vluchten er gingen voordat ik mijn laptop dichtsloeg. Ik schudde mijn hoofd in de wetenschap dat ik niet op mijn eigen oordeel kon vertrouwen. Na een paar tellen maakte ik een kop koffie en probeerde ik mezelf af te leiden met de tv.

De twee dagen daarna kon ik me nergens op concentreren. Aan boeken, die het laatste jaar mijn enige ontsnappingsroute waren geweest, had ik niets; ik las een uur of zo en merkte dan dat ik twintig pagina's terug de draad was kwijtgeraakt en geen idee had wat ik had gelezen. Ik ging een eindje lopen in de augustuszon en werd bijna overreden door een bus die ik niet aan had horen komen. Samantha belde, maar ik nam niet op. Mijn gedachten gingen steeds weer terug naar hetzelfde: die verdomde foto. Ik probeerde er niet naar te kijken, maar het was als een soort honger die ik niet kon stillen.

'Dit is idioot,' zei ik hardop, hoewel er niemand anders in de kamer was. Ik zat op de bank met mijn laptop op mijn knieën en die foto op het scherm. Het kon Charlie niet zijn, dat wist ik heus wel. Het probleem was dat ik het niet echt *geloofde*. Ik ging internet op en begon vluchten naar Miami te zoeken.

Ik stond op Heathrow te wachten tot ik kon inchecken toen Luke me belde.

'Ik wil alleen even weten of alles goed met je is,' zei hij. Hij had me sinds die foto was opgedoken iedere dag gebeld, en ik had iedere dag gelogen en tegen hem gezegd dat ik er niet eens meer aan dacht.

'Prima,' zei ik, net op het moment dat er een aankondiging werd gedaan via het luidsprekersysteem van de luchthaven.

'Wat was dat?' vroeg hij, en ik zag voor me hoe hij rechtop schoot in zijn kantoorstoel. 'Kate, waar zit je in godsnaam?'

'O, jezus,' zei ik tegen mezelf, en toen bracht ik de telefoon weer naar mijn mond. 'Oké Luke, je moet niet kwaad worden, maar ik sta op het vliegveld. Ik weet dat het idioot is, maar ik moet het gewoon zeker weten. Ik ga alleen even naar Miami, daar kom ik erachter dat het niets te betekenen heeft en de rest van de week ga ik zonnebaden en vakantie vieren. Je hoeft je over mij geen zorgen te maken.'

'Kate, je hoeft niet helemaal naar Amerika te gaan om er zeker van te zijn dat de man op die foto Charlie niet is!'

Ik ging op de rand van mijn koffer zitten. 'Hoor eens, ik weet dat het Charlie niet is. Mijn hersenen in ieder geval. Het probleem is dat het *voelt* alsof ik een foto van Charlie heb gezien, die levend en wel in Miami schaaldieren zit te eten.'

'Dat slaat nergens op,' klaagde hij.

'Nee, dat weet ik. Sorry, ik leg het ook niet erg goed uit. Hoor eens, we weten allebei dat het Charlie niet kan zijn. Dat blijf ik mezelf voorhouden, maar ik houd nog steeds dat gevoel van hoop en daar ga ik aan kapot. De enige manier die ik kan bedenken om het kwijt te raken, is die man vinden en overduidelijk merken dat hij een volslagen vreemde is en dat ik mezelf met geen mogelijkheid de rest van mijn leven kan blijven wijsmaken dat Charlie nog steeds ergens zou kunnen zijn. Want dat gebeurt als ik niet ga.'

Amerikanen hebben het altijd over 'dingen afsluiten'. Luke zou toch zeker wel kunnen begrijpen dat die foto een deur had geopend die ik weer dicht moest doen voordat ik gek werd?

Lukes stem werd hard. 'Charlie is dood, Kate. Hij komt niet terug. We hebben allebei zijn lichaam gezien in het mortuarium. Of denk je soms dat er toevallig een andere arme stakker is aangespoeld van dezelfde lengte en met hetzelfde gewicht en met precies dezelfde tatoeage? Jezus, ik begrijp beter dan wie ook waarom je wilt geloven dat die vent op de foto Charlie is, maar om de halve wereld over te vliegen om een spook na te jagen...'

'Bedankt dat je zo met me meevoelt en me zo goed begrijpt,' zei ik, en ik verbrak de verbinding.

Mijn god, wat ga ik nou doen? dacht ik even toen het vliegtuig opsteeg, maar diep vanbinnen wist ik dat ik gelijk had; als ik thuisbleef, zou ik me de rest van mijn leven blijven afvragen of het heel misschien toch mijn man was geweest in dat restaurant, en of het ongeloof van mijn vrienden en mijn eigen besluiteloosheid me ervan hadden weerhouden hem terug te vinden.

De stewardessen deelden maaltijden en gratis drankjes uit, en omdat de luchtvaartmaatschappij ervan uitging dat het vliegtuig zich in de tijdzone bevond van de plaats waar je naartoe ging in plaats van de plaats vanwaar je vertrok, hadden we amper tijd om ons toetje op te eten voordat we dekens kregen en ze de hoofdverlichting uitschakelden.

De oudere vrouw naast me zocht oogcontact toen ik naar de foto uit Miami keek, die sinds het vertrek op mijn schoot had gelegen, terwijl mijn vingertop de donkere omtrek volgde van het gezicht van de man die zoveel op mijn echtgenoot leek.

'Neem me niet kwalijk, liefje,' zei ze eindelijk. 'Ik wilde je alleen even vragen of het je niet stoort als ik mijn tv nog even aan laat staan.' Er werden in het vliegtuig films vertoond op beeldschermen in de rugleuning van de stoel voor de passagiers. Ik keek naar de film op haar schermpje. 'Johnny Depp,' zei ze met een knipoog. 'Die zou ik niet willen missen.'

'Het is lief dat u het vraagt,' zei ik tegen haar. 'Ga gerust uw gang. Mij stoort u niet. Ik geloof toch niet dat ik zal kunnen slapen.'

Ze knikte en ik wachtte tot ze haar koptelefoon weer op zou zetten. In plaats daarvan wees ze naar de man op de achtergrond van de foto en vroeg: 'Is dat je vriend?'

Ik voelde dat mijn onderlip begon te trillen en beet er hard op. 'Ik geloof van niet,' zei ik tegen haar. 'Maar ik zou willen dat het wel zo was.'

Het vliegtuig vloog tegen de draaiing van de planeet in en gleed door het donker en de rafelige wolken. Ik dacht terug aan de dag dat ik Charlie had ontmoet.

Het Carnival Hotel staat op de nominatie om in november gesloopt te worden, dus wil ik bij mijn bezoek aan Las Vegas de achtbaan niet missen. Samantha is braaf de hele dag naar het congres, dus schiet ik in mijn eentje over de gammele oude baan terwijl zij netwerkt en visitekaartjes verzamelt. Helaas is het ritje enigszins teleurstellend; het engste is de ouderdom van de achtbaan. De angst dat de dertig jaar oude, roestige schroeven die hem bij elkaar houden net op dat moment kapot zouden gaan zodat ik en mijn medepassagiers van de baan op het tientallen meters hoge dak gelanceerd zouden worden, was het enige wat mijn hart sneller deed kloppen.

Dus nu zit ik te wachten op de lift die me weer naar de begane grond moet brengen. Er staat ook nog een blond meisje te wachten, dat haar gewicht van de ene hoge hak op de andere overbrengt. Ze draagt het kortste jurkje dat ik ooit heb gezien. Ze kijkt op haar horloge, zucht theatraal en drukt nog eens op de liftknop. Haar vingernagels hebben dezelfde kleur als haar jurk.

De lift arriveert en ik laat haar eerst instappen. Ik kijk in mijn gidsje over de achtbanen van Las Vegas, dus merk ik alleen dat er nog twee mensen in de lift staan.

De deuren gaan langzaam achter ons dicht en we zijn nog maar enkele tientallen centimeters gedaald als het plotseling helemaal donker wordt en de lift schokkend tot stilstand komt. Het meisje dat samen met mij in de lift is gestapt, slaakt een kreet.

'Rustig maar, niets aan de hand,' zegt een mannenstem. Hij klinkt heel kalm en ontspannen, het soort stem waarnaar je op een late zomeravond met je ramen open en ijs in je rum wilt luisteren. 'De stroom valt voortdurend uit in dit gebouw. Het is gewoon oud. Straks gaat de reservegenerator aan.' Ik heb me wel eens afgevraagd of blinde mensen zich meteen aangetrokken kunnen voelen tot iemand die ze net hebben ontmoet. Nu weet ik het.

Het is echt pikkedonker. Ik wacht tot de noodverlichting aangaat, een rode gloed misschien, maar er is niets dan duisternis. En dan hoor ik hoe de vierde persoon in de lift in paniek begint te raken.

'O god o god o god o god,' zegt hij. Hij probeert zich in te houden, maar de woorden rollen er toch uit. Ik hoor het geluid van langs elkaar schuivende stof en besef dat hij zijn das lostrekt. Ik doe een stap naar hem toe en probeer zijn schouder te lokaliseren, zodat ik mijn hand erop kan leggen.

'Niets aan de hand,' zeg ik zo geruststellend mogelijk. 'Deze liften zijn heel groot, er zit een hele lading lucht in. U hoeft u echt nergens zorgen over te maken.'

'Ik heb zo'n droge mond,' zegt hij. 'Ik geloof dat mijn tong opzwelt.'

Ik hoor een waterflesje, vloeistof die tegen plastic klotst. 'Hier, ik heb wat water,' zegt de warme stem, en er gaan vingers langs de mijne als het flesje aan de in paniek rakende man wordt gegeven.

'Geef niet alles aan hem!' klaagt het meisje als de man de dop van het flesje rukt en een paar grote slokken neemt. 'Misschien hebben we het nog nodig. Stel dat we hier uren vastzitten?'

Ik hoor de glimlach in de stem van de eerste man als hij zegt: 'Nou, misschien moeten we dan ook maar gaan nadenken over iets om te eten. Laten we strootjes trekken en kiezen wie we het eerst opeten.'

Ik probeer de lach achter mijn hand te verstikken, maar er komt toch zoveel geluid naar buiten dat de anderen zich wel zullen afvragen of ik geamuseerd ben of een hartaanval krijg.

'De airconditioning is ermee opgehouden!' De man met het water raakt door het dolle. 'Het is hier veel te warm, we zullen stikken, ik weet het zeker.' Hij klinkt alsof hij ieder moment kan gaan hyperventileren, en dat is misschien niet eens zo slecht. In dat geval valt hij tenminste flauw en hoeft hij niet iets onder ogen te zien wat duidelijk een van zijn grootste angsten is.

Het idee om vast te zitten in een soort sauna in een liftschacht trekt mij ook niet erg, maar ik probeer er niet over na te denken. Mijn gidsje is vrij dun, dun genoeg om het als waaier te gebruiken. Ik begin lucht in het gezicht van de claustrofobische man te wuiven en hij kreunt van opluchting. Ik weet niet of hij zich er wel van bewust is dat het geen briesje is, maar een wapperend boekje over achtbanen, waarmee hij waarschijnlijk een klap tegen zijn kin krijgt als mijn nachtzicht niet snel verbetert.

'O mijn god, hij heeft gelijk,' begint het meisje. 'Het is buiten wel veertig graden. Als het hier ook zo warm wordt...' Ik wil haar net zeggen dat ze haar bek moet houden – deze man heeft er echt geen behoefte aan dat zij zijn fobie nog een beetje aanwakkert –, maar de andere man fluistert iets tegen haar en zorgt ervoor dat ze zwijgt en kalmeert. Ik voel een vreemde golf van jaloezie; natuurlijk wil hij haar graag op haar gemak stellen, hij heeft haar ongetwijfeld goed kunnen bekijken toen ze in de lift stapte en nu ziet hij zijn grote kans. Dan houd ik mezelf voor dat ik een idioot ben, dat het licht zo aangaat en dat ik dan ongetwijfeld teleurgesteld zal zijn als zijn gezicht niet bij die stem blijkt te passen.

Ik concentreer me op de claustrofobielijder. 'Doe uw ogen dicht,' zeg ik, hoewel er in de lift niet bepaald een verblindend licht schijnt dat hem afleidt. 'Stel u voor dat u zich op een enorme, besneeuwde vlakte bevindt. Het is nacht en overal om u heen is niets dan de immense, donkere hemel en het ijs onder uw voeten.'

Zijn ademhaling begint weer wat rustiger te worden. Ik hou vol en strooi met koude, ruimtelijke beelden.

'En ik dan?' klaagt het meisje opeens. 'Rot op met je pinguïngedoe. Ik ben net zo bang als hij!'

'Wil je dat ik voor jou een visualisatie doe?' zegt de man met de heerlijke stem. 'Oké, doe je ogen dicht. Je bevindt je in een enorm, leeg winkelcentrum. Alle winkels zijn open, alleen voor jou.'

Ik verslik me in het woord 'toendra' en probeer bij de les te blijven. Ik wou dat ik die man kon zien.

En dan, even plotseling als het uit ging, flikkeren de lichten, en ik hoef hem niet eens te zoeken – we kijken al naar elkaar en hebben in het donker naar elkaar staan glimlachen. Later kan ik vertellen dat hij zwart haar heeft, een gebruinde huid en een gelukkig, knap gezicht. Hij is lang, met brede schouders en lange benen in een donkerblauwe spijkerbroek. Maar op dat moment zie ik daar niets van. Ik zie alleen zijn ogen. We horen bij elkaar, onlosmakelijk.

Op de een of andere manier weten we allebei dat ons leven als opzichzelfstaande personen voorbij is. Onze glimlach vervaagt en we blijven elkaar een tijdje staan aanstaren.

'Oké,' zegt hij zachtjes, duidelijk net zo overdonderd door wat er gebeurd is als ik. Hij steekt me zijn hand toe. 'Charlie.'

'Kate,' antwoord ik, en mijn glimlach komt terug als ik hem de hand schud.

Toen ik Charlie ontmoette, was het net alsof ik thuiskwam, hoewel ik me tot op dat moment niet had gerealiseerd dat ik verdwaald was.

Ik werd met een schok wakker en zag een van de stewards naast me staan met een kan in de ene hand en een beker in de andere.

'Koffie?' vroeg hij.

'Graag.' Ik wreef over mijn gezicht om wakker te worden en probeerde me te herinneren wat ik in een vliegtuig deed.

De foto. Charlie. Miami.

Ik dronk de koffie in drie grote slokken op. De oudere vrouw naast me legde even haar hand op mijn arm.

'Ik ben blij dat je wakker bent, meisje. Je leek een soort nachtmerrie te hebben, maar ik wilde je niet wakker maken omdat je dacht dat je er moeite mee zou hebben in slaap te vallen.'

Waar had ik over gedroomd? Er kwamen citroenbomen boven in mijn herinnering en ik moest moeite doen niet te huiveren.

'Ik denk dat ze iedereen wakker maken omdat we er bijna zijn. Je hebt je vriend trouwens gemist.'

'Mijn vriend?'

Ze knikte en vouwde haar knoestige handen met de dikke aderen om haar beker koffie. 'Een heel aardige, jonge, blonde kerel. Amerikaans, geloof ik.'

Luke. 'Zit hij in het vliegtuig?'

'Hij zei dat ik tegen je moest zeggen dat hij negen rijen achter ons zit en dat je snurkt. Dat laatste is trouwens niet waar, maar ik heb beloofd dat ik de boodschap correct zou overbrengen. Zou je het erg vinden om me er nu even langs te laten? Ik ben bang dat mijn blaas niet meer zo sterk is als vroeger.'

Mijn ledematen waren warm en zwaar van de slaap en de cabinedruk, maar ik duwde me uit mijn stoel en liep op blote voeten het gangpad af naar de zevenenveertigste rij. Ik stopte bij een toilet en nam de tijd om boos naar mijn spiegelbeeld te kijken. Verward zwart haar, niet precies de gladde bob die mijn kapper had bedoeld. Doffe grijze ogen, gevlekte eyeliner. Ik ging met mijn vingertoppen naar mijn hoekige wenkbrauwen om ze in het gelid te brengen en haalde een hand door mijn haar.

Het was geen grote verbetering, maar ik was tenminste wakker. Tijd om Luke op te zoeken.

Hij zat op me te wachten in zijn stoel aan het gangpad, en toen hij me zag, stond hij op en sloeg zijn armen om me heen.

'Dit betekent niet dat je gelijk hebt,' zei hij. 'Ik kon je dit gewoon niet in je eentje laten doen.'

'Ik heb je niet gezien in de vertrekhal,' zei ik, opgelucht dat ik hem nu naast me zou hebben.

'Ik heb pas op het laatste nippertje besloten mee te gaan,' gaf hij toe. 'Ik kwam tien minuten na sluitingstijd bij de incheckbalie.'

'O, ja? Hoe heb je ze overgehaald je nog aan boord te laten?'

'Dat is zeker een grapje?' vroeg hij. 'Met al die frequent flyer miles die ik heb verzameld, zou ik een eigen jet kunnen charteren als ik dat wilde.' Luke zat in de import, had zijn paspoort altijd in de borstzak van zijn colbert zitten en bracht zijn halve leven door in vliegtuigen.

Ik glimlachte naar hem. 'Ik ben blij dat je er bent,' zei ik.

Hij streek het haar uit mijn gezicht en achter mijn oren. 'Zo ben ik nu eenmaal. Er zijn een paar fantastische krabrestaurants in Miami.'

We landden om middernacht op Miami International Airport en Luke en ik moesten even uit elkaar vanwege onze verschillende nationaliteiten; ik had nooit mijn rechten opgeëist als vrouw van een Amerikaan. Omdat Charlie en ik de twee jaar van ons huwelijk in Londen hadden gewoond, had ik nooit gedacht ze nodig te hebben.

'Wat is het doel van uw bezoek?' vroeg de ongeïnteresseerde douanier.

Een vraag waar niet zomaar een eerlijk antwoord op te geven was. 'Vakantie,' besloot ik. 'Ik ga wat oude vrienden opzoeken.'

Ik wilde meteen een taxi nemen naar het restaurant, maar Luke stond erop een auto te huren.

'Dat is alleen omdat jij zo nodig in een SUV wil rijden,' zei ik bij de balie.

'Ik heb genoeg van jullie sedans en Smarts,' zei hij. 'Ik wil iets waarbij je een ladder nodig hebt om in te stappen.'

De warmte sloeg me tegemoet zodra we via de automatische deuren de nacht in liepen. Gelukkig had dat bakbeest van een huurauto airco. 'Is het ver naar de stad?' vroeg ik terwijl ik erin klom. De stoel leek zich meer dan een meter boven de grond te bevinden.

'Nee, maar een paar kilometer.'

'Ik wil meteen naar het restaurant,' zei ik.

'Kate, ik begrijp dat je op hete kolen zit, maar het is halfeen 's nachts. Die zaak zit potdicht.'

'Ik dacht dat ze in Miami zo'n druk nachtleven hadden?'

'Je zei dat het een restaurant was, geen club. De bedrijfsleider en de obers zijn waarschijnlijk ergens gaan dansen en margarita's gaan drinken.'

Ik keek naar buiten toen we het vasteland verlieten en over de Julia Tuttle Causeway boven de oceaan reden. We konden de lichtjes van Miami Beach in de verte zien.

'Zo te zien weet je hier de weg,' merkte ik op. Luke haalde zijn schouders op.

'Ik ben hier in de loop van de tijd een paar keer geweest.'

'Ook wel eens met Charlie?'

'Een of twee keer,' zei hij, met zijn aandacht bij de weg.

'Ben je ooit in El Cangrejo Dorado geweest?'

Hij wierp even een blik opzij. 'Natuurlijk niet. Dat zou ik je toch verteld hebben.'

'Wat kwamen jullie hier doen? Vakantie? Zaken?'

'We zijn hier een paar keer in de voorjaarsvakantie geweest toen we nog studeerden.'

'De voorjaarsvakantie,' zei ik. 'Dan komen alle seksbeluste studenten toch naar het strand om zich te bezatten en alles te naaien wat beweegt?'

'Zo'n beetje,' zei hij.

'Leuk.'

'Hé, we waren nog maar kinderen.'

'Heeft Charlie hier nog oude vriendinnen?'

Luke schudde zijn hoofd. 'Wat, denk je soms dat Charlie zijn eigen dood in scène heeft gezet om het weer aan te leggen met een meisje dat hij vijftien jaar geleden in de voorjaarsvakantie in Miami Beach heeft ontmoet?'

'Ik heb niet gezegd dat ik dacht dat Charlie zijn eigen dood in scène heeft gezet,' merkte ik op.

'O nee? Wat is jouw theorie dan?'

'Die heb ik niet.' Ik moest moeite doen niet boos te worden. Het was fijn dat Luke was meegegaan, maar ik had geen zin om voortdurend ruzie te maken over hetzelfde punt. 'Die heb ik niet nodig. Ik zeg niet dat hij niet dood is.'

'Wat doen we hier dan in godsnaam?'

Ik besloot dat ik beter geen antwoord kon geven. Ik draaide het raampje naar beneden om het gevoel dat ik in de val zat kwijt te raken.

'De airco werkt niet goed als je dat raampje openzet.'

'Wat kan mij dat nou schelen. Is het soms niet fijn om rond te rijden met de wind in je haar?'

Ik zag hoe hij met zijn ogen rolde. Luke lijkt op de jonge Paul Newman, maar een beetje uit het lood geslagen, zodat hij vanuit een bepaalde hoek knap is, maar vanuit een andere te scherp. Hij heeft de neus van een Romeins beeldhouwwerk, maar dunne en in wezen wrede lippen. Het mooist zijn zijn ogen. Ze zijn blauw, maar heel licht. Als er geen donkerblauwe rand om had gezeten, had je de irissen helemaal niet kunnen onderscheiden. En hij weet hoe hij er gebruik van moet maken. Het is heel vermakelijk om hem in de zomer een meisje te zien aanspreken met zijn zonnebril op en hem die dan nonchalant af te zien doen. De toename in de belangstelling van het doelwit kan heel opvallend zijn. Vooral als hij glimlacht om de intensiteit van die blik wat af te zwakken.

Hij en Charlie waren helemaal op elkaar ingespeeld. Ik kon voor me zien hoe ze als tieners in hun zwembroek op het strand de studentes hadden verleid.

'Denk je dat het wat geworden was tussen Charlie en mij als we elkaar op de universiteit hadden ontmoet?' vroeg ik aan Luke.

'Wie weet? Hij zou wel voor je gevallen zijn, maar ik weet niet of hij zich wel had gedragen.'

'Dus je bent alleen zielsverwanten als je elkaar op het juiste moment in je leven tegenkomt?'

'Ik geloof niet in zielsverwanten.'

'Charlie wel.'

'Charlie werd pas romantisch toen hij jou had ontmoet.'

'Ja,' zei ik. 'Ik ook.'

We kwamen aan op het eiland Miami Beach en werden verwelkomd door met neonverlichting beschenen palmbomen. We reden naar het zuiden om een hotel te zoeken.

South Beach, waar het restaurant was, was beroemd om zijn art deco gebouwen, die in de jaren twintig en dertig waren verrezen na een orkaan die alle eerdere bebouwing met de grond gelijk had gemaakt. In het donker werden de pasteltinten overspoeld door de schokkend roze en lichtgevend blauwe neonborden die aan de muur van elk hotel en elke bar op Ocean Drive leken te hangen.

'Laten we het Moonlite proberen,' stelde Luke voor, en hij stak de weg over naar een bordje van de valetparking. De bediende, een jonge jongen met een miezerig snorretje dat hij waarschijnlijk al een halfjaar probeerde te kweken, gaf ons een kaartje in ruil voor de sleutels en klom achter het stuur. De portier was verbaasd dat we maar één koffer bij ons hadden.

'Niet te geloven dat je niet eens schone kleren bij je hebt,' zei ik voor wel de derde keer sinds hij me bij de bagageband had verteld dat hij zo plotseling had besloten met me mee te gaan dat hij geen tijd had gehad om naar huis te gaan en iets in te pakken.

Hij haalde zijn schouders op. 'Mooi excuus om wat witte pakken en instapschoenen te kopen. Sokken heb ik niet nodig, en als ik mijn mouwen op de juiste manier oprol, lijk ik precies Don Johnson.'

Ik keek naar het mengelmoes van toeristen in korte broek en sportschoenen en de prachtige *locals* in strakke, zwarte jurkjes en scherp gesneden designerpakken.

'Ik zie niemand die zich kleedt als Crockett en Tubbs,' merkte ik op.

'Dat is omdat je mijn knappe uiterlijk moet hebben om dat te kunnen dragen,' legde Luke uit.

De lobby van het Moonlite was een en al chroom en muren in het tere blauw van eendeneieren.

'Wilt u een tweepersoonskamer of twee eenpersoonskamers?' vroeg de receptionist. Luke trok een wenkbrauw op.

'Twee eenpersoons,' zei ik nadrukkelijk. 'Liefst aan verschillende kanten van het hotel.'

De receptionist fronste. 'Ik vrees dat we nog steeds vrij vol zitten, dus ik kan u niet verder uit elkaar zetten dan een verdieping.'

'Ze maakt maar een grapje,' zei Luke tegen hem. De receptionist knikte en deed alsof hij moest lachen. 'Ze is Engels,' voegde Luke er zachtjes aan toe.

Mijn kamer was ruim en schoon, met een glanzende marmeren badkamer en een breedbeeld-tv aan de muur.

'We moeten eigenlijk zuinig aan doen,' zei ik tegen Luke. 'Dat vliegticket kostte meer dan mijn auto.'

'Als jij een vlooientent op kilometers afstand van het restaurant wil nemen, ga je je gang maar,' zei Luke. 'Persoonlijk heb ik iets tegen kakkerlakken in mijn bed. Tenzij er kakkerlakken bestaan die eruitzien als Marilyn Monroe.'

Ik pakte mijn mobiele telefoon en zette het alarm op een paar uur later. Luke griste hem uit mijn handen, zette het alarm weer uit en legde hem weer op mijn nachtkastje.

'Schat, het restaurant gaat niet om negen uur 's ochtends al open. Neem dat nou maar van mij aan. Ga slapen. Ik kom je wel wakker maken als ik de kans heb gehad wat kleren te kopen die niet naar vliegtuigen en mannelijk zweet ruiken.'

Hij gaf me een zoen op mijn voorhoofd. 'Slaap zacht.'

Gemakkelijker gezegd dan gedaan. Ik lag in het donker te kijken naar de koplampen van de auto's die buiten voorbijreden, waarvan het licht door de spleet tussen de gordijnen viel en over het plafond trok. Ik draaide aan de trouwring om mijn vinger en dacht aan Charlie.

We staan met z'n vieren op straat, net voor het Carnival. De zon hangt laag aan de hemel en het oranje licht weerkaatst in de spiegels naast de ingang. We hebben alle vier een tegoedbon in de hand; als je tien minuten vast hebt gezeten in een van de liften van het casino, heb je er blijkbaar recht op om voor honderd dollar te gokken.

De claustrofobielijder, een man van in de veertig met een sik en instappers van Ferragamo, schudt me de hand.

'Dank je,' zegt hij. 'Ik was nergens geweest als jij me niet had geholpen.' Hij haalt een visitekaartje uit zijn portefeuille en geeft het aan mij. 'Voor het geval je ooit een gunstige verzekering wilt afsluiten. Dan hoef je mij niet te betalen.' Hij wenkt een taxi en gaat terug naar zijn hotel. '... En daar ga ik via de trap naar mijn kamer en bestel ik een grote sigaar en flink wat Chivas Regal.' Ik steek mijn hand op als zijn taxi over de Strip verdwijnt.

Het meisje in het mini-jurkje draait een lok haar om haar wijsvinger en kijkt op naar Charlie. Ze staat met haar rug naar me toe.

'Hé, Charlie,' zegt ze met honingzoete stem. 'Heb je zin om in mijn hotel een cocktail te gaan drinken? Ze maken er de beste Appletini's van de stad...'

Hij glimlacht naar haar en zegt dat hij helaas andere plannen heeft. Dan kijkt hij naar mij en het late zonlicht verguldt zijn gezicht en verlicht zijn schemerblauwe ogen.

En dus sta ik een halfuur later op een platform, enige tientallen meters boven iets wat eruitziet als een piepklein zwembadje, met handdoeken om mijn enkels om ze te beschermen als het bungeekoord strak gaat staan. De zon is bijna onder en de nachtelijke duisternis verbreidt zich aan de hemel als gemorste inkt.

'Klaar? Bij vijf springen,' zegt de instructeur. Charlie is een verre gestalte bij het zwembad die opkijkt en naar me wuift. *Nou, Kate*, zei hij op straat voor het Carnival tegen me, *als je nog steeds een adrenalinestoot wilt hebben, weet ik wel waar je die kunt krijgen.* Zelfs op deze hoogte zie ik hem lachen en ik stort een stroom verwensingen over hem uit.

'Eén,' zegt de instructeur, en ik denk: waarom zou ik wachten? Die laatste vier seconden op het platform zullen het onvermijdelijke niet minder onvermijdelijk maken. Dus ga ik iets door mijn knieën en stort ik me naar voren alsof ik echt in dat zwembad wil duiken.

Even vlieg ik vrij door de lucht, dan wordt het zwembad groter en groter, raak ik het water en trekt het bungeekoord me zachtjes terug de lucht in. Duizenden lichtjes twinkelen om me heen als ik draai in het briesje. Terwijl ik steeds minder ver op en neer ga, zie ik Charlie stralen van trots, alsof ik zijn kind ben en niet een meisje dat hij nog geen uur geleden heeft ontmoet. Zodra ze me hebben losgemaakt, lachend omdat ik zo nat ben en zo juich, ren ik naar hem toe. Het kan hem niet schelen dat ik drijfnat ben en hij slaat zijn armen om me heen van vreugde en opwinding.

De kamer werd overspoeld met licht toen Luke de gordijnen opentrok.

'Goedemorgen, zonnestraaltje,' zei hij, en hij gooide mijn mobiel op het laken.

'Wel eens van kloppen gehoord?' vroeg ik. Ik knipperde tegen het felle licht en kwam op mijn elleboog overeind. Het was maar goed dat ik nog steeds het T-shirt met lange mouwen van de vorige dag aan had. Luke droeg een nieuw, crèmekleurig pak en een wit overhemd, en op zijn hoofd stond een Ray-Ban-zonnebril.

'Dat heb ik gedaan. Je hebt er blijkbaar doorheen geslapen.'

'Hoe laat is het?'

'Halftwaalf.'

Zo laat al? Ik strompelde het bed uit en trok mijn spijkerbroek aan.

'Ho, ho,' zei Luke. 'Niet dat ik het niet leuk vind je in je onderbroek te zien, maar geloof je niet dat je een douche en schone kleren kunt gebruiken? Het restaurant is er over een halfuur ook nog wel. En de deur gaat pas om twaalf uur open.'

'Ook goed,' zei ik. Ik pakte een schoon stel kleren en verdween in de badkamer. Twintig minuten later kwam ik weer tevoorschijn, gewassen, aangekleed en klaar om te gaan. Luke zat op het bed met een vreemde uitdrukking op zijn gezicht. Hij liep langs me heen de badkamer in en keek op de planken en zelfs in mijn toilettas.

'Wat doe je nou in godsnaam?' vroeg ik.

'Je bent je medicijnen vergeten,' zei hij.

Ik fronste en zette me schrap. 'Ik ben ze niet vergeten. Ze waren op.'

'Waarom heb je dokter McCormack niet om een nieuw recept gevraagd?'

'Ik heb haar al een tijdje niet gezien.'

'Niet?' zei hij. 'Hoe lang is een tijdje?'

'Luke, ik ben hier echt niet voor in de stemming,' zei ik. 'Hou er alsjeblieft over op.'

'Je moest er elke week heen,' drong hij aan. 'Hoe lang is het geleden?'

'Lang genoeg om af te kicken van die pijnstillers die ze me gegeven had,' zei ik. Het is de bedoeling dat mensen pijn voelen als ze verdriet hebben. Het is niet natuurlijk om je ervoor te verdoven. Ik had het gevoel dat ik aan mijn verdriet probeerde te ontsnappen vreselijk gevonden, alsof ik Charlie daarmee verraadde of zo.

Luke schudde zijn hoofd en liep de deur uit. Na een paar seconden ging ik achter hem aan.

De hemel was kobaltblauw, een fel contrast met het witte strandzand. We liepen over Ocean Drive en bewonderden de art deco gebouwen met hun ronde hoeken en ramen die door de decoratie net opgetrokken wenkbrauwen leken te hebben. De suikerspinroze muren van het ene leunden tegen de mintgroene van het volgende. In een gebouw met babyblauwe strepen weerkaatste een gedeelte met glazen bakstenen de felle zon van Miami.

Ocean Drive was één grote file: slanke BMW's, glinsterende Harleys en ouderwetse open wagens met staartvinnen. Oude dametjes met paraplu's tegen de UV-stralen van de zon haastten zich over de roze trottoirs langs surfers in wijde korte broeken en tieners met mobieltjes die blikkerige deuntjes speelden. Een hond aan een lijn rende ons voorbij, gevolgd door een meisje op rolschaatsen in bikini.

'Jezus,' zei ik toen het meisje ons voorbijschaatste. 'Zijn ze hier een tamponreclame aan het opnemen of zo?'

Als het een poging was om Luke aan het lachen te krijgen, had die geen resultaat.

'Hier is het,' zei hij. Hij knikte van de foto van El Cangrejo Dorado in zijn hand naar het echte restaurant.

De grote glazen deuren in de turkooizen gevel stonden open en witte vitrages golfden in het briesje. De geur van jasmijn kwam ons tegemoet toen we het restaurant in liepen.

Het was groter dan het op de foto's had geleken, en de zon door de open deuren maakte kaarsen of kerstlichtjes overbodig, maar toch was het vreemd om daar echt te staan, alsof ik in de bladzijde van een fotoboek was gestapt.

Een man in een wit overhemd en een zwarte broek kwam naar ons toe. Hij knikte tegen Luke, maar sprak mij aan. 'Tafeltje voor twee?'

'Eigenlijk komen we vragen of u ons ergens mee zou kunnen helpen,' zei ik tegen hem. 'We proberen een vriend van ons te vinden en we weten dat hij op de tiende hier was.' Ik gaf hem een afdruk van de foto.

Hij nam de afdruk van me aan en keek er even naar voordat hij hem teruggaf. 'Het spijt me,' zei hij. 'Hij doet geen belletje rinkelen.'

Ik sloeg een van de fotoalbums open en liet hem een foto van Charlie zien, een close-up die ik twee kerstmissen geleden in een bar in Islington van hem had gemaakt. Hij wierp er een blik op en keek ook nog even naar de andere foto's, maar schudde intussen zijn hoofd al. 'Sorry.'

'Mogen we soms even in uw boek met reserveringen kijken?' vroeg ik. 'We weten dat hij hier tussen acht en negen uur 's avonds moet hebben zitten eten en dat er vier andere mensen bij hem aan tafel zaten, dus moet er een reservering voor minstens vijf mensen zijn geweest.'

Luke stond achter me en de ober keek hem met opgetrokken wenkbrauwen aan en toen weer naar mij. 'Is de man op die foto uw echtgenoot?'

'Ja,' zei ik.

'Loopt hij soms achter met de kinderalimentatie?'

'Nee. Het ligt veel ingewikkelder.'

'Hoor eens, als hij bij u weg is gegaan en u geld schuldig is, kunt u misschien naar de rechter stappen of zo, maar zo niet, dan kan ik verder niets zeggen. We moeten de privacy van onze gasten in ere houden. Ik kan niet iedereen die hier binnenvalt de reserveringen laten zien.'

'Dat begrijp ik, maar als u even wilt luisteren...'

'Het spijt me, ik...' Hij keek verbaasd toen een man met net zo'n overhemd en broek als hij binnen kwam lopen. 'Ik dacht dat jij je ziek had gemeld.'

De man kwam naar ons toe en zette zijn honkbalpet en zijn zonnebril af. 'Ja, baas, maar ik voelde me al wat beter en ik heb het geld nodig.' De ober wisselde een blik met Luke en net toen het erop leek dat de pas aangekomen man naar de keuken zou worden verwezen, kreeg hij de foto van Charlies tafel in het oog.

'Hé,' zei hij met een grijns, en hij nam de foto van me aan. 'Dat is Alejandro.'

HOOFDSTUK DRIE

'Die man?' vroeg ik snel, en ik wees naar Charlie.

'Nee, van die man ken ik de naam niet. Maar die aan het eind van de tafel, dat is Alejandro, een van onze vaste gasten.'

Ik negeerde de onheilspellende blik die de ober op hem wierp en vroeg de kelner waar ik die Alejandro kon vinden.

'Hij heeft een meubelzaak in Little Havana,' zei hij tegen me, en hij schreef het adres op de achterkant van een van de afdrukken. 'Ik moet gaan,' zei hij toen. 'Straks komen de gasten. Eten jullie ook hier?'

'Ik vrees van niet,' zei ik met een lieve glimlach naar de ober.

'Schande,' zei de kelner, die in de richting van de keuken achter in het restaurant liep. 'We hebben hier de beste steenkrab in Miami. *Hasta luego*!'

We bleven achter met de ober, die zijn schouders ophaalde toen ik hem aankeek.

'Een van uw vaste klanten, blijkbaar,' zei ik.

'U hebt me niet gevraagd of ik Alejandro herkende,' merkte hij op.

'Dat is spijkers op laag water zoeken.'

'Ik denk dat u nu beter weg kunt gaan.'

Toen we weer op Ocean Drive stonden, was Luke aan de beurt. 'Wat was dat nou?' vroeg ik.

Hij fronste en liep door. 'Hoe bedoel je?'

'Je hebt de hele tijd dat we daarbinnen waren geen woord gezegd. Een beetje intimiderend testosteron zou misschien hebben geholpen.'

'Ik dacht dat we beter eerst konden kijken of de zachte vrouwelijke noot werkte voordat ik me ermee bemoeide. Ik had me niet gerealiseerd dat je direct in de aanval zou gaan.'

'Gelukkig kwam die kelner net binnen, anders hadden we helemaal niets gehad.'

Luke knikte. 'Ja. We hebben geluk gehad. Als we hem niet hadden ontmoet, had je niet zoveel Spaans opgestoken.'

'*Hablo mucho español*, maak je daar maar niet druk om,' verzekerde ik hem. 'Je lijkt niet erg opgewonden.'

Hij schoof bruusk zijn zonnebril voor zijn ogen. 'Waar moet ik opgewonden over raken? Deze hele zinloze onderneming loopt voor jou toch weer uit op een gebroken hart.'

Little Havana was op het vasteland, vlak bij het centrum van Miami. Het was de plek waar een enorm aantal Cubaanse bannelingen terecht was gekomen nadat Castro in de jaren zestig de macht had gegrepen, en die hadden geprobeerd hun eigen kleine Cuba te scheppen in de straten van Miami. Het was een rustige wijk met nette huizen en sorbetkleurige winkelpuien, allemaal met Spaanse namen. Van de weinige bewoners die we zagen, bestond een groot percentage uit oudere mannen die buiten de cafés domino speelden. We kwamen langs winkelcentra, bloemisten, autodealers en hotels die eruitzagen alsof ze zó uit de jaren vijftig stamden.

'Waar ruikt het hier toch naar?' vroeg ik, genietend van het rijke aroma.

'Tabak,' vertelde Luke. 'Ze hebben hier een heleboel fabrieken waar ze sigaren rollen. Hoe vaak moet ik nou nog zeggen dat de airco niet werkt als je dat raampje openlaat?'

We reden door het Latin Quarter, waar olijfbomen langs de straten stonden. Hier leken de gebouwen in veel betere conditie, met wit gestuukte muren en rode pannendaken. Alejandro's meubelzaak – *Muebles d'Alejandro* – was in een van die gebouwen, met leren banken en grenen tafels in de etalages.

We parkeerden voor de winkel.

'Wil je dat ik de macho uithang, waar je het eerder over had, of wil je eerst de flirterige vrouwelijke benadering proberen?' vroeg Luke.

'Ik weet niet zo zeker of ik wel een flirterige vrouw kan spelen,' gaf ik terug. 'Maar ga jij gerust je gang.'

Alejandro kwam zelf achter uit de winkel om ons te begroeten. Ik herkende hem van de foto.

'*Buenos tardes! Cómo está?*' vroeg hij.

'*Bien, gracias. Y usted?*'

'*Muy bien. Inglésa?*'

'*Si.*'

'Wat kan ik voor u doen?' Hij ging over op Engels met een zwaar accent.

'Ik vrees dat we geen klanten zijn,' zei ik. 'We moeten een vriend van ons te pakken zien te krijgen en een van de kelners van El Cangrejo Dorado vertelde ons dat u een week of wat geleden met hem gedineerd hebt.'

'Echt waar?' zei Alejandro, en hij streek zijn snor glad, die eruitzag alsof twee bloedzuigers zich op zijn bovenlip genesteld hadden. 'Kunt u me iets meer vertellen over die vriend? Ik eet vaak bij El Cangrejo, en zelden alleen.'

Ik gaf hem de foto van Charlie. Hij keek ernaar en knikte beslist.

'Ja, ik heb afgelopen donderdag met hem gegeten. Het is een vriend van Bruno. Hoe heette hij ook weer...'

'Charlie,' zei ik voor.

Hij keek me vreemd aan. 'Nee, nee, ik weet zeker dat het niet Charlie was.' De moed zonk me in de schoenen.

'Iets wat erop lijkt?'

Hij dacht nog even en streelde zijn bloedzuigers. 'Joe. Ik ben er vrij zeker van dat die man Joe heette.'

Ik had zin om me op een van Alejandro's dikke leren banken te laten zakken. 'Hebt u veel met hem gepraat tijdens het eten?'

'Niet echt, hij zat helemaal aan de andere kant van de tafel. Maar hij leek een aardige kerel. Er is toch niets met hem, hoop ik?'

'Nee, niet echt. We hebben alleen nieuws dat hij moet horen.'

'Nou, hij en Bruno leken goed bevriend. Als ik me goed herinner, zei Bruno dat Joe een vriend van lang geleden was. Er werden veel herinneringen opgehaald, heel nostalgisch.'

'Alsof ze elkaar een tijd niet gezien hadden?' opperde ik.

'Misschien. Ik ben ervan overtuigd dat Bruno u er meer over kan vertellen.'

'Kunt u ons zeggen waar we hem kunnen vinden?'

Alejandro bekeek Luke en mij eens goed. Luke kon in die kleren en zoals hij nonchalant tegen het deurkozijn leunde bijna doorgaan voor een politieman in burger. Het was jammer dat ik die illusie verstoorde met mijn gebrek aan make-up en mijn gekreukte spijkerbroek.

'Als u bevriend bent met deze meneer,' zei Alejandro, 'waarom wist u zijn naam dan niet?'

Ik wist niet wat ik daarop moest zeggen en keek Alejandro treurig aan. Luke kwam een stap naar voren.

'Om eerlijk te zijn, houdt hij nogal van de vrouwtjes. Een aardige vent, maar hij gebruikt wel eens een andere naam als het nodig is, als u begrijpt wat ik bedoel.'

Alejandro knikte langzaam. 'Zo te horen is het een prima vent. Ik begrijp waarom u bevriend met hem bent.' Het stond me niet aan kwaad te spreken over mijn man, ook al was dat nodig nu ik te snel met Charlies naam was gekomen.

'We zijn met hem opgegroeid,' legde Luke uit. 'We proberen hem weer op het rechte pad te krijgen, maar dat is nogal moeilijk als we hem niet kunnen vinden.'

De winkelier leek medelijden met ons te krijgen. 'Nou ja, ik zal Bruno's adres even voor u opzoeken. Het staat in mijn BlackBerry. Als u hier even wilt wachten.'

We wachtten zwijgend in de toonzaal en bewonderden de prachtig besneden spiegellijsten en de met de hand gemaakte leren armstoelen. Ik beet op mijn duimnagel en wilde niet denken aan het feit dat degene die we zochten niet de naam van mijn man droeg.

Ik wilde natuurlijk rechtstreeks naar het huis van Bruno in Coral Gables, maar Luke stond erop eerst te gaan lunchen. 'Het is al twee uur geweest en ik val om van de honger,' zei hij. 'En bovendien denk ik dat je nog nooit hebt genoten van de Cubaanse keuken.'

We vonden een restaurant op Calle Ocho met een vrij tafeltje en bestelden geroosterd varkensvlees, Palomilla-steaks, bakbananen en paella. Het was een bizarre combinatie, maar Luke stond erop dat ik al zijn favoriete gerechten proefde.

'Alles goed?' vroeg hij na een tijdje. 'Je bent zo stil.'

Ik duwde met mijn vork de rijst over mijn bord. 'Mmm,' zei ik.

'Is het omdat die meubelman zei dat die vent Joe heette? Zit je je nu af te vragen of je een goed deel van twee weken salaris hebt besteed om Joe met de korte achternaam uit Boca Raton op te sporen?'

Ik schoof mijn stoel naar achteren en stond op. 'Ik ga naar het toilet.'

Ik ging inderdaad, hoewel ik eigenlijk niet hoefde, en waste mijn handen met het lauwwarme water. De tegels rond de spiegel waren verbleekt en gebarsten en de spiegel zelf was in de loop der jaren dof geworden en roestig in de hoeken, waar hij op zijn plaats werd gehouden door ijzeren schroeven.

Ik staarde naar mijn spiegelbeeld. Mijn ogen zijn normaal heel heldergrijs, maar nu leken ze dof en vaag. Ik boog me steeds dichter naar het glas, tot mijn voorhoofd tegen het koele oppervlak lag. De onderkant van mijn armen jeukte onder mijn lange mouwen en ik krabde er zachtjes over met mijn vingernagels. Ik deed mijn ogen dicht en dacht aan Charlie.

Hoe hij me bij dat zwembad had omhelsd en had genoten van mijn opwinding.

'Ga met me eten,' zegt hij. Ik doe een stap achteruit, weg uit zijn armen, en kijk neer op mijn drijfnatte T-shirt.

'Waar dan?' zeg ik. 'Is hier een restaurant waar 's avonds *wet* T-shirtverkiezingen zijn?'

'Voor zover ik weet niet, maar het is een heel goed idee,' antwoordt hij met een glimlach. 'Kom op, vertrouw maar op mij.'

'Kunnen we niet eerst even naar mijn hotel, zodat ik me kan omkleden?' vraag ik.

'Nee. Maak je geen zorgen. Je mag heus wel naar binnen.'

We weten een taxi aan te houden waarvan de chauffeur niet eens lijkt te zien dat de achterbank van zijn wagen nat wordt, en Charlie geeft hem een adres dat ik niet ken. Ik bedenk dat ik me door een andere man nooit zo zou laten meenemen. Ik heb me al helemaal aan hem overgeleverd.

We rijden een aardig stuk de woestijn in en laten de stad achter ons. Eindelijk remt de chauffeur af en hij parkeert de wagen voor een klein restaurantje naast een tankstation. De enige versiering van de eetgelegenheid is een neonreclame in de vorm van een bord spaghetti, waarop een bewegende vork een paar slierten optilt.

Charlie betaalt de chauffeur, die haastig terugrijdt.

'Wat doen we hier?' vraag ik mild. Charlie pakt me bij de schouders en draait me om. Daar, aan de rand van de horizon, gloeit een waas van kleur en licht in de duisternis. Ik zie de groene glans van het MGM Grand, de glanzende gouden ramen van het Mandalay Bay en de felle lichtstraal die van de top van de zwarte piramide van het Luxor de hemel in schiet. Daartussenin zie ik de miljoenen lichtjes van de stad, weerkaatst door de sterren in de heldere zwarte hemel.

'Mooi, hè,' zeg ik. Charlie slaat van achteren zijn armen om me heen en legt zijn kin op mijn schouder. We kijken samen over de woestijn naar de oase van kleur in de verte. Ik voel zijn adem tegen mijn oor en ik raak opgewonden van het contact tussen onze lichamen.

'Heb je het koud?' vraagt hij. In Vegas was het natte T-shirt wel aangenaam geweest in de hitte, maar hier in de woestijn begin ik een beetje te rillen. Hij gaat rechtop staan, trekt zijn overhemd uit en geeft het aan mij. Ik had hem graag in zijn blote borst gezien, maar helaas draagt hij er een strak wit T-shirt onder, dat de welvingen van de spieren in zijn armen en schouders laat uitkomen.

Het heeft weinig zin om het droge hemd over mijn natte T-shirt aan te trekken, dus trek ik het over mijn hoofd terwijl ik hem recht blijf aankijken. Ik sta voor hem in mijn beha en mijn spijkerbroek en hij glimlacht alleen en verbreekt het oogcontact geen moment. Het is alsof hij wil zeggen dat mijn lichaam er niet toe doet; het is niet echt belangrijk. Maar het is ook geen aseksuele blik of de blik van een heer, want hij kijkt alsof hij zin heeft me op het zand te gooien en de rest van mijn kleren af te rukken. Er gaat een statische elektriciteit door de woestijnlucht.

Ik trek zijn overhemd aan en knoop het langzaam dicht. Ik ruik zijn geur op de kraag. Hij steekt me een hand toe.

'Kom op,' zegt hij. 'We gaan eten.'

De deur naar de damestoiletten zwaaide open, de klink stootte tegen de muur erachter en ik schrok op uit mijn dagdroom. Ik haalde mijn voorhoofd van de spiegel en liet er een wasemvlek achter.

'*Está mareada*?' vroeg een oud Cubaans dametje dat niet langer leek dan één meter twintig.

'Nee,' zei ik. '*Soy bien, gracias.*'

Aan ons tafeltje was Luke aan het bellen. Hij zag me komen en hing op.

'Iets belangrijks?' vroeg ik.

Hij schudde zijn hoofd. 'Ik luisterde alleen even mijn voicemail af.'

'O, ik dacht dat ik je iets zag zeggen.'

Hij keek me met een scheve glimlach van opzij aan. 'Ik sprak een ander openingsbericht in. Alles goed met jou?'

Ik keek van het ene lichtblauwe oog naar het andere. 'Prima.'

'Je bleef lang weg. Heb je nu al voedselvergiftiging?'

'Nee, brutale aap. Ik maakte een praatje met de plaatselijke bevolking.'

Ik zag het piepkleine kopje koffie op mijn placemat staan.

'Espresso?' vroeg ik.

'Zoiets,' zei Luke. 'Probeer maar eens.'

Ik nam voorzichtig een slokje. De koffie leek half uit cafeïne en half uit suiker te bestaan en de schok ging rechtstreeks naar mijn hersenschors.

'Wauw,' zei ik.

'Je hebt geen coke of speed nodig als je Café Cubano kunt krijgen,' zei Luke met een knipoog.

'Blijkbaar niet.' Ik dronk het vingerhoedje leeg en legde wat dollars op tafel. 'Zullen we gaan?'

De wijk Coral Gables begint maar een paar straten van Little Havana. Magnifieke poorten gaven toegang tot stille, kronkelige straatjes die met hun bochten en wendingen zó uit het Middellandse Zeegebied hadden kunnen komen. Het was een weelderig groene wijk met prachtig bijgehouden grasvelden voor de huizen in koloniale stijl.

We kwamen langs een tuinier die een struik in de vorm van een schaakstuk knipte.

'Chic, hoor,' merkte ik op.

'Je zou de tuinen aan de achterkant eens moeten zien. In de helft daarvan liggen luxe jachten aangemeerd.'

Ik keek nog eens op de kaart terwijl we met een kilometer of zeven per uur voortkropen. 'Waar zitten we in godsnaam? Ik kan die verdomde straatnamen helemaal niet lezen.' Of het nu een misplaatste nadruk op het esthetische aspect was of – wat waarschijnlijker was – de wens om de wijk ondoordringbaarder te maken voor eenvoudige lieden die er niet woonden: de namen van alle straten waren aangegeven op kleine witte rotsblokjes op de grond. 'Jouw keuze van huurauto is hier niet bepaald een voordeel.'

Lukes halve lijf hing zo'n beetje uit het autoraampje. 'Savona,' las hij op het dichtstbijzijnde rotsblok.

'Dan moet je aan het eind van de straat linksaf.'

Bruno had een enorm huis met een terracotta dak, dat boven een breed grasveld en een weidse oprijlaan uit torende. Op het terras opzij van de ingang klaterde een rijkversierde fontein die op een plein in Sevilla heel goed op zijn plaats zou zijn geweest.

'Mooi,' zei ik, en ik stapte uit.

'Heel mooi,' beaamde Luke.

'Krijg jij ook de indruk dat Bruno schatrijk is?'

Er kwam een zwarte vrouw in een grijze hemdjurk aan de deur, haar haar gladgestreken in een net knotje.

'Komt u voor meneer Luna?' vroeg ze met een accent dat half Frans, half Oost-Afrikaans klonk. 'Hij verwacht u al.'

We sloegen de autoportieren dicht en volgden haar door een huis met donkere houten meubels, betegelde vloeren en luiken voor alle ramen. Bruno Luna zat in zijn prachtige achtertuin, een zee van kortgeknipt groen gras en zware hibiscusbloemen aan het hekwerk naast hem. Hij was een jaar of vijfenveertig, gebruind en gezet, en hij rookte een vette sigaar.

Hij kwam overeind en bekeek ons met ogen die werden overschaduwd door de rand van zijn panamahoed. Toen glimlachte hij breed. 'Alejandro heeft me gebeld om te zeggen dat u langs zou komen.'

Luke stak zijn hand uit. 'Luke Broussard,' zei hij. 'En dit is Kate Grey.'

Ik schudde Bruno Luna de hand. Het natte stompje van zijn sigaar stak tegen mijn handpalm.

'Het spijt ons dat we u moeten storen,' zei ik. 'We zouden u niet lastigvallen als het niet belangrijk was.'

'Gaat u alstublieft zitten,' zei hij. 'Wilt u iets drinken? Koffie misschien?'

'Dat is heel vriendelijk van u,' zei ik, 'maar ik geloof dat ik net genoeg cafeïne heb gehad om een paar jaar wakker te blijven.'

Hij lachte piepend. 'Ah, u hebt zeker de Cubaanse koffie geprobeerd? Wilt u dan iets kouds? IJsthee?'

'Dat zou heerlijk zijn, dank u.'

'En u, meneer Broussard?' vroeg hij aan Luke.

'IJsthee klinkt goed.'

Bruno stuurde het dienstmeisje het huis in voor drie ijsthee en zocht zijn stoel weer op. We gingen bij hem zitten in de ietwat ongemakkelijke smeedijzeren stoelen. Hij pufte aan zijn sigaar en bestudeerde ons.

'Nou, mijn goede vriend Alejandro zegt dat u op zoek bent naar Joe,' zei hij.

'Als Joe de man op deze foto is,' zei ik, en ik legde de afdruk van de foto van El Cangrejo Dorado op de tuintafel. Hij haalde hem dichterbij en knikte.

'Dat is Joe. Mag ik vragen waarom u hem zoekt? En waarom u tegen Alejandro hebt verteld dat de naam Joe een alias was? Ik hou er niet van als mensen mijn vrienden belasteren.'

Hij was niet blij met ons en ik begon te beseffen dat zijn gastvrije welkom wellicht slechts bedoeld was om ons op het verkeerde been te zetten.

'De man op de foto lijkt als twee druppels water op mijn echtgenoot,' zei ik tegen Bruno. 'Ik hoopte gewoon dat u ons iets meer over hem kon vertellen.'

'Wat, wilt u soms zeggen dat Joe een dubbelleven leidt?' lachte Bruno, en hij hoestte dikke wolken sigarenrook uit. 'Neem maar van mij aan dat dat niet erg waarschijnlijk is.'

'Waarom?' vroeg ik.

'Joe's vrouw en kinderen zouden het waarschijnlijk merken als hij lange perioden wegbleef. Het is niet alsof hij op een boorplatform werkt of zoiets. Hij zit in de bouw en werkt van acht uur 's morgens tot het donker wordt. Ik denk dat de paar dagen die hij hier heeft doorgebracht zijn eerste vakantiedagen waren in een jaar of drie, met uitzondering van de kerstdagen, uiteraard.'

Luke nam het over. 'Is Joe hier nog?'

'Nee. Hij is eergisteren teruggegaan naar Phoenix. Zijn vrouw is hoogzwanger en hij wilde niet te lang wegblijven.'

Luke pakte een van mijn dierbare fotoalbums van mijn schoot en gaf het aan Bruno Luna.

'Is dit Joe?' vroeg hij.

Het dienstmeisje kwam met de ijsthee en toen ze de glazen voor ons neerzette, schoof ze de afdruk opzij om ruimte te maken. Ik keek naar haar baas, die de foto's van Charlie nauwkeurig bestudeerde, waarbij zijn hals opbolde onder zijn borstelige kin. Hij grinnikte.

'Er is een heel sterke gelijkenis,' gaf hij toe. 'Heel sterk. Ze konden wel broers zijn. Maar nee, dat is niet Joe.'

Hij keek naar me en zag dat ik trilde. 'Neem me niet kwalijk dat ik het zeg, Kate, maar je lijkt niet erg opgelucht dat je man toch geen dubbelleven blijkt te leiden.'

'Mijn man is een jaar geleden overleden,' zei ik, en ik pakte de armleuningen van mijn stoel vast om het trillen van mijn handen tegen te gaan. 'Hij is verdronken.'

Dat maakte Bruno alleen maar meer in de war. 'Ik begrijp er niets van. Is zijn lichaam dan niet geborgen?'

'Jawel, ze hebben hem gevonden,' zei ik. 'Ze hebben hem geïdentificeerd. Ik moest alleen... ik moest het zeker weten.'

Hij knikte, hoewel hij nog steeds fronste alsof hij niet begreep wat ik nu eigenlijk kwam doen. 'Ik vind het heel erg voor je.'

'Dank u voor uw gastvrijheid,' zei Luke, die een blik op me had geworpen en had gezien hoe ik eraan toe was. 'Maar ik denk dat we de ijsthee toch maar moeten laten staan.'

'Wat is Joe's achternaam?' vroeg ik met gebarsten stem, omdat ik probeerde niet te huilen.

'Cantelli,' zei hij ernstig.

'Niet Benson?'

'Nee, Kate. Niet Benson.'

'Heeft hij familie?'

'Natuurlijk. Maar Joe komt uit een Italiaans-Amerikaanse familie en niemand daarvan heeft de achternaam Benson. Hoezo? Zou het verschil maken als hij familie was van je man? Hij lijkt inderdaad op hem, maar hij zou geen goede vervanger zijn. Hij heeft al een vrouw en kinderen.'

Ik schudde mijn hoofd. 'Daarom vraag ik het niet,' zei ik zachtjes. 'Het is alleen... Ik heb niet veel meer van hem. Zijn ouders zijn overleden en hij heeft geen broers of zusters. Soms heb ik het gevoel dat hij me ontglipt, en als hij familie had, iemand die op hem leek, iemand die dezelfde eigenaardigheden had... dan zou dat kunnen helpen hem een beetje terug te brengen.'

Bruno Luna's medeleven was uitgeput. Hij drukte zijn sigaar uit zonder me aan te kijken. 'Ik ben ervan overtuigd dat de gelijkenis eerder toeval is dan genetisch bepaald. Ik ken Joe al heel lang en ik heb zijn familie vaak ontmoet. Als je Joe in het echt zou ontmoeten, zou je zeker ontdekken dat de gelijkenis sterk is in de twee dimensies van een foto, maar dat hij verder een heel andere man is. Zet Joe Cantelli uit je hoofd en ga door met je leven.'

Ik veegde tranen uit mijn ooghoeken voordat ze konden ontsnappen en pakte mijn fotoalbum terug.

'Dank u voor de moeite,' zei ik bitter. Ik kwam overeind en liep naar het huis. Luke kwam niet achter me aan; hij moest ongetwijfeld zijn excuses maken na mijn niet erg hartelijke afscheid.

In de donkere gang hingen ingelijste familieportretten en de glimlachjes daarop, die ik aanzag voor minachtende grijnzen, leken ondraaglijk zelfgenoegzaam toen ik erlangs liep met mijn vervlogen dromen.

'Mevrouw Grey?' zei een vrouwenstem achter me. Het was het dienstmeisje, dat op de trap stond te wachten. Ze keek nerveus in de richting waaruit ik gekomen was en wenkte me dichterbij. 'Zoekt u de man op die foto?'

Ik deed het album open en wees naar een foto van Charlie. 'Ja, deze man.'

Ze tikte op het kiekje en haar zwarte ogen werden spleetjes. 'Ja, ik heb deze man gezien.'

Ik schudde mijn hoofd. 'Volgens je baas niet. Jullie hebben alleen een logé gehad die op hem lijkt, blijkbaar.'

Ze blies door haar neus. 'Hij vertelt leugens. Die man vertelt niets dan leugens. Kom vanavond bij me, ik vertel de waarheid.' Ze had een stukje papier in haar hand, dat ze in de zak van mijn blouse schoof. 'Zeg niets tegen je vriend.'

We hoorden Lukes voetstappen in de gang en de dienstmeid deed alsof ze net de trap afkwam.

'Dank u voor uw komst,' zei ze, terwijl ze de voordeur voor ons opendeed. '*Passez une bonne journée.*'

HOOFDSTUK VIER

Ik kon niet wachten tot ik weer in mijn kamer was en alleen kon zijn. Wat bedoelde dat dienstmeisje met 'hij vertelt leugens'? Dacht ze dat hij loog over Charlie?

Luke wilde mee naar mijn kamer.

'Luke, het spijt me, maar ik wil gewoon even alleen zijn,' zei ik. Ik wreef over mijn voorhoofd.

'Weet je zeker dat je geen domme dingen gaat doen?' vroeg hij. Ik trok in een reflex mijn mouwen over mijn duimen en sloeg mijn armen over elkaar.

'Het gaat heus wel goed met me, Luke,' hield ik vol. 'Ik heb alleen wat tijd nodig.'

'Oké, je hoeft niet boos te worden. Ik ga zeggen dat we morgen vertrekken en onze retourvlucht regelen.' Hij zuchtte. 'Hoor eens, Kate, het spijt me.'

'Wat spijt je?'

'Het spijt me dat het niet zo gelopen is als jij wilde. Het spijt me dat ik er niet in ben geslaagd je ervan te weerhouden helemaal hierheen te komen, alleen om te horen dat die vent niets met Charlie te maken heeft. Dat was niet erg verantwoordelijk van me.'

Daar kon ik niet veel op zeggen, vooral niet omdat ik er nog lang niet mee klaar was.

'Ik kom rond etenstijd wel even bij je kijken,' zei hij, en hij kneep in mijn arm.

Toen hij weg was, wachtte ik even om hem de kans te geven zijn eigen kamer te bereiken en toen deed ik de deur op slot en haalde het briefje van de dienstmeid uit mijn zak. Het was geschreven met zwarte inkt op een stukje gelinieerd geel papier.

'8 uur, Botánica Laurent, 54th Street. Vraag naar Claudette.'

In het welkomstpakket van het hotel zat een gratis plattegrond. Ik zocht 54th Street op en zag dat het vlak bij Little Haïti was, op het vasteland. Als ik de instructies van Claudette volgde en Luke niets ging vertellen over onze afspraak, moest ik ander vervoer zien te regelen.

Waarom wilde Claudette niet dat ik iets tegen Luke zei? Wist ze iets wat ik niet wist? Had Luke echt zijn voicemailbericht gewijzigd? Waarom was hij achtergebleven om alleen met Bruno te praten, hoe kort ook?

Kate, doe niet zo paranoïde, hield ik mezelf voor. Als Joe Cantelli iets te maken had met Charlie, zou Luke dat bijna net zo graag willen weten als ik.

Ik ging de marmeren badkamer binnen en zette de douche aan. De douchekop was zo'n enorm chromen geval dat een halve vierkante meter water over je uitstort. Ik liet mijn kleren op de badkamervloer vallen en stapte in de stomende waterval.

Ik sloot mijn ogen en in mijn hoofd zag ik Joe. Niet Charlie, Joe. Hij had een helm op en een geruit shirt aan en sloeg met een moker tegen een muur. Toen liep hij over een grasveld. Het gras was eerst groen en fris, maar toen dacht ik: 'Nee, hij woont in Phoenix,' en het grasveld werd in mijn hoofd vervangen door een stenen pad, grind en een cactus. Hij deed zijn voordeur open en een kind riep 'papa' en rende tegen zijn benen aan. Hij pakte het kind op en ging het huis binnen, waar hij zijn zwangere vrouw kuste, die voor het gasfornuis stond te koken. De vrouw was een mooie brunette, die nog slank was ondanks de grote bult van haar buik.

Ik kreunde, deed mijn ogen weer open en smeerde stevig shampoo in mijn haar. Het kon niet dat Charlie een dubbelleven leidde, met een ander gezin ergens in Arizona. Hij en ik hadden sinds zijn emigratie naar Engeland slechts twee nachten apart doorgebracht, een keer toen hij en Luke een vrijgezellenavond hadden en een keer toen ik een zieke vriendin in Schotland moest opzoeken.

En stel dat Joe Cantelli inderdaad op hem leek? Stel dat hij net als hem klonk en rook? Dan was hij nog steeds Charlie niet. Als iemand me een kloon van Charlie zou geven, zou dat nog niet genoeg zijn. Datgene waardoor hij Charlie was, dat ervoor zorgde dat ik van hem hield, zou ontbreken.

Ik dacht aan Samantha, met wie ik samen in Vegas was geweest, en die me had gevraagd: 'Maar hoe kun je nu van hem houden? Je kent hem pas een dag. Je kunt hem met geen mogelijkheid zo snel hebben leren kennen.' En ik herinnerde me nog dat ik had gedacht dat ik misschien niet zijn hele geschiedenis kende of zijn hele persoonlijkheid, maar wel zijn ziel.

De eigenaar van de spaghettitent in de woestijn, die ook kelner en kok is, kent Charlie bij naam. Er staan maar drie tafeltjes.

'Charlie, jongen!' zegt hij. 'Komen jullie eten?'

'Nou en of, Gino.' Charlie heeft nog steeds mijn hand vast. Ik heb zo'n idee dat hij hem niet meer los wil laten. Ik wil ook niet dat hij hem loslaat. Hij glimlacht naar me. 'Gino, dit is Kate.'

Gino, een ietwat gezette man – eet waarschijnlijk te veel van zijn eigen pasta – die zijn haren over zijn hoofd kamt om zijn glanzend kale plek te verhullen, veegt zijn handen af aan een theedoek en steekt mij er een toe.

'Leuk je te ontmoeten, Katie,' zegt hij. 'Ga zitten, ga zitten.'

We bestellen spaghetti *ai frutti di mare*, waar mossels in de schelp in zitten – hoewel god mag weten hoe vers ze zijn, hier in de woestijn – en lamsvlees in rode wijnsaus. Gino stelt een fles medoc voor bij het lam en het is alsof we een alcoholisch mengsel drinken van bramen en vanille-ijs. Gino is discreet en blijft buiten het zicht en buiten gehoorsafstand, alsof hij begrijpt dat we alleen willen zijn. Er is verder niemand in het restaurant.

Slierten spaghetti opslurpen die olijfolie op je kin achterlaten zou gênant moeten zijn bij een eerste afspraakje, maar Charlie en ik vallen aan met onze vorken en verliezen elke voorzichtigheid uit het oog.

'Er zit mossel op je gezicht,' zegt hij op een gegeven moment.

'Echt waar?' zeg ik. 'Wat wil hij?'

'Moeilijk te zeggen.' Hij haalt zijn schouders op. 'Ik spreek geen schaaldiers.'

'Misschien wil hij terug naar zijn vriendjes op mijn bord.'

'Ik weet niet, hij lijkt het daar wel naar zijn zin te hebben.' Charlie steekt zijn hand uit en veegt mijn kin af met een servet. Er komt een stukje mossel ter grootte van een luciferkop op het servet terecht.

'Was dat mijn mossel?' vraag ik, en ik wijs met mijn vork naar het servet. 'Hoe heb je hem in de gaten gekregen? Hij is praktisch onzichtbaar met het blote oog.'

'Kate, je gezicht leek onderhand wel de set van *Finding Nemo*,' zegt Charlie met een stalen gezicht. Ik schop hem onder de tafel. Hij vangt mijn voet tussen zijn benen en houdt hem daar. Ik laat hem gaan.

'Wat doe jij eigenlijk in Las Vegas?' vraag ik. Hij is er zeer bedreven in om spaghetti om zijn vork te rollen. Die krijgt geen vis op zijn kin.

'Gokken,' zegt hij. 'Ik ben beroeps. Maar ik mag de casino's niet meer in omdat ik elke keer win, dus nu hang ik rond in oude casinoliften in de hoop dat ze kapotgaan, zodat ik hysterische vrouwen kan verleiden.'

Ik schop hem met mijn andere voet en deze keer raak ik zijn scheenbeen.

'Au,' zegt hij. 'Oké, de waarheid dan?'

'De waarheid.'

'Ik ben op bezoek bij een vriend die hier woont.'

'Een mannelijke of een vrouwelijke vriend?' wil ik weten.

Hij glimlacht om de jaloezie die in de vraag besloten ligt. 'Mannelijk. Zijn naam is Luke. Je zult hem ongetwijfeld binnenkort ontmoeten. En jij? De waarheid.'

'Ik ben hier voor een congres,' zeg ik. 'Op dit moment zou ik eigenlijk met allerlei mensen moeten kletsen op een feestje. Ik was aan het spijbelen toen je me ontmoette, om eerlijk te zijn.'

'Spijbelen?' herhaalt hij.

'Stiekem wegblijven van school. Ik kon er gewoon niet meer tegen om alle tijd die ik hier had naar softwaredemonstraties en verkooppraatjes te moeten luisteren. Ik wil hier al heen sinds ik klein was.'

'En, voldoet het aan je verwachtingen?'

'Ik vind het prachtig. Ik ben nog nooit in een stad geweest die zo... buitenlands aandoet. Niet te geloven dat ze echte gondels hebben in het Venetian. Dat is gewoon idioot. Wat vind jij ervan?'

Zijn glimlach vervaagt even. 'Ja,' zegt hij aarzelend. 'Wel aardig, zolang ik er niet te veel over nadenk.'

'Hoe bedoel je?'

'Het heeft soms iets triests. Achter de schermen, of 's morgens vroeg als alleen de gokverslaafden en de mensen die nergens anders heen kunnen nog aan het spelen zijn.' Hij legt zijn vork op zijn bord ten teken dat we klaar zijn met ons voorgerecht en schenkt me nog wat wijn in. 'Wat doe jij in Engeland voor de kost?'

'Nou,' zeg ik, 'ik heb een heleboel kortstondige en onbevredigende baantjes gehad. Verkoopster in een schoenenwinkel. Achter de toonbank bij een bagelzaak. Ik ben ook nog even assistente van een taxidermist geweest, maar toen ik zijn verzameling porno met dieren had ontdekt, moest ik er weg. Ik heb een week of twee iets gehad met een jongen van de kermis en toen hielp ik met de botsauto's. Ik heb ook nog voor een telefoondienst van helderzienden gewerkt. Dat was leuk: mensen van hun geld beroven door te doen alsof je voorspellingen kunt doen over hun leven, hun liefdes en hun reisplannen. O, en ik heb ook nog in een dierenwinkel gewerkt, maar daar hebben ze me ontslagen.'

'Waarom?' zegt Charlie, die zijn lachen probeert in te houden.

'Ik kreeg ruzie met de manager over de manier waarop ze de dieren behandelden.'

'Hmmm... moeite met zelfbeheersing?' vraagt hij geamuseerd.

'Nee, niet echt. Ik was alleen niet van plan mijn mond te houden voor zo'n rotbaantje. Ik ben bang dat ik er moeite mee heb niet impulsief te handelen.'

'Echt?' zegt hij. 'Dat moet ik onthouden.' Ik zie de warmte in zijn ogen en moet me ervan weerhouden over de tafel te klimmen en hem hard op de mond te kussen.

'En jij?' vraag ik als Gino weer opduikt en het hoofdgerecht serveert. 'Wat doe jij? Behalve gokken, uiteraard.'

'Charlie is architect,' zegt Gino, die Charlie een klap op zijn rug geeft. 'Hij heeft mijn huis ontworpen. Tot op de laatste spijker, en hij wilde er geen cent voor hebben.'

'Behalve mijn hele leven gratis ossobuco, zoals je beloofd hebt,' zegt Charlie. Gino lacht en verdwijnt weer.

'Ik ben onder de indruk,' zeg ik.

'Waarom, omdat ik Gino's huis heb ontworpen? Nergens voor nodig. Het is maar een klein optrekje met twee slaapkamers dat zo'n beetje elke centimeter van het stukje grond dat hij heeft gekocht in beslag neemt. Hij probeert me te helpen je voor me te winnen.'

Ik kijk hem over mijn wijnglas heen aan terwijl ik een slokje neem. 'Je hebt geen hulp nodig,' zeg ik.

'Goed om te weten,' grinnikt Charlie, en hij leunt achterover. 'Weet je, Kate, je hebt verteld over alle baantjes die je gehad hebt, maar niet over wat je nu doet.'

'Niets interessants,' zeg ik schouderophalend. 'Ik werk voor een softwarebedrijf in Londen. Ik kan ervan leven. Het wordt een beetje hectisch als we een product lanceren, maar de secundaire voorwaarden zijn goed.'

'Zakenreisje naar Vegas?' zegt hij.

'Precies.'

'Dat klinkt alsof je hogerop bent geklommen na de bagelzaak en de kermis.'

'Het voordeel van een goede scholing. Bagels en de toekomst voorspellen waren mijn manier om mijn studie te betalen.'

'Hebben je ouders niet geholpen?'

Ik kijk door het raam naar de donkere woestijn en frons als ik aan hen denk. 'Nee. Ik ben op mijn zestiende uit huis gegaan en eigenlijk nooit meer teruggekomen. We kunnen niet met elkaar overweg.'

Charlie pakt mijn hand en streelt de huid tussen mijn duim en wijsvinger. 'Dat spijt me voor je, Kate.'

Ik glimlach naar hem, hoewel ik me toch een beetje triest voel omdat ik geen ouders heb aan wie ik hem graag zou willen voorstellen. 'Het geeft niet. Het is al heel lang zo. Het is gewoon beter voor ons allemaal als we elkaar niet zien.'

'Heb je nog broers of zussen?'

Dan moet ik echt glimlachen. 'Drie oudere broers. Eigenlijk zijn het idioten, maar ik heb een goede band met mijn halfbroer Kytell.'

'Zie je hem wel eens?'

'Af en toe. Altijd op mijn verjaardag.' Kytell komt iedere keer cadeautjes brengen in de vorm van alcohol en opzichtige sieraden. Ik probeer de sieraden steeds mee terug te geven.

'En jij, Charlie? Heb jij een goede band met je familie?'

Nu is het zijn beurt om triest te kijken. Het donkerblauw van de nachtelijke hemel lijkt in zijn ogen gereflecteerd te worden.

'Een heel goede band toen ik jong was. Toen ging ik studeren in een ander deel van het land, ontmoette daar een meisje en bleef hangen toen ik was afgestudeerd... Ik geloof dat ze hoopten dat ik terug zou komen naar Chicago toen we uit elkaar gingen, maar in plaats daarvan kwam ik in San Francisco terecht. Ze zijn heel trots dat ik architect ben geworden – of dat ik 'mooie gebouwen bouw', zoals mijn moeder het graag zegt –, maar het is alsof dat juist een verwijdering tussen ons teweeg heeft gebracht, omdat het zo ver afstaat van hun wereldje.'

'Maar dat wil elke ouder toch voor zijn kinderen? Dat ze een stapje hoger op de ladder komen? Dat ze bereiken wat zij niet hebben bereikt?' Nog terwijl ik het zei, bedacht ik al dat dat niet voor mij gold. Mijn moeder en vader wilden dat ik in de voetstappen van de familie trad. Het feit dat ik dat niet wilde, had ons juist van elkaar vervreemd.

'Je hebt gelijk. Het is alleen zo jammer dat je verder af komt te staan van de mensen van wie je houdt als je dat doet, als je die volgende stap neemt.'

Het eten staat praktisch vergeten op tafel terwijl we daar zitten, hand in hand en met verstrengelde benen. Hij fronst bijna verbijsterd tegen me.

'Dit is zo vreemd,' mompelt hij.

'Ik weet het.'

'Ik heb het gevoel dat ik je al jaren ken... dat ik je altijd al heb gekend.'

Ik buig me over de borden. De kaarsen flikkeren aan weerszijden van me en ik kus hem zachtjes op zijn mond. Zijn lippen zijn glad en warm en ze smaken naar wijn.

Ik was op de vloer van de douche gezakt en was in elkaar gedoken alsof ik werd aangevallen door honden. God mocht weten hoe lang ik daar al zat; ik wist alleen dat mijn gewrichten pijn deden toen ik overeind kwam en dat mijn vingertoppen helemaal bobbelig waren. De badkamer stond vol stoom.

Ik stapte uit de douche en wikkelde mezelf in een van de enorme, zachte, witte handdoeken van het hotel. De andere kamer deed in vergelijking kil aan, want de airco had hoog gestaan. Volgens mijn horloge was het zes uur in de avond en ik wist dat ik hier snel weg moest als ik Luke wilde ontlopen.

Ik had eigenlijk maar wat in de koffer gegooid en achteraf bleek ik vooral spijkerbroeken en sokken te hebben meegenomen. Maar ik vond toch een zwartlinnen broek en een zwart shirt. Ik zag er een beetje uit alsof ik als ninja naar een verkleedfeest in Little Haïti ging, maar als het alternatief de dikke spijkerstof was, ging ik zonder meer voor de ninja-look.

Mijn maag rommelde, en dat was niet erg verrassend als je bedacht dat het thuis elf uur 's avonds was en ik aan Gino's gebraden lam had zitten denken. Ik verliet het hotel en liep Ocean Drive af tot ik een zaak had gevonden waar ze hamburgers serveerden. Ik verzwolg er eentje, begeleid door patat en een *batido* met bananensmaak, en toen ging ik op zoek naar een taxi die me naar de Botánica Laurent zou brengen.

'Weet u zeker dat u naar Little Haïti wilt?' vroeg de taxichauffeur toen we over de verhoogde weg naar het vasteland reden. De baai was bezaaid met jachten en kolossale cruiseschepen wierpen schaduwen over de golven. In de verre wolkenkrabbers gingen de lampen aan.

'Ik weet het zeker. Ik heb een afspraak.'

'Het is daar 's avonds niet al te veilig, vooral niet voor toeristen.'

Ik keek grimmig naar buiten en bedacht dat het een hele val was naar het water. 'Het komt wel goed.'

Hij haalde zijn schouders op. 'Het is uw begrafenis.'

Little Haïti was een arme wijk en werd net als Little Havana voor het merendeel bevolkt door mensen die waren ontsnapt aan het dictatoriale regime van hun vaderland. De meeste houten huizen zagen er armoedig en uitgeleefd uit en sommige waren ronduit vervallen. Ik zag kippen in een paar voortuinen lopen, die bevriend waren geraakt met de plaatselijke duiven.

In een van de straten stond een boom met geaderde groene bladeren en auberginevormige knoppen waaraan dingen vastgespijkerd zaten: stoffen tassen, sieraden en zelfs een pakje sigaretten.

'Dat is een ceibaboom,' zei de chauffeur, die zag dat ik belangstelling had. 'De Haïtianen denken dat hij heilig is. Die dingen die erop zitten zijn offergaven.'

'Waaraan, aan de boom?'

'Nee. Hebt u wel eens gehoord van santería?' Hij vervolgde met een korte geschiedenisles. Het bleek dat veel van de slaven die vanuit Afrika naar het Caribische gebied zijn gehaald een polytheïstisch geloof aanhingen, en omdat ze hun eigen goden moesten afzweren, zetten ze die heel slim om in katholieke heiligen die ze zonder angst voor straf konden aanbidden.

'Het klinkt een beetje als voodoo,' zei ik.

'Het lijkt erop. Er wordt hier ook veel aan voodoo gedaan. Dat adres waar u heen wilt, weet u dat dat een winkel is voor dat soort spullen?'

'Nee,' zei ik. 'Ik dacht dat het een bloemist was of zo.'

Hij lachte. 'Ja, dat "of zo" klopt wel.'

We draaiden de drukke 54th Street op, waar de Caribische muziek zo luid uit de vele platenzaken schalde dat het wel leek of de straat zelf vibreerde door de bassen. De etalages vertoonden veel fellere kleuren dan de bleke tinten van Miami Beach: frambozenrood, citroengeel, limoengroen. Ik vroeg me af of de levendige kleuren de bewoners aan thuis herinnerden.

De chauffeur stopte abrupt naast een winkel met de woorden BOTÁNICA LAURENT in een patroon van bloemen en botten op de gevel.

'Sterkte,' zei hij. Ik betaalde hem en stapte uit. Het was al donker en de grotendeels zwarte voetgangers leken meteen in de gaten te hebben dat er een blanke, niet Latijns-Amerikaanse vrouw bij hen op straat liep. Ik was niet zenuwachtig; alleen omdat mensen arm waren, waren ze nog geen misdadigers. Tegelijkertijd was ik me ervan bewust dat iedereen die me zag zou merken dat ik me niet op mijn eigen terrein bevond. Maar ik had geen camera om mijn hals, geen honkbalpetje van een team uit een andere staat op en ook niet het Amerikaanse vakantie-uniform aan van korte broek en sportschoenen met witte sokken, dus als ik geluk had, zouden ze denken dat ik in Miami woonde. Toch stapte ik snel de Botánica Laurent binnen.

Er ging een belletje toen ik de winkel in ging. Er was weinig licht en het rook er naar exotische wierook. Ik kwam langs rijen opzichtige beeldjes van heiligen met zwarte gezichten en witte gewaden en planken vol kaarsen en glazen potten vol kruiden.

Een vrouw met ingevlochten haar en te veel eyeliner stond achter de toonbank op me te wachten.

'Hallo,' zei ik, 'ik kom voor Claudette.'

Ze knikte terwijl ze me strak bleef aankijken en draaide zich toen om naar een deur aan haar rechterkant.

'Claudette!' riep ze naar boven, en toen nog iets, zo te horen in het Frans. 'Je bent vroeg,' zei ze tegen me.

Terwijl ik wachtte, mijn armen verdedigend over elkaar geslagen, bekeek ik de producten die ze verkocht. Er leken drankjes te zijn voor alles wat je maar kon bedenken: liefde, geld, geluk, gezondheid, viriliteit. Op de banden rond veel van de dikkere kaarsen stonden afbeeldingen van heiligen of goden. Er waren hele stapels tarotkaarten en spullen om betoveringen mee uit te spreken, en voodoopoppen in pakjes met een bosje naalden eraan. De vreemdste plank was waarschijnlijk die waarop zo te zien gevulde apenkoppen stonden, naast gedroogd alligatorvlees en flessen met een goedje dat volgens het etiket zwarte katten afweerde.

Er werd een gordijn van roze en gouden kralen opzijgeschoven en Claudette kwam tevoorschijn alsof ze door een waterval stapte. Ze droeg een wit vest en een wijde blauwe broek en haar haar zat niet meer in een nette knot, maar stond als een stralenkrans om haar hoofd.

'Kom mee,' zei ze, en ze hield het kralengordijn opzij.

Ik stapte langs haar heen de kamer achter het winkeltje binnen. Er hingen een heleboel ingelijste afbeeldingen aan de muren, zo te zien van steeds dezelfde twee heiligen. Onder elke afbeelding brandde een waxinelichtje, waarvan de vlam weerspiegeld werd door het glas. De tv in de hoek zag er oud en gehavend uit en de bank zat nog in het plastic. Een kat, schildpad in plaats van zwart, keek met halfgesloten ogen naar me op vanaf zijn plekje op het kussen van de bank en legde zijn kop toen weer op zijn poten.

Claudette wees me een plek tegenover haar aan het houten tafeltje naast de tv.

'Wat kun je me vertellen over deze man?' vroeg ik, en ik haalde de foto uit mijn zak. Ze nam hem met beide handen aan en legde hem op tafel, zodat de onderrand en een zijrand precies samenvielen met de tafelranden.

'Zijn naam is Joe. Zo noemde meneer Luna hem tenminste,' zei ze tegen me.

'Weet je zijn achternaam?'

Ze haalde haar schouders op.

'Luna zei dat hij Joe Cantelli heet.'

Ze haalde weer haar schouders op. 'Ik noemde hem meneer Joe. De naam Cantelli heb ik niet gehoord.'

'En de naam Charlie? Heeft een van hen misschien iets gezegd over iemand die Charlie heet?' Claudette schudde haar hoofd en ik voelde hoe de moed me in de schoenen zonk. 'Hoe lang was hij bij jullie?'

'Een paar dagen maar. Meneer Luna was heel blij hem te zien.'

'Werd hij vaak gebeld in het huis? Door zijn vrouw?'

Ze schudde haar hoofd. 'Dat weet ik niet. Hij had een mobiele telefoon. Daar werd hij op gebeld.'

'Heeft hij het ooit over haar gehad, of over zijn kinderen?'

'Nee. Hij was beleefd tegen me, maar niet vriendelijk. Meneer Luna houdt er niet van als ik met zijn gasten praat.'

Ik kwam hier niets nieuws te weten. 'Claudette, waarom vroeg je me om naar je toe te komen? Wat wilde je me vertellen?'

'Dat je meneer Luna niet kunt vertrouwen. Hij is geen goede man. Hij verdient geld met slechte dingen.'

'Wat voor slechte dingen? Wil je zeggen dat hij een misdadiger is?'

'Ik heb drugs gezien in het huis. Hij heeft heel veel wapens. De mannen met wie hij omgaat dragen allemaal wapens onder hun jasjes.'

'Heb je dat aan de politie verteld?'

Ze lachte en liet een stel grote, helderwitte tanden zien. 'Nee, juffrouw Grey. Ik kan mijn baan niet missen. Ik heb familie thuis in Haïti die het geld nodig heeft.'

'Wat wil je dan eigenlijk zeggen?'

Claudettes onderarmen lagen op tafel en vormden een driehoek rond de foto van Charlie. Ze boog naar voren en pakte mijn handen.

'Meneer Luna is niet de persoon die je moet vragen je te helpen je man te vinden. Ik kan je helpen.'

'Hoe dan?' vroeg ik, slecht op mijn gemak. Ze draaide mijn handen met de palmen naar boven en keek erop neer, en toen ging haar blik langs de binnenkant van mijn onderarmen tot aan het punt waar ze verborgen werden door mijn mouwen.

Ze liet mijn linkerhand los en streelde de lijnen van mijn rechter met de top van haar vinger. Haar huid was ruw van het met bleek schrobben van stenen vloeren.

'Je bent erg gekwetst,' zei ze tegen me. 'Je hartlijn is hier heel sterk, maar wordt daar onderbroken door al die knopen. Arm meisje, je bevindt je in de duisternis. Je wordt omgeven door schaduwen. Overal om je heen is bedrog.' Ze kneep in de huid aan de zijkant van mijn hand, onder mijn pink. 'Heb je al kinderen? Volgens de lijnen krijg je er twee, een jongen en een meisje.'

Ik rukte mijn hand weg. 'Ik wil geen kinderen.'

'We kunnen een bezwering voor je uitspreken,' verzekerde Claudette me. 'Om je man te vinden. En als hij echt dood is, een bezwering om een nieuwe te zoeken. Een bezwering om de schaduwen mee te verbannen.'

Ik stond zo snel op dat mijn stoel omviel en met een bons op het versleten tapijt terechtkwam. 'Is dit een grap of zo?' zei ik. 'Heb je me verdomme hier laten komen om me een van die vervloekte bezweringen van je te verkopen?'

'Wij kunnen je helpen!' hield ze vol, en het kostte me al mijn zelfbeheersing om haar geen klap te geven. Het andere meisje verscheen in de deuropening en keek neer op mijn trillende handen.

Ik griste de foto van tafel en stormde naar buiten, waarbij ik Claudettes vriendin ruw opzij duwde. Het kralengordijn viel achter me dicht met een waterval van geklik en geklepper.

Claudette had helemaal geen informatie voor me. Ik was niet meer dan een klant die ze een paar dollar afhandig probeerde te maken. Daarom had ze gezegd dat ik Luke niet mee moest nemen; in mijn eentje was ik kwetsbaarder.

'Verdomme!' vloekte ik toen ik weer op straat stond, en ik sloeg tegen een muur terwijl ik wegliep.

Een eindje voor me uit leunde een man met zijn rug tegen de ruit van een drankwinkel, een been gebogen, voet tegen het glas. Toen ik hem passeerde, zette hij zich af en begon me te volgen.

Ik denk dat hij dacht dat ik zo woedend was dat ik hem niet had gezien. Toen we langs een steegje kwamen, sloeg hij één hand voor mijn mond, duwde met een arm mijn armen tegen mijn lichaam en trok me het steegje in. Daarom moest ik 's avonds dus niet in Little Haïti komen. Die vent gaf de buurt een slechte naam.

'Ik zal je niet verkrachten,' zei hij. 'Ik wil alleen je geld en je creditcards.'

Voor de meeste blanke toeristen die in een slechte wijk in een steegje belanden, waar een grote, enge zwarte vent ze om geld vraagt, is de vraag genoeg om hem alles te geven wat ze hebben. Maar ik was opgegroeid in het Londense East End, waar de helft van mijn vrienden grote, enge zwarte kerels waren, en ik had als tiener zelf genoeg ondeugende dingen gedaan. Daarnaast was ik al enorm boos.

Ik schopte hard naar achteren met mijn rechtervoet, in de richting van zijn knie. Het gewricht boog door naar de verkeerde kant.

Hij liet me meteen los en greep naar zijn knie. Ik had zijn knieschijf niet horen knappen, dus hij kwam er waarschijnlijk vanaf met een gescheurde pees. Hij maakte geen enkel geluid; de schok was te groot.

Ik hijgde, meer door de adrenaline dan door inspanning. 'Ik ben opgegroeid met drie oudere broers, jongen. Je moet beter oppassen wie je als slachtoffer kiest.'

Hij probeerde op te staan, maar zijn gewonde knie kon zijn gewicht niet dragen en hij viel weer op de grond. Hij keek woedend naar me op en ik liep snel de hoofdstraat weer in en hield hem intussen in de gaten, zoals hij daar zat tussen de afvalbakken en vuilniszakken.

'*Salope*!' riep hij. '*Putain*!'

HOOFDSTUK VIJF

Ik nam een taxi naar het hotel en rende de trappen op naar mijn kamer. Daar werd ik opgewacht door Luke, die liep te ijsberen.

'Hoe kom jij verdomme steeds in mijn kamer?' snauwde ik.

'Ze hebben ons sleutelkaarten gegeven waarmee je beide kamers open kunt doen,' zei hij verbaasd. 'Omdat ze allebei op mijn naam staan en zo. Heb je er problemen mee dat ik in je kamer kom?'

'Is een beetje privacy verdomme te veel gevraagd?'

'Nee,' zei hij met opeengeklemde kaken. 'Ik zal het niet meer doen. Wil je me nu alsjeblieft vertellen waar je verdomme hebt gezeten?'

'Ik ben naar Little Haïti geweest,' zei ik.

'Jezus, wat moest je daar? Heb je daarom allemaal blauwe plekken op je gezicht?'

Ik ging naar de spiegel en bekeek de zijkant van mijn gezicht. Er stonden heel vage afdrukken op mijn kaaklijn, ontstaan toen de man die me had willen beroven zijn hand voor mijn mond had geslagen. 'Het is niets,' zei ik.

'Wat deed je daar in godsnaam?'

'Ik had een afspraak met de dienstmeid van Bruno Luna. Die heeft daar een *botánica*. Ze zei dat ze informatie voor me had.'

'En was dat zo?' Er lag een vreemde uitdrukking op zijn gezicht; ik kon niet bepalen of het angst was of hoop.

'Nee. Ze probeerde me verdomme allerlei hocus pocus te verkopen.' Ik liet me op het bed zakken en begon te huilen. 'O Luke, kunnen we nu naar huis gaan?'

Hij ging naast me zitten en trok me naar zich toe. Ik legde snikkend mijn hoofd tegen zijn borst.

'Sshh, Kate,' zei hij zachtjes, en hij streelde mijn haar. 'Niet huilen. Het is goed. Het is goed.'

'Het is niet goed. Charlie is dood. Hij is al die tijd dood geweest.' Ik zag hem met zijn gezicht naar beneden in de oceaan drijven en meebewegen op de golven. 'Er is alleen een of andere schoft die Joe Cantelli heet en die verdomme rondloopt met zijn gezicht. Luke, wat doe ik hier? Ik ben zo stom geweest.'

Hij wiegde me in zijn armen. 'Sshh. Je bent niet stom. Je moest het weten, je moest zeker weten dat Charlie dood was.'

'Maar jezus, Luke!' zei ik, en ik tilde mijn gezicht op. 'Ik heb het lichaam gezien, ik heb de tatoeage gezien. Ik wist dat het DNA klopte. Waarom moet ik mezelf dit aandoen om er zeker van te zijn dat het Charlies lichaam was?'

'Ik weet het niet,' zei hij met tranen in zijn ogen. 'Het spijt me.'

Terug op de Strip gaan Charlie en ik de casino's langs. We blijven winnen aan de blackjacktafel en de dealer vindt ons geweldig omdat we hem iedere keer een fooi geven. Charlie probeert me craps te leren, maar het is zo ingewikkeld dat ik uiteindelijk alleen maar gooi terwijl hij roept welk getal we moeten hebben.

'Zeven!' roept hij tegen de dobbelstenen en de gokkers om de tafel juichen als de dobbelstenen landen met zeven stippen naar boven.

Ik hoor mijn favoriete dansnummer uit een van de clubs komen en sleep hem de dansvloer op. We bewegen samen, de menigte in hetzelfde ritme om ons heen, we worden warm van de beweging, onze kleren worden vochtig van het zweet, we versnellen en wiegen met langzame heupbewegingen.

Ik ben zo dicht bij Charlie dat al mijn zintuigen hem in zich opnemen, en ik wil alleen maar meer. Ik wil hem in me. Zijn handen liggen op mijn heupen, in mijn zij, en ik moet hem blijven aanraken, genietend van het gevoel van zijn huid, genietend van de harde spieren in zijn rug als ik mijn hand onder zijn T-shirt laat glijden. Als we elkaar kussen, is dat als een oase van warmte en duisternis. Ik ben me alleen nog van hem bewust, van zijn zachte mond, de tederheid van zijn kus, de aandrang van zijn kus. Het is alsof hij me in hem trekt, alsof we samensmelten.

We zijn in mijn kamer. Hij doet mijn zwarte beha uit. Ik maak de knoopjes van zijn spijkerbroek open. Ik geniet van het gevoel van zijn borst tegen mijn blote borsten. We liggen boven op de dekens, onder de dekens, we staan in de douche, we leunen tegen de kaptafel. Zodra we klaar zijn, verlang ik alweer naar hem. Ik heb nog nooit zo'n hartstocht ervaren; de overweldigende behoefte om volledig één te zijn.

Wanneer we eindelijk de energie niet meer kunnen opbrengen om ons verlangen in daden om te zetten, kruipen we tegen elkaar aan, onze benen en armen door elkaar gestrengeld, mijn haar in een zwarte waaier op zijn borst, mijn voet in zijn knieholte. We praten en praten en praten. Over lievelingsfilms, lievelingsboeken, lievelingseten, en daarna over serieuze zaken als politiek, geloof, eerdere partners en of een van ons kinderen wil. We zijn het zeker niet overal over eens, maar zelfs de overtuigingen die anders zijn dan de mijne maken dat ik nog meer van hem houd.

We weten allebei dat we op een gegeven moment over de Grote Vraag moeten beginnen en uiteindelijk waagt hij de sprong in het diepe.

'Wat dacht je ervan om een tijdje met mij mee naar San Francisco te gaan?' vraagt hij.

Ik kruip nog dichter tegen hem aan. 'Ik zou het heerlijk vinden. Helaas kan ik voorlopig geen vakantie nemen. Het zou december worden voor ik kan komen.'

'December!' protesteert hij. 'Hoe houd ik het in godsnaam zo lang uit?'

'Nou, je zou met mij mee naar Londen kunnen gaan,' zeg ik, en hij glimlacht.

'Ik zal het met mijn werk moeten regelen. Misschien kan ik een paar weken vrij lospeuteren.'

Twee dagen later trouwen we in de Little Chapel of the West. Het bordje van de kapel hangt aan een houtblok en ik lach om het idee dat ik trouw op een plek waar houtblokken worden gebruikt als decor. Samantha is mijn bruidsmeisje en ze denkt dat ik gek ben, maar ze is stapelgek op Charlie en ze wordt meegesleept door de romantiek van het geheel. Luke is Charlies getuige en hij straalt als een grote witte haai.

We gaan met z'n vieren naar het Bellagio om cocktails te drinken en op elkaar te proosten.

'Op mijn lieve vrouw, de prachtige mevrouw Benson,' zegt Charlie.

'Ik heb je toch gezegd dat ik mijn meisjesnaam aanhoud, Charlie,' zeg ik, en ik sla naar hem met mijn boeket.

Hij lacht alleen maar. 'Mag ik jou mevrouw Benson noemen als ik me door jou meneer Grey laat noemen?'

Ik sta op in mijn witte avondjapon, die middag gekocht in een van de hotelwinkeltjes, en hef mijn champagneglas.

'Op mijn schat van een man, de prachtige meneer Grey!' zeg ik lachend, en onze glazen tinkelen tegen elkaar.

Volgens de radiowekker naast mijn bed was het al twee uur geweest. Ik bleef nog een tijdje liggen en probeerde in slaap te komen door weer naar de hypnotiserende autolampen te kijken, maar ik had geen verweer tegen de golven van hopeloosheid die me onder dreigden te trekken.

Charlie was dood. De man op de foto heette Joe Cantelli. Hij werkte in de bouw in Phoenix en had een vrouw en kinderen. Charlie was dood.

Ik had mezelf nog zo gewaarschuwd, maar toch was ik gaan geloven dat het misschien Charlie kon zijn op die foto. Hoe kon ik zo stom zijn? Mensen die dachten dat hoop een deugd was, hielden zichzelf voor de gek; hoop was niet meer dan een vloek.

Ik had vlinders in mijn buik, een ziek gevoel van angst. Wat had het voor zin om nog op deze planeet te blijven zonder Charlie, zonder zelfs maar de hoop op Charlie...

Toen nam het gedeelte van mijn hersenen waar mijn overlevingsinstinct gezeteld was het over, werd mijn motoriek tot leven geschopt en schoot ik mijn bed uit. Ik deed een spijkerbroek en een T-shirt met capuchon aan, haalde mijn vingers door de klitten in mijn haar en ging naar de hotelbar.

Het was lekker rustig in de bar; een knuffelend stelletje zat op de gemakkelijke bank fluisterend met elkaar te praten en een oudere man zat op een van de krukken aan de bar. De muziek stond zacht, niet meer dan achtergrondgeluid; een of ander rustig jazznummer.

Ik nam een kruk op de hoek van de bar, vijf plaatsen rechts van de oude man. De barkeeper kwam naar me toe, veegde de bar schoon en legde een viltje voor me neer.

'Wat kan ik voor u inschenken?' vroeg hij.

Ik bekeek de rijen keurige glazen flessen achter hem.

'Jack Daniels met ijs, alstublieft.'

Ik dronk het ene glas na het andere, keek naar de smeltende ijsblokjes en dacht aan het telefoongesprek dat ik een paar weken na mijn terugkeer naar Londen met Charlie had gehad. Hij had me verteld dat zijn ouders waren omgekomen bij een auto-ongeluk en dat hij me nodig had. Ik zei dat ik het eerstvolgende vliegtuig zou nemen, maar hij wilde daar weg, zei hij. Een paar dagen later arriveerde hij op Heathrow. Zijn hele leven stond op zijn kop en er volgde een periode van bezinning. Er waren lange nachten waarin ik wakker werd van zijn nachtmerries en niets anders kon doen dan hem vasthouden om wat warmte in zijn koude en vermoeide botten te krijgen. Uiteindelijk begon hij te ontdooien, weer naar me te lachen en te flirten en zijn genegenheid te tonen. We gingen meer uit, vooral nadat Luke in Londen was komen wonen. De nachtmerries kwamen steeds minder vaak. Charlie kreeg een werkvergunning en wist al snel een baan te bemachtigen bij een architectenbureau in het centrum. Het leven werd rustiger. Het speet me dat ik nooit zijn moeder en vader zou ontmoeten, maar we waren samen. We waren gelukkig.

Had ik een toekomst zonder Charlie? Wat moest ik nu die gekke, korte periode op niets was uitgelopen? Morgen zou Luke me meenemen naar Engeland, terug naar mijn lege flat. Hij zou nog een afspraak voor me maken bij dokter McCormack en zij zou me weer aan de antidepressiva zetten. Ik zou overleven zonder te leven. De jaren strekten zich voor me uit, lege jaren, alleen op een donker pad.

'Bent u hier voor zaken of voor uw plezier?' zei een verre stem. Ik kwam een beetje bij en keek in de richting waaruit het geluid kwam.

De oudere man was vertrokken, misschien al een tijdje geleden, en nu zat er een man in een donker pak en een bril op zijn kruk. Hij had iets bruins in zijn glas, misschien Jack Daniels, net als ik.

Ik moest mijn keel schrapen voordat ik antwoord kon geven. 'Geen van beide, eigenlijk.'

'Ik ben hier voor zaken,' zei hij. Ik keek naar zijn linkerhand en zag een trouwring. Ik hoopte maar dat dat betekende dat hij me niet wilde versieren. Ik dronk nog wat en zorgde ervoor dat mijn eigen trouwring het licht ving. 'En wat vindt u van Miami?' vroeg hij.

Ik snoof lachend. 'Om het op zijn Amerikaans te zeggen, *it sucks*.'

Hij nam een slok. 'Dat zou ik niet willen beamen.'

'U moet er maar geen aanstoot aan nemen,' zei ik. 'Dit is mijn vierde glas whisky en ik heb echt een slechte dag gehad.'

'Het geeft niet,' zei hij, en tot mijn ergernis leek hij mijn halfslachtige verontschuldiging op te vatten als een uitnodiging om naar de kruk naast me te verhuizen. 'U ziet er inderdaad uit alsof u een slechte dag hebt gehad. Misschien mag ik een vijfde borrel voor u bestellen?'

Hij zag mijn gezicht en schudde zijn hoofd. 'Maak u maar geen zorgen,' zei hij. 'Ik probeer u niet te versieren. Ik ben een gelukkig getrouwd man. Alleen is het midden in de nacht, zit ik in een vreemde stad en wil ik graag iemand hebben om tegen te praten.'

Ik trok een schouder op om hem af te weren. Misschien reageerde hij op lichaamstaal. 'Ik ben niet de persoon waarmee u moet praten als u opgevrolijkt wilt worden,' zei ik, en ik wendde me weer tot de bar.

De man zette zijn bril af, een ouderwets model uit de jaren vijftig, en wreef de glazen schoon met zijn das. De vrouwelijke helft van het stelletje op de bank kwam naar het andere uiteinde van de bar om een drankje te bestellen en de barkeeper ging naar haar toe.

Zodra de barkeeper buiten gehoorsafstand was, veranderde er iets in het gezicht van de man naast me. De gemoedelijke glimlach verdween en hij ging stijf rechtop zitten.

'Juffrouw Grey,' zei hij, terwijl hij naar zijn bril bleef kijken, 'ik geloof dat het tijd wordt dat u en uw vriend uit Miami vertrekken en weer naar huis gaan.'

'Wat?' zei ik verbijsterd.

Hij hield de bril voor zijn gezicht en keek of de glazen schoon waren. 'Vergeet Charles Benson' – zijn mond vertrok toen hij de naam van mijn man zei – 'en houd op vragen te stellen. Als u stenen blijft omkeren, komt u uiteindelijk een schorpioen tegen.'

Hij zette de bril weer op zijn neus en glimlachte naar me. 'Misschien moet u die vijfde borrel maar vergeten en uw koffers gaan pakken.' Zijn ogen stonden koud.

Luke deed de deur open in zijn boxershort, wreef over zijn korte blonde haar en probeerde wakker te worden.

'Wat is er?' zei hij, zijn ogen dichtknijpend tegen het licht in de gang. 'Kate, waarom heb je je koffer bij je?'

'We moeten weg,' zei ik dringend. Ik duwde hem de kamer in en deed de deur achter me dicht. 'Er is iets aan de hand en het heeft te maken met Charlie. Kleed je aan, dan gaan we.'

'Gaan we terug naar Londen?' vroeg hij terwijl hij zijn spijkerbroek aantrok.

'Alleen om ze op een dwaalspoor te brengen,' zei ik, vastberaden en kordaat. 'Daarna gaan we naar Sicilië.'

DEEL II:

SICILIË

HOOFDSTUK ZES

Charlie had maar twee weken vrij kunnen krijgen, en dat nog alleen door iedereen die hem nog iets verschuldigd was te vragen hem te helpen en dag en nacht door te werken om het lopende deel van zijn project af te krijgen. Hij was uitgeput en ik zat naast hem in het vliegtuig te grinniken om zijn zachte gesnurk.

Net voordat de piloot aankondigde dat we aan de afdaling gingen beginnen, schrok Charlie wakker. Hij keek met slaperige ogen om zich heen, maar zijn blik verscherpte toen hij mij zag lachen.

'Het is net alsof ik naast een wrattenzwijn zit,' zei ik. 'Echt. Ik wist niet dat je dieren mee mocht nemen in de cabine. Ik dacht dat die in het ruim moesten.'

Hij gaf me een por. 'Hé, de pot verwijt de ketel. Ik klink tenminste niet als een olietanker. Ik ben niet degene die door de seismologen wordt gebeld als ze negen op de schaal van Richter meten, alleen om er zeker van te zijn dat ik wakker ben en niet hun metingen beïnvloed.'

We namen een huurauto en Charlie ging achter het stuur zitten omdat hij vele jaren ervaring had met aan de andere kant van de weg rijden. Het was warm in Sicilië, ook al liep de zomer op zijn eind, maar er hingen ook zware witte wolken boven de heuvels.

'Het is veel groener dan ik had gedacht,' zei Charlie.

'Dat vind ik ook. Ik dacht dat het hier veel droger zou zijn, meer zoals in het zuiden van Spanje.' De heuvels waren begroeid met dik gras en populieren. 'Misschien hebben we allebei een beetje te vaak naar *The Godfather* gekeken.' Als Michael Corleone naar Sicilië gaat, ziet het er erg stoffig en droog uit.

Charlie deed fantastisch Al Pacino na. 'Je verliest geen dochter,' zei hij. 'Je krijgt er een zoon bij.'

De enige imitatie van Al Pacino die ik kon doen, was een slechte uit *Scarface*. 'Zeg mijn kleine vriend eens gedag,' zei ik wulps tegen Charlie.

'Als we bij het hotel komen, mag je mijn kleine vriendje gedag zeggen,' verzekerde hij me met een klopje op mijn knie. Ik droeg een korte broek en zijn handpalm voelde heet op mijn blote huid.

Het hotel was aan de rand van de stad, een heel complex op een groot terrein. Je moest de receptie bellen om de poort voor je open te doen. De tuin eromheen was zorgvuldig aangelegd met een wirwar aan paadjes en hibiscussen en het zwembad naast de openluchtbar bood uitzicht over de appartementen die afliepen naar de zee. Het was prachtig en ik greep opgewonden Charlies arm vast.

We checkten in en de receptioniste gaf ons de sleutels van ons appartement en een plattegrondje van het complex.

'Hé, ze hebben een midgetgolfbaan,' zei Charlie opgewekt, wijzend op de kaart.

'Jij wordt ook om de vreemdste dingen opgewonden,' zei ik, en ik lachte.

Het appartement was schoon en comfortabel, met een terras dat mooi uitkeek over het bosje citroenbomen langs het hotelstrand. We pakten snel onze spullen uit, want we wilden nog een uurtje of twee bij het zwembad zitten voordat de avond viel. Charlie was als eerste klaar en hij stond ongeduldig in een zwembroek en met een handdoek om bij de deur, terwijl ik spullen in een tas stopte.

'Kate, we gaan niet naar de Noordpool. Doe je bikini aan en pak een handdoek, dan gaan we.'

'Misschien moeten we wat water meenemen,' merkte ik op. 'En iets te lezen.'

Hij trok me naar zich toe, knoopte mijn blouse open en haakte mijn beha los.

'Wil je ook nog wat te eten?' vroeg ik. 'Ik heb nu al honger.'

Daarna gingen mijn korte broek en mijn slipje uit en Charlie deed een stap achteruit en bekeek mijn naakte lichaam met een droge glimlach op zijn gezicht.

'Als je het maar laat,' zei ik. 'Dertig seconden geleden liep je nog te zeuren dat ik nog niet klaar was.'

'Ik weet het, ik weet het.' Hij zocht in mijn la met badspullen en gooide me een bikini met blauwe en witte strepen toe. 'Ik ben er goed in je uit te kleden. Met aankleden heb ik niet veel ervaring.'

Ik trok de bikini aan. 'Wist je dat je je minstens twintig minuten voordat je de zon ingaat moet insmeren?'

Hij bukte, gooide me in de brandweergreep over zijn schouders en gaf met zijn vrije hand een klopje op mijn billen toen hij de deur uit liep.

'Vergeet de sleutel niet!' riep ik vergeefs, terwijl de deur automatisch achter ons dichtviel.

Het hotel had een tweede restaurant op het terras, waar we een laat diner nuttigden, omringd door zware witte draperieën en dikke kaarsen. We luisterden naar de golven van de Middellandse Zee, die braken op het zand ver beneden ons. Charlie droeg een zwart overhemd, net als de dag dat ik hem had ontmoet in Las Vegas.

'Niet te geloven dat het al twee jaar is, hè?' zei ik zachtjes.

Hij glimlachte en hield onder de tafel mijn hand vast. 'In sommige opzichten lijken we pas twee weken samen. Maar in andere opzichten een heel leven.' Hij lachte om mijn gezicht. 'Ik bedoelde er niets slechts mee. Het voelt alleen alsof we altijd samen zijn geweest. Als ik terugkijk op de jaren dat ik je niet kende, lijkt het vreemd dat je niet bij me was. Ik blijf je verwachten in mijn herinneringen.'

'Dat is geloof ik het meest afgezaagde dat ik je ooit heb horen zeggen,' plaagde ik.

Onze kelner kwam met het eten en vroeg iets in het Italiaans. We keken allebei niet-begrijpend en hij nam zijn toevlucht tot: 'Risotto?'

Charlie stak zijn hand op. De kelner gaf hem zijn bord risotto met prosciutto en parmezaanvlokken en zette mijn *quattro formaggi* pizza voor me neer. De wijn zat in een glazen karaf.

'Dit is nou echt een tentje voor mij,' zei Charlie. 'Wijn in een karaf.' Hij schonk me een glas in. 'Wat vind jij er tot dusver van?'

'Het is fantastisch. Sicilië is prachtig en ik verheug me erop het stadje te verkennen.'

Hij knikte. 'Houd je van Italië?'

'Natuurlijk!' Ik dacht aan de steden die ik al gezien had in Italië en moest glimlachen bij de herinnering. 'Venetië is ongelooflijk. Ik houd ook van Florence en Rome is fantastisch. Vind jij Italië niet mooi dan?'

Hij haalde zijn schouders op. 'Dit is de eerste keer dat ik er kom. Ik geloof dat mijn ouders me hebben meegenomen naar Italië toen ik nog heel klein was, maar daar herinner ik me niets van.'

'Waarom heb je er dan voor gekozen?' Charlie had het hotel gevonden en de reis geboekt.

'Heb je ooit gehoord van Siciliaanse madenkaas?'

'Wát?'

'Een van mijn oudooms die tijdens de Tweede Wereldoorlog in Europa was gestationeerd, heeft me ervan verteld. Ze laten de kaas buiten liggen zodat de vliegen er eitjes in leggen, en als de maden uitkomen eten ze de kaas op. Het is een delicatesse. Mooie combinatie van vlees en kaas.'

'Weet je zeker dat je oudoom geen sterke verhalen heeft opgehangen? Zoals die keer dat hij je vertelde over de vrouw die een vinger in haar gebraden kip aantrof?'

'Dat is een goed gedocumenteerd verhaal,' zei Charlie.

'Dus je hebt deze vakantie geboekt met het vooropgezette idee wat madenkaas te zoeken en te eten?'

'Echt niet,' zei hij. 'Nou, het zoeken gaat nog wel. Dan kun jij het eten en praten we later over je ervaringen.'

Ik keek hem aan. 'Ik hou van je,' zei ik.

Hij grinnikte. 'Ik hou ook van jou, Katie.'

Later kwam de kelner om onze lege borden weg te halen. 'Dessert?' vroeg hij aan mij.

'*Sono piena*,' zei ik. Ik wilde hem in het Italiaans vertellen dat ik vol zat. Ik klopte op mijn buik. Charlie snoof en de kelner lachte tegen me.

'*Sì?*' zei hij. '*Congratulazioni*.'

'Ik geloof dat je net hebt verteld dat je zwanger bent,' zei Charlie.

De kelner wendde zich tot de ober en herhaalde mijn hoogst amusante taalfout. De ober kwam grinnikend naar ons toe en verborg met veel misbaar de karaf met wijn voor me. Hij sprak vrij goed Engels. Charlie raakte met hem aan de praat, en voordat we het wisten was het restaurant dicht en zaten we aan een ander tafeltje met de bediening en een paar mannen uit de keuken, nog in hun witte kokskleding. Ik noemde het 'het Charlie-effect'. Hij maakte overal waar hij ging meteen vrienden.

Om middernacht was de dienst van de receptioniste voorbij en zij bracht een halfvolle fles amaretto mee naar de tafel. Ze wuifde ermee naar me met een glimlach op haar gezicht.

'Ja, graag,' zei ik, en ze ging naast me zitten.

'Hoe heten jullie?' vroeg ze.

'Zij heet Katerina,' kwam de ober tussenbeide, die Gian-Luca heette. 'En dit is Carlo.'

'Charlie,' corrigeerde hij bijna scherp.

'En jij?' vroeg ik, terwijl ik naar hem fronste.

Ze wees naar haar naamplaatje. 'Sofia.'

'Sofia komt uit Milaan,' zei Gian-Luca. 'Daarom heeft ze zo'n raar accent.'

Ze zei iets grofs tegen hem in het Italiaans en draaide haar stoel, zodat hij meer naar mij toe stond en minder naar hem. Gian-Luca grijnsde naar me en ging door met zijn gesprek met Charlie en onze kelner, waarbij hij zich nuttig maakte als tolk.

Sofia en ik raakten steeds zwaarder aangeschoten en praatten over de belangrijkste verschillen tussen Italiaanse en Engelse mannen. (Ik matigde me maar geen oordeel aan over Amerikaanse mannen, omdat Charlie mijn enige ervaring met de soort was.) Ze leek me niet te begrijpen toen ik naar de madenkaas vroeg (wat Charlie later weet aan het feit dat ze niet uit die streek kwam), maar ze praatte honderduit over naburige stadjes en kerken die we konden bezoeken. Ze schreef ook de naam van een plaatselijk visrestaurant op een servet.

'Wat doe jij nou?' vermaande Gian-Luca haar. 'Waarom stuur je haar naar een ander restaurant?'

'Je weet best dat ze daar de beste vis van Sicilië serveren,' zei Sofia tegen hem, terwijl ze met een van haar kunstnagels tegen zijn borst tikte.

Om één uur in de ochtend zaten we te kaarten en waren we overgegaan op whisky en cognac. Tegen tweeën had onze kelner al ons contante geld van ons gewonnen en gingen we terug naar ons appartement. Charlie en ik hadden moeite met onze tocht over de hellende paden van het complex, die veel te steil waren voor mensen die zo dronken waren als wij. Charlie gaf het lopen maar op; hij boog voorover en begon kopje te duikelen, en ik moest mijn hand voor mijn mond slaan om de arme mensen die op een redelijk uur naar bed waren gegaan niet wakker te maken met mijn gelach.

Eenmaal in het appartement, dat eerder door een vriendelijke kruier voor ons opengemaakt had moeten worden nadat we onszelf hadden buitengesloten, dronk ik een halve liter water uit de fles in de koelkast en ging kreunend op het bed liggen. Charlie zette de tv aan en ging liggen zappen. Er waren geen Engelstalige programma's, maar we vonden wel een aflevering van *Walker, Texas Ranger*, nagesynchroniseerd in het Italiaans, wat veel boeiender was dan wat een Engelse kabelzender te bieden zou hebben gehad. Een van Walkers indianenmaatjes had zich verstopt in het bos, op de vlucht geslagen nadat hij beschuldigd was van moord, en Walker leek hem te willen vinden door een reep stof om zijn hoofd te binden, zijn shirt uit te trekken en iets te roken waarvan je ging hallucineren.

'Gek is dat met die Italianen,' zei ik met maar een heel klein beetje dikke tong. 'Ze willen altijd je naam vertalen.'

'Hoe bedoel je?' vroeg Charlie.

'Ik zeg dat ik Kate heet en ze noemen me meteen Katerina. Jij zegt dat je Charlie heet, en je wordt meteen Carlo. Maar als we in Engeland een Italiaan zouden ontmoeten, zouden we nooit zeggen "je heet Giovanni, dus noemen wij je Johnny". Gian-Luca zou nooit John-Luke genoemd worden.'

Charlie boog zich naar me toe en kneep in mijn grote teen zonder zijn blik van het scherm af te wenden, waarop Chuck Norris een kerel die uit een helikopter kwam al kickboxend te lijf ging.

'We hebben net een nieuwe aannemer gecontracteerd op het werk,' zei hij tegen me. 'Hij komt uit Japan en heet Takeshi. Weet je hoe zijn team hem noemt? Tom.'

'Oké,' zei ik geeuwend. 'Maar als jij me Katerina noemt, vloer ik je.'

De volgende morgen werd ik eerder wakker dan Charlie. Ik ging op mijn zij liggen en keek naar hem. Hij zag er zo lief en sexy uit met zijn haar helemaal in de war. Na een paar minuten krabde hij zijn zij en rolde om, zodat hij met zijn rug naar me toe lag. Ik schoof naar zijn kant van het bed en nestelde me tegen hem aan. Met mijn wijsvinger streelde ik de korte haartjes in zijn nek. Ze groeiden diagonaal in plaats van recht naar beneden, en dat vond ik zo schattig.

Hij bewoog, stak een hand naar achteren en greep mijn been. Ik legde hem over zijn heup, trok hem naar me toe en gaf hem een zoen in zijn nek.

'Jouw kater is dus hanteerbaar?' zei Charlie in zijn kussen.

'Ja. En die van jou?'

Hij rolde op zijn rug en keek me met één oog aan. Het andere zat nog dichtgeknepen tegen het ochtendlicht. Ik wreef over zijn borst en ging met mijn vingernagels over zijn ribben. 'Ik overleef het wel,' zei hij uiteindelijk.

'Ben je in staat tot een vroege work-out?'

Hij geeuwde. 'Ik blijf wel gewoon liggen. Doe jij maar wat je wilt.'

'Sorry, ik heb niets met halve lijken,' zei ik droog, en ik stapte uit bed. Ik wandelde in mijn blootje naar de douche, wetend dat hij naar me lag te kijken. Het water was heet en binnen de kortste keren stond de hele badkamer vol stoom. Ik hoorde hem binnenkomen en even wachten en toen trok hij het douchegordijn weg en kwam bij me.

Toen we later weer droog waren en klaar voor het strand, ging ik naar de badkamer en zag dat hij CARLO ♥ KATERINA op de beslagen spiegel had geschreven.

Het leek 's nachts warmer dan overdag. Charlie stond aan de rand van het pad langs de zee tegen de reling te leunen en keek naar de laatste vegen rood en roze aan de horizon. De felle tinten kleurden zijn gebruinde gezicht en het warme briesje tilde de haarkrul op zijn voorhoofd op. Zijn gezicht stond nogal ondoorgrondelijk, maar voor mij leek het triest en spijtig.

Ik wreef met mijn hand over zijn rug en kuste zijn schouder om hem weer bij me te brengen. Na een paar tellen keek hij met een glimlach op me neer en trok me tegen zijn borst. Ik legde mijn hoofd tegen zijn witte shirt en inhaleerde zijn geur alsof ik een dergelijke intimiteit moest stelen. Soms had ik het gevoel dat ik zo veel mogelijk van hem moest vastleggen; misschien was het een soort voorgevoel van wat er stond te gebeuren, een waarschuwing dat ik binnenkort niet meer zou hebben dan de herinneringen en dat ik me dus alles moest zien te herinneren.

'Zie jij ons op een plek als deze wonen?' vroeg hij.

De vraag overviel me. 'Misschien als we met pensioen zijn,' zei ik ontwijkend.

'Zou je niet elke avond hier bij de zee willen doorbrengen met een lekker glas *prosecco* en een vis op je bord die nog geen twee kilometer verderop is gevangen?'

Ik raakte bijna in paniek bij de gedachte dat ik niet meer in Londen zou wonen. 'Geen bioscopen? Geen clubs? Geen theaters? Wat gebeurt er wanneer je 's nachts opeens zin krijgt in een bagel of als ik de plotselinge aandrang voel alle films van Tarantino te huren? Wil je echt elke nacht naar *Walker, Texas Ranger* kijken?'

Hij schudde zijn hoofd. 'Maar je houdt ervan te reizen en andere landen te zien. Ik had niet gedacht dat je zo vastzat aan Engeland.'

'Het hoeft niet per se Engeland te zijn,' gaf ik toe. 'Maar ik wil wel graag seizoenen. Ik zou in New York kunnen wonen of San Francisco, zo'n soort plaats. Iedere stad waar je net zo gemakkelijk curry als een biefstuk kunt krijgen.'

'Is dat je belangrijkste criterium?' lachte hij. 'Of je curry kunt krijgen?'

'Het is belangrijk! Als jij denkt dat ik de rest van mijn leven verse vis ga eten, heb je het heel verschrikkelijk mis.'

'Dus kleine plaatsjes vallen af.' Hij glimlachte half, maar ik merkte dat hij geïrriteerd raakte.

'Voorlopig in ieder geval wel. Het spijt me, ik heb gewoon variëteit nodig. Misschien verandert dat als we ouder zijn of als we kinderen hebben en maak ik me dan alleen nog maar druk over de misdaadcijfers en de kwaliteit van de plaatselijke school.'

'Dus jij zou wel in een kleinere en intiemere plaats willen wonen als we kinderen hadden?'

Ik fronste. 'Hoezo, denk je erover me zwanger te maken om uit Londen te kunnen verhuizen? Ik dacht dat je het naar je zin had in Londen.'

Zijn blauwe ogen lijken 's avonds altijd donkerder. 'Ik heb het zeker naar mijn zin in Londen. Maar ik zou overal kunnen wonen zolang jij maar bij me bent.'

Ik duwde hem weg en liep verder over het pad. 'Je moet de zaken niet zo verdraaien.'

'Hoe verdraaien?'

'Nu klinkt het net alsof ik hier geen punt van zou maken als ik net zoveel van jou hield als jij van mij.'

Hij schudde zijn hoofd. 'Zo bedoelde ik het niet.'

'Hoe komen we eigenlijk op dit gesprek? Het ene moment staan we een ijsje te eten en de zonsondergang te bewonderen en het volgende moment hebben we het verdomme over emigreren en vissers worden!'

Charlie barstte in lachen uit. 'Ik heb niet voorgesteld dat we vissers zouden worden.'

'Nou, dat is maar goed ook, want ik heb gehoord dat het een zeer onwelriekend beroep is. Denk maar niet dat je elke nacht aan je trekken komt als je bij thuiskomst naar vissendarmen stinkt.'

Hij sloeg zijn arm om me heen en gaf me een zoen op mijn kruintje.

We vonden een kelderkroeg waar een band speelde en dansten tot in de vroege uurtjes. Toen we door de smalle straatjes terugliepen naar de auto, kwamen we langs kleine heiligdommen waarin elektrische lampjes iconen van de heiligen verlichtten. In theeglazen stonden een of twee wilde bloemen en vaak stonden de namen van schepen onder het gedenkteken; gebeden voor mannen die op zee waren.

Het was niet fijn om met zere voeten van het dansen op hoge hakken over de kinderkopjes te moeten lopen en Charlie nam me op zijn rug en droeg me terug naar de auto, de hoge hakken zwaaiend aan de bandjes in mijn hand.

Het hotel lag er verlaten bij toen we terugkwamen; geen kelners, geen barkeepers, geen Italiaanse vertegenwoordigers die een spelletje kaart speelden na hun bedrijfsconferentie. We wuifden naar de slaperige receptionist toen we lang de balie liepen en hij stond op.

'Meneer Benson?' zei hij. 'Er is een boodschap voor u.'

'Voor mij?' vroeg Charlie. We keken elkaar aan. 'Het zal wel van Luke zijn,' zei hij.

Het is meestal slecht nieuws als je op vakantie een boodschap van thuis krijgt, dus was ik een beetje bezorgd terwijl ik wachtte tot Charlie hem had gelezen. Ik ontspande me pas toen hij begon te lachen.

'Het is van de Crestenza's,' zei hij. 'Oude vrienden van mijn ouders. Zij zijn hier ook op vakantie en hebben van Luke gehoord dat wij hier logeren. Vind je het erg als we ze morgen opzoeken? Ik heb ze sinds de begrafenis van mijn ouders niet meer gezien.'

'Natuurlijk niet,' zei ik, blij hem zo opgewonden te zien en nieuwsgierig naar de Crestenza's; behalve Luke kreeg ik zelden iets te horen over zijn eerdere leven in Amerika. Maar ik was ook heel erg moe. 'Ik zou ze morgen pas terugbellen, schat. Tenzij ze heel veel last hebben van de jetlag zijn ze nog wel een paar uurtjes in dromenland.'

'Goedenacht, meneer en mevrouw Benson,' zei de receptionist. 'Slaap lekker.'

HOOFDSTUK ZEVEN

Ik werd om negen uur wakker met zere voeten en suizende oren van de harde muziek van de avond ervoor. Ik draaide me om, stak een arm uit en reikte naar Charlie. Toen zijn kant van het bed leeg bleek, deed ik mijn ogen open.

Het snoer van de telefoon was helemaal uitgerekt tot aan de patiodeuren. Door de open gordijnen zag ik Charlie op het terras staan telefoneren. Ik sloeg het laken om me heen, stapte uit bed en liep naar de openslaande deuren. Even dacht ik dat ik hem door het dikke glas Italiaans hoorde spreken, maar toen ik de deur openschoof, hoorde ik alleen maar Engels.

'Dat is fantastisch,' zei hij. 'Ja, natuurlijk. Tot dan.'

Hij legde de hoorn neer en keek naar me om. 'Sorry, schat. Ik heb nog zo geprobeerd je niet wakker te maken.'

Ik gaapte. 'Het geeft niet, het is laat genoeg. Wie had je aan de telefoon?'

'De Crestenza's. Ik hoop dat je zin heb in gezelschap, want we gaan samen lunchen.'

'In het dorp?'

'Nee, ze zitten een paar uur verderop. Ik heb aangeboden naar hun toe te rijden. Ik wil niet dat zij al die moeite moeten doen. Vind je dat goed?'

'Ja, natuurlijk. Dan kan ik beter onder de douche springen.'

Het was vreemd om mijn kleren te kiezen; omdat Charlies ouders er niet meer waren, had ik bijna het gevoel dat dit voor mij de gelegenheid was om indruk te maken op Charlies familie. Een korte broek leek te informeel en het was te warm voor een lange broek, dus haalde ik een van mijn zomerjurken en een paar mooie sandaaltjes tevoorschijn.

In de auto zetten we de airco uit en genoten van het gevoel van de warme Siciliaanse wind in ons haar. Ik had de route uitgezet over een aantal autowegen en daarna moesten we de hoofdwegen verlaten en gingen we over stoffige weggetjes tussen groene heuvels over het platteland. Het zonlicht twinkelde van de golftoppen in de verre oceaan. We bevonden ons hoog in de Siciliaanse bergen; onder ons lag het eiland uitgestrekt, boven ons bevond zich de warme blauwe hemel en overal om ons heen zagen we het stralende zonlicht.

'Volgens de kaart komt er over ongeveer achthonderd meter een afslag,' zei ik. Een paar minuten later kwamen we bij een bordje dat ons naar het stadje San Giordano verwees. Maar toen we daar arriveerden leek het eerder een dorp dan een stadje. Er waren een pleintje, een bar, wat kippen en een kraampje waar groenten en fruit werden verkocht. Een gerimpeld oud vrouwtje in het zwart zat op een trap en keek naar ons met een verschrompeld gezichtje.

'Scorsese zou haar eens moeten bellen,' zei ik. 'Ze kan wel een agent gebruiken.'

'Ze zou zo gecast kunnen worden,' beaamde Charlie, maar hij klonk een beetje bezorgd.

'Waar zou dat *pensione* nu zijn?'

Hij tuurde door de raampjes naar het dichtstbijzijnde gebouw dat eventueel een hotel zou kunnen zijn. 'Ik weet het niet. Ze zeiden dat we elkaar in de bar zouden treffen. Zo te zien is er maar één mogelijkheid.'

De bar had geen uithangbord, maar de oude metalen bordjes met de namen COKE en PERONI aan de muur wezen waar we moesten zijn. We gingen naar binnen en lieten onze ogen even wennen aan de relatieve duisternis. Er zaten een paar plaatselijke bewoners binnen, die zich omdraaiden om ons argwanend aan te kijken. De twee mannen keken eerst naar mijn gezicht en toen naar mijn benen, ook al waren ze allebei minstens zeventig.

'*Buon giorno*,' zei Charlie tegen de man achter de bar, nadat hij snel de zaak had doorgekeken, op zoek naar zijn vrienden. '*Due acqua minerali, per favore*.'

Een van de oude mannen snoof minachtend om zijn drankkeuze. Ik kwam in de verleiding Bob Hope na te doen en eraan toe te voegen '... in een vuil glas', maar ik kende de juiste Italiaanse woorden niet.

We gingen bij de deur zitten met ons water. Een grote hond, een Lurcher, kwam achter de bar vandaan, snuffelde aan Charlies schoen en liep de deur uit. Vijf minuten later wandelde hij weer naar binnen, draaide een paar keer om zijn as en ging liggen in een stukje schaduw onder een van de tafeltjes. Het was zo stil dat we tussen het gemompelde Italiaans van de oude mannen de cicaden konden horen tsjirpen in het lange gras om het dorp heen.

Ik probeerde een gesprek gaande te houden, maar Charlie gaf eenlettergrepige antwoorden en zat naar zijn water te kijken.

'Hoe lang hebben ze je ouders gekend?' vroeg ik.

'Jaren,' zei Charlie.

'Waren ze goed bevriend?'

'Zo goed als vrienden maar kunnen zijn.'

Toen hoorden we buiten stemmen en Charlie ging rechtop zitten. De oren van de Lurcher draaiden als satellietontvangers. In de felverlichte deuropening verscheen het silhouet van een man.

'Carlito!' hoorde ik de man zeggen, en hij stapte de bar in en omhelsde Charlie stevig. Hij kuste hem op beide wangen, tweemaal, en sloeg toen nogmaals zijn armen om hem heen.

Achter hem kwam een vrouw de bar in, die met beide handen haar tas vasthield. Toen ze Charlie zag, glimlachte ze, maar er stonden tranen in haar ogen en ik wist meteen hoezeer ze op hem gesteld moesten zijn en hoe moeilijk het voor hen was hem zo snel na het verlies van hun vrienden naar een ander land te hebben zien vertrekken.

Charlie wendde zich tot de vrouw en ook zij kusten elkaar op beide wangen. Daarna knuffelde hij haar. Ze hield haar hand tegen zijn gezicht en keek van het ene oog naar het ander, alsof ze er iets in zocht.

'Het is zo heerlijk om jullie allebei te zien,' zei hij, en hij pakte haar handen en kneep erin. Zonder ze los te laten draaide hij zich naar me om en toen keken ze alle drie naar mij.

'Dit is mijn vrouw, Kate,' zei hij. 'Kate, dit zijn Angelo en Francesca Crestenza.'

Meneer Crestenza, een stevige man van een jaar of zeventig met een nette witte baard en een ondeugende crèmekleurige hoed, hief zijn handen en kwam naar me toe.

'Meneer Crestenza,' zei ik glimlachend, en ik stak mijn hand uit.

Hij negeerde mijn hand. 'Angelo, alsjeblieft, Angelo,' zei hij en hij hield me bij mijn schouders vast terwijl hij me op de wangen zoende. Zijn vrouw stapte Charlie voorbij en knikte verlegen naar me, waarna ze mijn handen pakte en me ook kuste.

'Het is zo fijn om je te ontmoeten, Kate,' zei ze.

'Het genoegen is wederzijds, mevrouw Crestenza.'

Ze glimlachte. 'Kate, luister naar mijn man. Geen "meneer en mevrouw Crestenza". Noem me alsjeblieft Francesca. Anders zal ik jou mevrouw Benson moeten noemen!' Ze was een heel knappe vrouw, een jaar of tien jonger dan haar man, met jukbeenderen die haar duidelijk tot op hoge leeftijd aantrekkelijk zouden houden. Maar ze had ook iets vermoeids dat haar ouder deed lijken dan haar jaren, net als de strepen grijs in haar steenbruine haar.

'Heb je honger, Kate?' vroeg Angelo Crestenza.

'Ik sterf van de honger,' zei ik met een grijns.

'Kun je voor die tijd nog een korte wandeling maken?'

'Ik denk het wel.'

Charlie liet wat euro's achter voor het mineraalwater en we stapten de warme zonneschijn in.

Er waren twee mannen bij de Crestenza's en Angelo stelden ze voor als neven van zijn neef, die in San Giordano woonde. Geen van hen sprak Engels en ze liepen voor ons uit in het Italiaans te praten.

Angelo's neef had een boerderij halverwege een heuvel die uitzicht bood op het dorp. We liepen door een veld vol wilde bloemen en Francesca Crestenza en ik raakten een beetje achter op Charlie en Angelo. Charlie liep door het lange gras en Angelo wist hem met gebruik van een stok puffend bij te blijven.

'Zoveel lichaamsbeweging heeft hij in geen jaren gehad,' zei Francesca met een glimlach.

'Komen jullie vaak op Sicilië?' vroeg ik.

'Nee. We houden geen van beiden van vliegen. We gaan soms zeilen of naar het Caribisch gebied.'

'Komt jouw familie ook uit Sicilië?'

Ze schudde haar hoofd. 'Bologna. Niet dat ik Bologna zelf goed ken. Ik ben geboren en getogen in Amerika.'

'Hoe hebben jij en Angelo elkaar dan ontmoet?'

Ik zag haar even van opzij naar me kijken, maar toen keek ze weer voor zich. Ze droeg hoge hakken en had moeite met het terrein. 'Onze families zijn jarenlang bevriend geweest.' Toen keek ze me echt aan en haar ogen werden lichter door de zon. 'En jij en Charlie... we hebben alles gehoord over hoe jullie elkaar ontmoet hebben.' Ze lachte. 'Ik heb wel eens eerder gehoord over liefde op het eerste gezicht, maar dit spant de kroon.'

Ik haalde mijn schouders op. 'Maar het werkte wel. We zijn nog bij elkaar.'

'En je houdt nog steeds van hem?'

'Meer dan ooit.'

Ze knikte en nam mijn arm als steun toen we aan de rand van een bosje olijfbomen kwamen. Ik zag de boerderij tussen de dunne stammen door. 'Mag ik vragen... waarom je hem koos?'

'Charlie? Ik wist gewoon dat hij het was.'

Ik vertelde haar niet dat ik pas beseft had dat de helft van mij ontbrak toen ik hem had gevonden.

'Maar wat trok je dan in hem aan?'

In Amerikaanse tv-shows wilden de vrouwen altijd heel graag uit met mannen die een hoog aangeschreven beroep hadden: juristen, bankiers, architecten. Zat ze daarom zo te vissen? Wilde ze weten of Charlie me vooral zo aanstond omdat hij een zekere status had? Ik kwam in de verleiding te zeggen dat een van de dingen die me zo in Charlie aantrok zijn kont was, en een andere de welving van zijn biceps, maar ik wist dat Charlie wilde dat ik me gedroeg. Dus was ik eerlijk.

'Eerlijk gezegd denk ik niet dat het zo werkt met de liefde,' zei ik.

'Als je mensen vraagt waarom ze van iemand houden, noemen ze volgens mij alleen zijn of haar goede eigenschappen op. Maar ik geloof niet dat je verliefd op iemand wordt vanwege die eigenschappen.'

'Niet?' Ze trok haar wenkbrauwen op.

'Nee. Je raakt verliefd op iemand ondanks zijn eigenschappen. Als Charlie opeens niet meer zo grootmoedig zou zijn, zou ik toch nog van hem houden. Als hij me niet meer aan het lachen maakte, zou ik toch nog van hem houden. Ik bedoel, ik houd ervan dat hij dat is en doet, maar alleen omdat hij het is. Klinkt dat een beetje logisch?'

Ze grinnikte. 'Nee, niet echt. Als je het zo bekijkt, zou je net zoveel van iemands slechte punten houden als van de goede.'

Ik knikte. 'Precies.'

Francesca schudde haar hoofd. 'En wat zijn Charlies slechte punten, waar jij zo van houdt?'

Ik keek naar mijn man, die in zijn witte shirt en zijn blauwe spijkerbroek door de schaduw van de olijfbomen liep.

'Hij wordt snel boos, maar nooit op mij. Hij heeft geen geduld. Hij wil nooit "nee" horen.' Charlie draaide zich om en glimlachte naar me, bijna alsof hij me kon horen. Zijn ogen leken blauw op te gloeien in de zachte schaduw van de bladeren. Ik glimlachte terug en zei zachtjes: 'En hij speelt altijd vals met scrabble.'

We aten verse vis en daarna grote kommen pasta met tomaten-olijvensaus en afgescheurde stukken krokant wit brood erbij. Angelo's neef Cesare zat aan het hoofd van de grote houten tafel, schonk de rode wijn in en vergastte ons op de dorpsroddeltjes en verhalen over de olijfoliebranche. Charlie zat naast me en tussen de gangen door kneep hij liefhebbend onder de tafel in mijn knie.

Ik zat te vol om nog pudding te eten, maar ik dronk koffie en nam alle verhalen over Charlie als kleine jongen in me op. Vooral Francesca wist zich al zijn misdragingen en alle gênante incidenten te herinneren, zo goed zelfs dat Charlie zijn handen voor zijn gezicht sloeg en smeekte of ze alsjeblieft wilde ophouden.

Angelo vroeg hoe ik Charlie ontmoet had, en hoewel ze het verhaal duidelijk eerder gehoord hadden, luisterden ze allemaal toen ik ze vertelde over de kapotte lift en de bungeejump.

'Ik snap niet dat je geen hoogtevrees krijgt,' zei Angelo, terwijl hij zichzelf koelte toewuifde met de rand van zijn hoed.

'Ik geloof dat het niet zo leuk zou zijn als het niet zo eng was.'

'En Charlie zegt dat jullie alle twee van enge sporten houden,' zei hij.

'Extreme sporten,' corrigeerde Charlie.

'O, neem me niet kwalijk, extreme sporten,' zei Angelo sarcastisch. 'Zwemmen jullie tussen de haaien?'

Charlie grinnikte. 'Niet tussen grote witte haaien. Maar we hebben wel met een paar tijgerhaaien gezwommen, vorig jaar toen we gingen duiken.'

Charlie zou waarschijnlijk met alle genoegen met grote witte haaien hebben gezwommen, maar ik had *Jaws* een keer te veel gezien en ik wilde niet dat mijn hoofd op een gezonken boot zou belanden.

'Jullie doen niet aan die ondergrondse dingen, zeker?' vroeg Cesare.

We keken hem vragend aan.

'Bedoel je speleologie?' vroeg Charlie. Ik huiverde en hij wreef over mijn arm. 'Ja, we hebben het een keer geprobeerd, maar Kate vond het niets. Je door smalle ondergrondse tunnels wurmen bleek eerder lastig dan spannend.'

Cesare leek teleurgesteld in me. 'Kom op, wie wil zich bezighouden met ondergrondse gangen als je kunt gaan skydiven of bergen kunt gaan beklimmen?' zei ik tegen hem. 'In de herfst gaan we voor het eerst wildwatervaren.'

'Waarom doen jullie deze vakantie niets engs?' vroeg Angelo, die een sigaar opstak.

Ik keek naar Charlie. 'Ik weet het niet. Charlies keus. We kiezen om de beurt wat we gaan doen in de vakantie.'

Charlie blies zijn lippen naar buiten. 'Ik had gewoon zin in een beetje rust, denk ik. Maar ik denk dat we vast wel wat heel oude liften kunnen vinden waarin we vast kunnen komen te zitten, als je dat graag wilt, schat.'

Na de lunch – die maar een uur of drie duurde, want we waren nu eenmaal op Sicilië – zaten we onder de bomen in de achtertuin. Cesare had twee zoontjes en toen die uit school kwamen, trokken ze een korte broek aan en schopten ze tegen een voetbal bij het olijfbomenbosje, met twee bomen als doelpalen. Ze haalden hun vader over om mee te doen, en dat betekende dat ze nog iemand moesten hebben. De oudste kwam naar ons toe en stak een stroom Italiaans af tegen Charlie, die me lijdend aankeek.

'Pak ze, Pelé,' zei ik, en ik stuurde hem met een kus weg.

Om eerlijk te zijn, kon Charlie helemaal niet voetballen. Hij was een sportieve vent, sterk en een snelle loper, maar hij richtte midden op het doel en slaagde erin de bal in Cesares buik te schieten. Cesare zakte buiten adem op de stoffige grond en ik moest zijn plaats innemen. Ik was er ook niet zo goed in, in ieder geval niet in vergelijking met twee voetbalfanaten van kinderen, maar vergeleken met Charlie kon ik zó aan de wereldbekerwedstrijden meedoen.

Ik zette hem op het verkeerde been en passeerde hem, en dribbelde naar de doelpalen van de tegenpartij. Het kleinste jochie sprong van de ene voet op de andere en probeerde te raden naar welke kant ik zou schieten. Ik voelde een arm om mijn middel en werd plotseling opgetild. Charlie trapte de bal weg, zette me weer neer en rende de andere kant uit.

'Overtreding!' riep ik. 'Scheidsrechter!'

Angelo en Francesca lachten toen ik verontwaardigd achter mijn man aan rende, die het hoofd van mijn teamgenoot onder zijn arm hield en de bal langs hem in het doel schoot.

'Wat ben je toch een valsspeler!' protesteerde ik. Cesares andere zoon kwam tussen de bomen door rennen, sloeg zijn hand tegen die van Charlie en gleed triomfantelijk door op zijn knieën voor een onzichtbare, maar blijkbaar uitzinnige menigte. 'Moedig hem niet aan, Benito.'

Cesare was opgestaan van zijn tuinstoel en kwam op ons aflopen.

'Scheidsrechter,' zei ik, 'dat waren twee grove overtredingen. Die man moet een rode kaart krijgen.'

Cesare stak zijn hand op. 'Charlie, je bent gewaarschuwd. Geen overtredingen meer, anders ga je eruit.'

Ik was een beetje nijdig dat Charlie nog mocht meedoen en verdubbelde mijn inspanningen zodat het drie-één werd. Charlie probeerde een penalty te krijgen door in het strafschopgebied op de grond te gaan liggen, maar omdat er geen lijnen waren, beweerde ik met succes dat hij zich minstens een meter van het strafschopgebied bevond en dat het bovendien duidelijk een schwalbe was. Hij probeerde me terug te pakken door me te kietelen tijdens een lastig stukje voetenwerk, maar ik speelde de bal door zijn benen en scoorde doelpunt nummer vier.

De schaduwen werden langer en de schemering viel in. Toen we de bal niet meer konden zien, werd het spel afgebroken en gingen de anderen naar binnen. Ik pakte mijn trui uit de boom waarin ik hem had gehangen.

De dunne takken van de olijfbomen staken af tegen de paars getinte hemel. Ik bleef even tussen de bomen staan en snoof de lucht op, die rook naar een mengeling van zout, boomschors en de gerechten van onze eerdere maaltijd. De aarde was zacht en poederig onder mijn blote voeten. Ik spreidde mijn tenen en groef ze in de aarde.

Charlie kwam me zoeken. Zijn witte shirt lichtte op in de duisternis. Hij had ook geen schoenen aan. Hij drukte me tegen de boom. Ik voelde de ruwe schors tegen mijn blote schouders, en hij kuste me met allebei zijn handen in mijn haar. Ik liet mijn handen onder zijn shirt glijden en voelde de warmte van zijn huid onder het katoen, en die warmte liep door me heen naar beneden en via mijn blote voeten de aarde in. De dunne droge bladeren van de olijfboom fluisterden boven ons hoofd.

Toen we weggingen, waren er weer veel stevige omhelzingen die te lang werden volgehouden. Francesca, die bijna weer in tranen was, hield mijn gezicht in haar handen, haar trouwring koel tegen mijn wang.

'Charlies ouders zouden je fantastisch hebben gevonden,' zei ze tegen me.

In mijn eigen ogen prikten ook tranen. 'Echt?' zei ik. 'Dat betekent veel voor me.'

Ze knikte en kuste me abrupt op beide wangen. We reden terug naar het hotel en Charlie hield zijn blik vast op de weg voor ons gevestigd.

HOOFDSTUK ACHT

Er liep een slingerend paadje door het complex naar het strand, omzoomd met helderroze bloemen en onderbroken door stenen treden naar andere bestemmingen. Er schoot een gekko voor ons langs die in een bosje bomen verdween. Charlie hield mijn hand vast en ik kneep in de zijne. Ik huppelde een beetje van geluk.

Het pad voerde door een citroenbomenbosje en daarna gaf een hek met het opschrift ALLEEN HOTELGASTEN toegang tot het smalle strand, dat aan beide zijden werd begrensd door puntige rotsen. Het zand was fijn en wit en de zee strekte zich uit onder een hemel die slechts hier en daar onderbroken werd door witte wolkjes.

Een strandwacht in een rode korte broek en een trendy zonnebril lachte naar ons. 'Willen jullie een strandbed?' riep hij in het Engels. Mensen in de toeristenbranche weten altijd met één blik uit welk land je komt, net zoals de mensen uit Londen Italianen herkennen aan hun rugzakken en Duitsers aan hun brillen en hun interessante gebruik van spijkerstof.

'Laat maar, we pakken ze zelf wel,' zei Charlie met een glimlach. Hij hield er niet van om andere mensen dingen voor hem te laten doen die hij heel goed zelf kon.

Bij de stapel strandbedden zat een hond met een lange vacht vol zandkorrels vastgebonden. Hij lag al te hijgen in de ochtendhitte.

'Hallo, jongen,' zei Charlie, die recht op het dier afging.

'Pas op voor dat beest,' zei de strandwacht. 'Hij is een beetje vals.'

Charlie luisterde zelden als mensen hem zeiden wat hij moest doen. Hij ging op zijn hurken bij de hond zitten en stak zijn hand naar het dier uit.

'Voorzichtig, Charlie,' zei ik. Mijn ouders hadden vroeger wel een of twee valse honden gehad en ze konden er heel lief uitzien terwijl ze intussen plannen maakten om je been eraf te bijten.

'Jij bent niet vals, hè hond?' zei hij zachtjes. De hond keek met zijn bruine hondenogen naar hem op en jankte een beetje. Hij rook aan Charlies hand en de geur leek hem wel te bevallen. Het duurde niet lang voor Charlie zijn handen in de vacht van de hond had begraven en hem eens flink aaide. De hond blafte en ging op zijn rug in het zand liggen rollen.

'Zijn waterbak is leeg,' zei Charlie tegen de strandwacht. De strandwacht wierp een blik op de droge roestvrijstalen kom en keek weer weg.

'Ik kan niet van het strand af voor de andere strandwacht komt,' zei hij.

Charlie keek naar me en knikte naar de tas. Ik haalde onze tweeliterfles mineraalwater tevoorschijn en gaf die aan mijn man. Hij vulde de bak en de hond slobberde hem onmiddellijk leeg. Charlie vulde de bak nog eens en weer dronk de hond alles op. De derde keer likte de hond er een beetje aan en toen ging hij zitten. Hij blafte tegen Charlie, die hem achter zijn oren wreef en de fles aan mij teruggaf.

'Bewaar de rest maar voor hem,' zei hij. Wij kunnen altijd iets te drinken halen bij de bar op het strand.' Hij haalde twee strandbedden van de stapel, sjouwde ermee over het strand en wierp een boze blik op de strandwacht toen we hem passeerden.

Verder gebeurde er die ochtend niet veel. Charlie was niet in een spraakzame bui en na een paar vergeefse pogingen om uit hem te trekken wat hem dwarszat, liet ik hem over aan zijn overpeinzingen. Ik kwam een aardig eind in mijn boek. Charlie las één hoofdstuk van het zijne, werd rusteloos en ging zwemmen.

Toen hij een minuut of tien weg was, kwam ik steunend op een elleboog omhoog en zocht ik het water af. Hij bevond zich een meter of vijftien van het strand en sprong tegen de golven in. Ik genoot van zijn blijdschap om in de oceaan te zwemmen.

Hij kwam terug, las nog een hoofdstuk, pakte zijn snorkel en ging de zee weer in. Weer keek ik toe, genietend van het zeewater dat van zijn gebruinde, gespierde rug stroomde als hij bovenkwam en opstond. Het Siciliaanse zonlicht glinsterde op zijn natte huid.

'Wil jij lunchen?' riep hij me toe.

We gingen naar een van de kleine restaurantjes aan de haven waar je buiten kon eten. Het was nog vroeg en de meeste andere gasten waren toeristen, want de Sicilianen zelf lunchten liever laat. Omdat het zondag was, lag het openbare strand vol met mensen; de plaatselijke bevolking genoot samen met de vakantiegangers van de weekendzon.

Ik koos meteen een pizza, maar Charlie bleef een eeuwigheid op het menu kijken. Ik bekeek de mensen terwijl hij tot een keus probeerde te komen, vooral vermaakt door de Engelsman die ik aan het tafeltje achter ons aan zijn vrouw hoorde vragen of ze wist of ze hier ook pizza's met een gevulde korst hadden.

Er kwam een man aangelopen met een overhemd met korte mouwen en een honkbalpetje op, die aan het tafeltje achter Charlie ging zitten. De kelner bracht hem een menu en hij bestelde een fles San Pellegrino. Hij had een krant bij zich en schreef erop met zijn ballpoint. Hij hield zijn zonnebril op. Ik vroeg me af of hij alleen was of dat hij zijn vrouw in het hotel had achtergelaten terwijl hij wat in de omgeving rondkeek.

'Die vent is ook een Amerikaan,' zei ik zachtjes tegen Charlie. 'Ik hoorde zijn accent toen hij water bestelde.'

Charlie wierp een blik over zijn schouder. 'Hé,' zei hij opgewekt. 'Misschien kennen we elkaar! Amerika is tenslotte maar klein.'

Ik trok een gezicht, maar die veranderde in een glimlach voor de kelner die onverwachts aan onze tafel stond. Ik vroeg om een quattro formaggi pizza en Charlie nam een tagliatelle *alla napoletana.*

'Gedurfd,' zei ik, terwijl ik met opgetrokken wenkbrauwen uitkeek over de zee.

'Jij bent degene die altijd een pizza met vier soorten kaas neemt,' reageerde hij.

We zaten minstens een kwartier zwijgend aan onze wijn te nippen.

'Ga je me nog vertellen wat er aan de hand is?' vroeg ik eindelijk.

Hij haalde zijn schouders op. 'Ik zit gewoon aan mijn ouders te denken.'

Ik knikte. 'Is alles weer omhooggekomen omdat we gisteren Angelo en Francesca hebben gezien?'

Charlie lachte. Nou ja, min of meer. We konden bijna over alles praten, maar als zijn ouders ter sprake kwamen ging de ophaalbrug omhoog en stond ik aan de verkeerde kant van de slotgracht 'hallo? Charlie?' te roepen. Figuurlijk gesproken.

'Mensen vervagen, vind je ook niet?' zei hij. 'Als ze dood zijn. Je probeert je te herinneren hoe ze eruitzagen en hoe ze klonken, maar de details verdwijnen beetje bij beetje. Je kunt ze niet meer horen. Je kunt foto's bekijken tot je blauw ziet, maar als je je ogen dichtdoet, komt je herinnering niet verder dan iemand zonder duidelijk gezicht.' Hij keek naar me op. 'En dan zie je iets wat alles weer terugbrengt. Het is alsof de kleur terugkomt en de herinneringen weer tot leven komen.'

Ik pakte Charlies handen, net op het moment dat de kelner zijn David Copperfield-truc weer uithaalde en opeens uit het niets verscheen. Zijn timing was waardeloos, maar hij had tenminste eten bij zich. We doorliepen het hele ritueel van 'zwarte peper? parmezaan?' en toen waren we weer alleen.

'Dat is toch goed?' vroeg ik. 'Dat alles – je weet wel – opgefrist wordt?'

'Ik weet het niet,' zei hij. 'Het is nogal pijnlijk.'

Aan de andere tafel nieste de Amerikaan drie keer toen de kelner peper boven zijn bord maalde, en het klonk alsof er laserstralen uit zijn neus schoten. Als Charlie en ik niet zo'n ernstig gesprek hadden gevoerd, had ik het waarschijnlijk grappig gevonden. De Amerikaan drukte een zakdoekje tegen zijn neus en stond op om naar het toilet te gaan. Toen hij ons passeerde, keek hij naar ons vanachter zijn zonnebril.

'Denk je dan dat het beter is als ze gewoon vervagen?' vroeg ik aan Charlie.

'Misschien wel. Het hoort toch niet altijd zo pijnlijk te blijven.'

'Maar je kunt je ook niet afschermen voor dingen die je aan hen zouden kunnen herinneren.'

'Dat weet ik wel. Dat zeg ik ook niet. Het was gisteren fantastisch hoor, om hun vrienden te zien. Bijna zoals vroeger. Om eerlijk te zijn zou ik er meer moeite voor kunnen doen.'

'We kunnen kijken of we nog eens met ze kunnen afspreken,' opperde ik. 'Ik weet zeker dat ze je graag zo veel mogelijk willen zien voordat ze weer naar huis gaan.'

Charlie wikkelde een paar slierten pasta om zijn vork. 'Helaas vliegen ze vandaag alweer terug.' Hij keek op zijn horloge. 'Hun vliegtuig zou al opgestegen moeten zijn.' Hij legde zijn vork neer en hief zijn wijnglas naar de hemel. 'Goede reis, mensen.'

Daarna begon hij ergens anders over en praatten we over Luke (met welk meisje hij op dat moment uitging en of juffrouw x ooit achter het bestaan van mevrouw y was gekomen), over Charlies baan (er lag een promotie in het verschiet als hij meer verantwoordelijkheden wilde nemen), over een collega op mijn afdeling die iets had met een van haar stagiairs (hij was drieëntwintig en zij was zijn begeleider), en over de vraag of Martin Scorsese of Francis Ford Coppola een worstelwedstrijd zou winnen (hij was voor Coppola, maar ik vond dat Scorsese in het voordeel zou zijn met zijn sluwe pezigheid).

We bestelden ijs en cassata als nagerecht.

'Zo te zien heeft iemand een urineweginfectie,' merkte ik met een knipoog naar Charlie op.

'Hè?' zei hij bezorgd, met zijn lepel halverwege zijn mond.

'Dat is al de tweede keer in een halfuur dat die vent naar de wc gaat,' zei ik met een knikje naar de Amerikaan, die naar binnen verdween.

'Het is me een raadsel waarom je nooit bij de politie bent gegaan,' zei Charlie tegen me. 'Ik meen het. Je bent ervoor geknipt om mensen te schaduwen.'

'Mmm,' beaamde ik. 'Maar die lui leven meestal op donuts en koffie, toch?'

We lieten het verschuldigde bedrag en een fooi achter op het tafeltje en liepen het terras af. Toen we langs het tafeltje van de man met de blaasontsteking kwamen, wierp ik een blik op zijn krant. Ik fronste toen ik de woorden zag die hij in de marge had geschreven, maar op dat moment zeiden ze me niet veel en kwam ik tot de conclusie dat zijn geheugen net zo slecht was als zijn blaas.

Het duurde meer dan een jaar voordat ik erachter was wat die woorden precies betekenden.

HOOFDSTUK NEGEN

Charlie en ik gingen terug naar het strand en kochten onderweg nog een tweeliterfles water voor Charlies nieuwe vriend de strandhond. Onze strandbedden op hun eersteklas plekje waren verrassend genoeg nog vrij en we zetten onze spullen neer en deden onze bovenkleding uit, zodat we weer in zwemkleding waren. Charlie gaf de hond zijn water en ik haalde mijn boek uit mijn tas.

Toen ik een paar bladzijden had gelezen, kwam Charlie terug. Hij pakte zijn snorkel. 'Ik ga even zwemmen,' zei hij.

'Oké, schat,' zei ik, verdiept in het boek.

'Ik geloof dat er aan die kant een strandje is met wat grotten,' zei hij. 'Ik dacht erover daar een kijkje te gaan nemen.'

'Oké... Als je een schat vindt, hoor ik het wel...'

Hij kuste me voordat hij vertrok. Het was geen echte zoen, meer het vluchtige kusje van iemand die zo terugkomt, en het belandde half op mijn lippen en half op mijn wang. Ik keek hem niet na. Ik zat dat stomme boek te lezen. Het was de laatste keer dat ik hem zag en ik schonk meer aandacht aan mijn boek dan aan hem.

Ik las een paar hoofdstukken en mijn oogleden werden langzaamaan steeds zwaarder. Een glas wijn bij de lunch doet me steeds de das om; meteen daarna heb ik altijd enorm behoefte aan een dutje. De zon hielp ook niet echt. Ik liet het boek in het zand vallen, draaide me op mijn buik en deed mijn ogen dicht.

Toen ik ze weer opendeed, was het bewolkt en merkbaar killer. Ik wreef in mijn ogen en draaide op mijn zij, naar Charlies strandbed toe. Het was leeg. Ik ging overeind zitten en keek het strand over en naar het café achter ons. Ik zag hem nergens. Was hij soms nog aan het zwemmen? Ik tuurde naar de mensen in zee, maar hij was er niet bij.

Ik haalde mijn horloge uit mijn tas en zag tot mijn verbazing dat ik bijna twee uur geslapen had. Zo lang kon Charlie toch niet weg zijn gebleven? Hij was vast teruggekomen, had gezien dat ik sliep, had de verleiding om een pen te zoeken en een snor op mijn gezicht te tekenen weerstaan en was een eindje over het hotelcomplex gaan lopen op zoek naar de midgetgolfbaan. In dat geval kwam hij zo terug, al was het maar om te kijken of ik niet zo rood als een kreeft werd door de zon.

Ik pakte mijn boek en probeerde er weer in te komen, maar ik moest mezelf bedwingen om niet elke paar minuten op mijn horloge te kijken. Ik werd steeds bozer op Charlie omdat hij ervandoor was gegaan en me zo lang alleen liet. Mijn voet tikte een strak ritme op het voeteneind van het strandbed.

Na nog eens twintig minuten legde ik het boek open en ondersteboven op de strakke indigoblauwe stof van het strandbed en trok mijn T-shirt en korte broek aan over mijn bikini. De strandwacht keek met een glimlach op toen ik op hem afliep, een glimlach die vervaagde bij het zien van mijn gezicht.

'Heb je mijn man gezien?' vroeg ik, in de hoop dat hij me herkende.

'Nee,' zei hij. 'Is hij op het strand?'

'Dat weet ik niet, daarom vraag ik of je hem hebt gezien. Is hij hier langsgekomen? Heb je hem soms naar het hotel zien gaan?'

Hij haalde zijn schouders op. 'Ik heb hem niet gezien, maar ik zit hier niet de hele tijd, dat begrijpt u. Ik moet af en toe ook het strand langs. Hij kan naar het hotel zijn gegaan toen ik – hoe zegt u dat – op batrouille was?'

'Normaal gesproken had dat me aan het lachen gemaakt. 'Patrouille,' zei ik. 'Hoor eens, als je hem ziet, wil je dan tegen hem zeggen dat ik hem ben gaan zoeken en dat hij moet blijven waar hij is? Ik wil niet dat hij mij gaat zoeken terwijl ik hem probeer te vinden.'

'Oké.'

'Begrijp je wat ik vraag?'

'Ja, ik spreek Engels. Als ik hem zie, zeg ik dat hij hier moet blijven.'

Ik ging weer naar het strandbed en stopte alles in mijn tas, ook Charlies handdoek. Stel je toch voor dat iemand onze spullen stal, alleen omdat ik in paniek was geraakt en niet de moeite had gedaan om ze mee te nemen. Even vroeg ik me af wat er zou gebeuren als Charlie terugkwam, zag dat onze spullen weg waren en de strandwacht miste. Dan zou hij toch zeker aannemen dat ik naar de kamer was gegaan?

Ik hing mijn tas over mijn schouder en ging weer naar de strandwacht. 'Vergeet maar wat ik net zei. Als je mijn man ziet – hij heet trouwens Charlie en ik heet Kate – kun je dan tegen hem zeggen dat hij terug moet gaan naar de kamer?' Op de patio bij ons appartement stonden een tafel en wat stoelen, dus hij kon ergens gaan zitten wachten als hij eerder dan ik terug was. Ik had de sleutel, dus hij kwam er zonder mij niet in.

Had ik de sleutel? Ik keek in de tas; als ik hem niet kon vinden, betekende dat waarschijnlijk dat Charlie hem had en dat hij in de kamer was.

Maar de sleutel zat nog in de tas.

Voordat ik van het strand ging, keek ik nog één keer rond of ik Charlie zag. Er waren nog maar een paar mensen in het water en die bleven als een groepje bij elkaar. Ik slaakte een scherpe zucht, draaide me op mijn hakken om en ging Charlie zoeken in het hotelcomplex.

Het pad naar de receptie was steil. Een paar oudere gasten haalden me in met hun zilverkleurige golfkarretjes toen ik de heuvel op sjouwde. Ik ging eerst naar de balie.

'Ik zoek mijn man,' legde ik uit. 'Hij is gaan zwemmen en is nog niet terug. Hij heeft zeker geen boodschap achtergelaten?'

Het gezicht van de receptioniste bleef uitdrukkingsloos. 'Ik vrees van niet, mevrouw. Hebt u het zwembad al geprobeerd? Of misschien is hij in het winkeltje?'

'Dank je,' zei ik, en ik duwde het hengsel van mijn tas hoger op mijn schouder. 'Ik ga even kijken.'

Het zwembad was praktisch leeg, op een magere Italiaanse vrouw en haar twee kinderen na. Ik ging de hoek om naar het winkeltje met zijn twee stellingen, maar ook daar was het stil. Ik volgde de bordjes naar de sportschool en liep daarbij tegen Sofia op, de andere receptioniste, met wie we een paar avonden eerder iets hadden zitten drinken.

'Alles goed?' zei ze toen ze mijn gezicht zag. Ik kon wel huilen toen ik haar bezorgde hand op mijn arm voelde.

'Het gaat om Charlie,' zei ik. 'Ik kan hem niet vinden.'

'Waar heb je hem het laatst gezien?' vroeg ze.

'Op het strand, een paar uur geleden. Hij ging zwemmen en ik ben in slaap gevallen. Hij zou toch allang terug moeten zijn?'

'Er is vast niets aan de hand,' zei Sofia, maar ze keek bezorgd. 'Hij wilde je zeker niet wakker maken. Heb je in jullie appartement gekeken?'

'Nee. Ik heb de sleutel, dus hij kan niet naar de kamer zijn gegaan.'

'Maar het is de moeite waard om even te kijken, toch?'

Ik knikte. 'Ik wilde bij de midgetgolfbaan gaan kijken,' zei ik. 'Hij zei dat dat hem leuk leek.'

Ze trok een gezicht. 'Maar hij zou toch niet in zijn eentje gaan spelen? Hoor eens, ga jij naar de kamer, dan neem ik de golfbaan. Als hij daar niet is, kom ik naar je toe. En als hij er wel is, zal ik hem namens jou een standje geven.'

'Oké, dank je,' zei ik. 'We zitten in tweehonderdzeventien.'

Toen ik terugliep naar het appartement, hield ik mijn vingers stevig gekruist. 'Laat hem in de kamer zijn, laat hem er zijn, laat hem er zijn,' zong ik zachtjes bij iedere stap. Toen ik de hoek om ging, stelde ik me voor dat hij in een van de stoelen op de patio zou zitten, alsof de hoop door mijn wens bewaarheid kon worden. Toen hij er niet was, haastte ik me de trap op, draaide de sleutel om in het slot en rende de kamer binnen.

Geen Charlie in de woonkamer. Geen Charlie in de slaapkamer. De badkamerdeur was dicht. Ik hoorde de ventilator niet die aanging als het licht werd aangedaan, maar ik bad toch toen ik de deur opendeed. Ook geen Charlie in de badkamer.

Ik liet de strandspullen op de grond vallen en balde mijn vuisten.

'Charlie, waar zit je verdomme?' siste ik in mezelf. Zonder veel hoop keek ik of er ergens een briefje lag, maar er was duidelijk niemand meer in de kamer geweest sinds het kamermeisje die tijdens onze afwezigheid had schoongemaakt.

Ik ging de patio weer op en stond op mijn tenen naar Sofia uit te kijken. Ik was haar het liefst tegemoet gelopen, maar ik wist niet welke route ze zou nemen van de midgetgolfbaan naar ons appartement. Eindelijk zag ik haar in haar uniform met gebogen hoofd over het pad lopen. Straks zegt ze: Hij komt zo, hij wil even zijn rondje afmaken, dacht ik. Ze zal zeggen dat het hem spijt, dat het niet zijn bedoeling was me bezorgd te maken. Ze keek op toen ze dichterbij kwam en zag me staan wachten. Ze schudde haar hoofd.

Mijn vingernagels stonden in mijn handpalmen toen ze de patio op stapte. 'Hij was er niet,' zei ze. 'Kom op, laten we naar het strand gaan en met de strandwacht praten.'

Ik vertrouwde mijn stem niet, dus liet ik haar het appartement afsluiten en me weer meenemen naar het strand.

De strandwacht keek nerveus toen hij ons zag aankomen. Hij en Sofia praatten met zachte stemmen in rap Italiaans.

'Sofia,' zei ik, zo zacht dat ze me niet kon horen. Ik trok aan de mouw van haar blauwe polyester jasje. 'Sofia. Hij zei dat hij had gehoord dat er in de buurt een strandje was met grotten. Daar ging hij heen.'

Ze knikte, kneep in mijn hand en wende zich weer tot de strandwacht. Hij wees naar een punt verderop aan de kust en herhaalde iets tegen me in het Italiaans. Ik haalde mijn schouders maar op. Ik had niet gezien welke kant Charlie uit was gegaan.

De strandwacht pakte zijn walkietalkie en zei iets tegen iemand.

'Oké,' zei Sofia. 'Ze sturen een boot naar het strandje waar we denken dat Charlie heen is gegaan. Kon hij goed zwemmen?'

Ik knikte.

'Nou, het kost ongeveer dertig minuten om van hier naar daar te zwemmen. Hij is er waarschijnlijk naartoe gezwommen, heeft de grotten verkend, is moe geworden en wil even uitrusten voordat hij terugzwemt.'

Ze zag dat ik moeite moest doen om niet te huilen en nam me mee naar een van de lege strandbedden. We keken naar de zee. Ik tuurde elke golf af, op zoek naar Charlie. De boot van de reddingsmaatschappij schoot langs, op weg naar het strand met de grotten. Ik stuurde een stil gebed mee.

Terwijl ik daar zat te wachten tot de boot terugkwam, met pijn in mijn maag van amper bedwongen paniek, dacht ik eraan hoe snel we onze angst kunnen vergeten. Iemand ziet het affiche met je zoekgeraakte hond en belt, je kind blijkt in de zandbak te zitten nadat het achter een ander kind is aangelopen, je geliefde komt terug uit de oceaan. Er ligt een glimlach op zijn gezicht en hij heeft een snorkel in zijn hand. 'Heb ik je bang gemaakt?' zegt hij, en dan is alles weer goed en vergeet je dat je iets eerder op de dunne grens tussen je normale leven en een verschrikkelijke, onvoorstelbare tragedie balanceerde.

Toen de boot zonder hem terugkwam, werd alles dof in mijn hoofd. Ik handelde op de automatische piloot en mijn lichaam ging verder zonder door iets geleid te worden.

De reddingsmaatschappij belde de kustwacht. Toen het hoofd van de kustwacht arriveerde, was het helemaal bewolkt geworden en hadden de meeste zonaanbidders het strand verlaten. Degenen die waren gebleven, wisten dat er iets mis was en staarden naar me. Ik keek terug met holle ogen en ze wendden hun blik af.

Sofia stelde me voor aan het hoofd van de kustwacht.

'Ik ben Kate Grey,' zei ik tegen hem, en hij schudde me de hand. 'Mijn man heet Charlie. Charlie Benson.' Sofia vertaalde het voor me – het hoofd leek niet veel Engels te kunnen – en ik herhaalde het weinige dat ik wist: Charlie kon goed zwemmen, hij was nu meer dan drie uur weg, hij had me verteld dat hij naar het strand met de grotten ging. Het hoofd vroeg hoe Charlie eruitzag.

'Hij is één meter drieëntachtig lang,' zei ik. 'Donker haar, blauwe ogen. Hij droeg een blauwe zwembroek.'

De man van de kustwacht vroeg nog iets. 'Heeft hij nog opvallende kenmerken?' vertaalde Sofia. Ik fronste, knipperde met mijn ogen en wees naar mijn linkerschouder.

'Hij heeft een tatoeage op zijn bovenarm. Een zwarte zon met stralen.'

De man bedankte me en zei via Sofia dat ik terug moest gaan naar ons appartement en daar moest wachten. Hij zou het me meteen laten weten als er nieuws was.

'Ik wil niet weg,' zei ik tegen Sofia.

'Kom op,' zei ze, en ze leidde me zachtjes weg van de zee. Op dat moment verscheen de zon weer onder een regenwolk. De leikleurige hemel werd opeens verlicht en de wolken weerkaatsten het gouden licht als gepolijst staal. Het donkergrijs gloeide, als een zonnige dag in een wereld waarin de hemel helemaal niet blauw hoort te zijn.

Toen we door het citroenbomenbosje liepen, dat fris rook naar gladde, gele citrusvruchten, vroeg ik me af hoe de wetenschap dat Charlie een tatoeage had de kustwacht kon helpen hem te vinden, maar plotseling besefte ik dat de vraag meer te maken had met het identificeren van een lichaam dan met het lokaliseren van een vermiste zwemmer, en mijn maag kromp samen. Ik verloor mijn evenwicht, pakte de dichtstbijzijnde citroenboom en moest hevig overgeven.

Twee uur lang ijsbeerde ik in alle staten door het appartement. Sofia zat voorovergebogen op de bank, met haar ellebogen op haar knieën, naar me te kijken.

'Neem me niet kwalijk,' zei ik uiteindelijk, nadat ik abrupt voor haar tot stilstand was gekomen. 'Ik ben je ontzettend dankbaar voor je hulp, maar als je zo naar me blijft kijken, ga ik gillen.'

Ze stond op en ging naar het keukentje. 'Het spijt me,' zei ze. 'Ik zal een glas water voor je halen.'

'Ik hoef geen water,' zei ik, en ik moest moeite doen mijn stem niet te verheffen. 'Kan ik gewoon even alleen zijn? Alsjeblieft.'

'Stel dat de kustwacht je wil spreken?' zei ze heel redelijk.

'Dan bel ik de receptie wel.'

Sofia zette het lege gas weer op het aanrecht. Toen ze me op weg naar de deur passeerde, bleef ze even staan en gaf me een zoen op de wang. Ze deed de deur achter zich dicht.

Ik wachtte tot ze een heel eind het pad op was en toen stootte ik een korte, gecontroleerde kreet uit van angst en frustratie, met mijn handen gebald tot kleine, strakke vuisten. Ik wilde uiting geven aan mijn paniek en alles in het appartement kapotslaan, maar ik wist dat het niet zou helpen. Niets zou helpen, behalve Charlie terugkrijgen.

Ik ging op de vloer tegen de zijkant van het bed zitten en belde Luke met mijn mobiel.

'Met Kate,' zei ik, en dat was de eerste keer dat ik huilde. 'Charlie wordt vermist. Ik weet niet wat ik moet doen.'

Het werd donker. Sofia kwam met de man van de kustwacht om me te vertellen dat ze de volgende ochtend verder zouden zoeken.

'Maar als hij daar nog ergens is?' zei ik. 'Jullie kunnen hem niet gewoon laten zwemmen!'

'In het donker kun je niemand vinden,' vertaalde Sofia voor me.

'Nee, dat kunnen ze niet doen! Stel dat hij nog maar net zijn hoofd boven water weet te houden. Stel dat hij vannacht verdrinkt?'

Ze wreef over mijn arm. 'Op deze manier zijn de mannen fris als ze morgenochtend weer gaan zoeken. Maak je geen zorgen. Het wordt al heel vroeg licht.'

De man vertrok en Sofia probeerde me over te halen iets te eten. Ik zei dat ik wat pasta zou maken, en toen ze weg was trok ik een trui aan en liep ik in het donker naar het strand. Het hek zat op slot, dus klom ik eroverheen. Het zand glansde zilver in het maanlicht, en behalve een paar schitteringen waar de toppen van de golven het licht vingen kon je de zee amper van de hemel onderscheiden, zo zwart waren ze allebei.

Ik ging in elkaar gedoken onder een boom zitten wachten. Ik had geen honger en geen slaap. Ik had het gevoel dat ik vastzat in dat moment, alsof er niets anders bestond dan het zand, het water en de lucht en het wachten. De tijd strekte zich uit en het was alsof mijn hele leven stil bleef staan.

De dageraad kwam als de dooier van een kapot ei aan de grijze rand van de hemel. Ik kwam overeind, stijf omdat ik de hele nacht niet had bewogen, en liep in het halve licht terug naar het citroenbomenbosje.

Toen ik bij het pad kwam, keek ik naar het appartement, een paar honderd meter verderop, en zag licht branden achter de gordijnen.

De hoop gaf me vleugels en ik rende het pad op en nam de trap naar de deur van het appartement met drie treden tegelijk. Mijn handen trilden toen ik de sleutel omdraaide in het slot en de deur opendeed.

'Katie,' zei Luke, die opstond van de bank. 'Ik ben twee uur geleden aangekomen. Waar zat je? Is er nieuws?'

Zonder na te denken sloeg ik hem met al mijn kracht in zijn gezicht. Hij bleef geschokt staan en pakte toen mijn polsen. Ik stond stijf van woede dat hij Charlie niet was en liet me maar een minuutje vasthouden voordat ik hem afschudde.

'Wat is er gebeurd, Kate?' vroeg hij.

'Hij is gisteren na de lunch gaan zwemmen en niet teruggekomen.' Ik pakte Lukes jasje en zocht in de zakken naar zijn pakje Marlboro's. Er zat een aansteker bij de sigaretten en ik stak er een op. 'De kustwacht heeft naar hem gezocht tot het donker was, en toen zijn die klootzakken ermee opgehouden. Ze zeiden dat ze verder zouden zoeken zodra het licht werd, maar ik weet niet of ik ze wel vertrouw. Hoe weet ik dat ze niet lekker uitslapen?'

'Is er iemand in het hotel die je heeft geholpen?' vroeg Luke.

'Een meisje dat Sofia heet. Ze spreekt Engels.'

'Ik vermoed dat de manager zich er vandaag wel mee zal bemoeien,' zei Luke. 'We kunnen hem gebruiken om mensen onder druk te zetten als het moet.' Hij belde de receptie met de telefoon van het appartement en sprak in rap Italiaans tegen degene die opnam. Wat hij ook zei, binnen het uur stond de regiomanager van de hotelketen in het appartement, die mijn hand schudde en me vertelde dat hij alles deed wat hij kon. Hij had zich niet geschoren en was duidelijk uit bed gebeld.

Het hoofd van de kustwacht arriveerde, de manager schreeuwde tegen hem in het Italiaans, hij schreeuwde terug en liep toen druk gebarend met zijn pet weg. Luke ging achter hem aan en vroeg wat wij konden doen. Maar we konden niets doen; we hadden geen boot en ze wilden ons niet laten meevaren met een van hun boten. Dus wachtten we en rookten als ketters in het appartement en op de patio, op de paden terwijl we kringetjes om het complex liepen en bij de receptie. We negeerden alle NIET ROKEN-bordjes terwijl we wachtten tot we de manager of Sofia of de man van de kustwacht te spreken konden krijgen.

Na tweeënzeventig uur werd het zoeken gestaakt. Sofia wilde niet precies vertalen wat de man van de kustwacht tegen haar zei, maar ik kon aan zijn gebaren en de toon van zijn stem afleiden dat het erop neerkwam dat het geen zin had om te blijven zoeken. De volgende morgen – de derde morgen dat ik wakker werd zonder Charlie – stond ik in de badkamer mat naar mijn uitdrukkingsloze gezicht en mijn lege ogen te staren. Ik poetste mijn tanden, spoelde de tandenborstel af en zette hem naast die van Charlie in de beker. Het volgende punt van mijn ochtendritueel was de anticonceptiepil. Ik drukte hem uit de verpakking en deed het witte pilletje in mijn mond. Maar nog terwijl ik dit deed, dacht ik: wie houd ik hier voor de gek? Weet ik inmiddels niet dat ik deze bescherming niet meer nodig heb? Ik slikte het toch door; als ik dat niet deed, betekende dat dat ik het opgaf.

Hoewel de kustwacht niet meer naar Charlie zocht, kon ik niet weggaan. De kamer was maar gehuurd tot het eind van de volgende week, maar ik bleef tot hij naar me terugkwam. Luke deed geen poging me over te halen naar Londen terug te keren; hij wilde ook niet weg.

Ik at weinig in die dagen van wachten. De enige dingen die ik kon verdragen waren rauwe voedingsmiddelen als appels en tomaten. Ik kon niet eens denken aan iets als brood of pasta, dat droog en oud en dood op mijn tong zou blijven liggen. Maar ik kon wel drinken, en op de zevende avond kochten we twee flessen Jack Daniels in het veel te dure hotelwinkeltje en namen ze mee naar het strand. We klommen over het hek en gingen zitten op een paar zwarte rotsblokken aan de rand van het zandstrand.

'Dit is een mooie plek,' zei Luke met zijn slome, zuidelijke accent. 'Heel mooi.'

'Ja, een echt paradijsje,' antwoordde ik bitter, en ik nam een flinke slok whisky. We zaten naast elkaar en zijn elleboog ging langs mijn knie toen hij zijn fles naar zijn lippen bracht.

'Hebben jullie het eiland nog een beetje verkend?'

'Luke, je praat alsof er niets is gebeurd, alsof hij elk moment terug kan komen.'

'Hoe wil jij dan praten?' zei hij. 'Laten we daarmee wachten tot het niet anders kan. Voorlopig zitten we hier gewoon wat te kletsen en jij vertelt me wat mijn twee vrienden in zonnig Sicilië hebben uitgespookt terwijl ik me thuis in die stinkstad uit de naad werkte.'

Ik speelde het spelletje mee. 'We hebben voornamelijk uitgerust. Er waren wat vrienden van familie van Charlie op het eiland, dus zijn we een dagje naar ze toe gegaan.'

'O ja?' zei Luke. 'Iemand die ik ken?'

'Geen idee. Angelo en Francesca Crestenza?' Hij trok een gezicht en schudde zijn hoofd. 'Ik voel me schuldig. Eigenlijk zou ik contact met ze moeten opnemen om te laten weten dat er iets met Charlie is, maar ik heb hun gegevens niet en hun vriend, die hier in de buurt woont, neemt zijn telefoon niet op. Misschien moet ik er morgen maar even heen gaan.'

'En wat zou je dan willen zeggen?' merkte hij op. 'Het heeft geen zin om ze bezorgd te maken terwijl ze toch niets kunnen doen.' Hij nam nog een slok whisky en keek uit over de zee. 'Hebben jullie nog andere mensen ontmoet? Amerikanen tegen het lijf gelopen?'

Ik dacht niet eens aan die vent in het restaurant. 'Nee.'

'Heeft Charlie soms ruzie met iemand gehad? Onenigheid?'

'Alleen met de strandwacht, die zijn hond zonder water liet zitten.'

Luke grinnikte. 'Net iets voor Charlie.'

'Maar niet zo erg dat die vent hem iets zou willen aandoen. Tenzij hij een volslagen psychopaat is.' Ik had al ruim een derde van de fles op en voelde me al aardig dronken. 'Waarom vraag je dat eigenlijk? Wie zou Charlie nou vermoorden?'

Luke duwde een vinger tegen mijn lippen. 'Zeg dat niet, Katie. Denk eraan, daar hebben we het niet over tenzij we niet anders kunnen.'

Opeens stonden er tranen in mijn ogen. 'Ik voel hem niet meer, Luke. Ik denk dat hij er niet meer is.'

Hij schudde zijn hoofd. 'Zeg dat nou niet.' Maar ook bij hem kwamen de tranen naar boven. 'Houd je hoofd erbij.'

'Hij zou nooit zomaar weggaan. Als hij terug kon komen, deed hij dat.'

Lukes schouders gingen omhoog en hij trok me tegen zich aan, zodat ik hem niet kon zien huilen.

Ik liet me maar een minuutje vasthouden en toen maakte ik me los. Ik was zo gespannen van het wachten dat ik er niet tegen kon vastgehouden te worden, zelfs niet door iemand die me wilde troosten.

'Laten we teruggaan naar het appartement,' zei ik terwijl Luke met zijn mouw zijn ogen afveegde. 'De geur van de zee maakt me ziek.'

Hij schudde zijn hoofd. 'Je kunt de zee de schuld geven, Kate, maar je hebt nooit goed tegen drank gekund.'

We klommen voorzichtig van de ruwe rotsen, waaraan we onze huid kapot schaafden. Bij elke stap over het strand kreeg ik zand in mijn sportschoenen. Toen we weer omhoogliepen naar het pad naar de appartementen zag ik andere hotelgasten in de verte, die hard lachten en lol maakten. Toen ze ons zagen en herkenden, vielen ze zo abrupt stil dat het was alsof God het geluid had afgezet. We liepen voorbij en ze wilden ons niet eens aankijken.

'*Buona notte*!' zei Luke nadrukkelijk tegen hun ruggen.

'Laat ze barsten,' zei ik, en ik liep door. Op dat moment kwam de patio bij het appartement in zicht en ik zag in het halve donker iemand op een van de stoelen zitten. Zelfs van die afstand zag ik dat het Sofia was, en iets in haar houding gaf me de rillingen. Ik bleef zo abrupt staan dat het was alsof ik tegen een onzichtbare muur tussen haar en mij was gebotst. Mijn voeten leken in het asfalt van het pad te verzinken.

Sofia zag ons, stond op en haar handen verstrengelden zich. Ze kwam de trap af en liep naar me toe.

'Nee,' zei ik zachtjes. 'Nee, nee, nee, nee.' Het licht van de lampen langs het pad weerkaatste op een zilveren streep op elk van haar wangen: sporen van tranen. Ik deinsde weg, maar ze greep mijn handen.

'Het spijt me zo, Kate,' zei ze. 'Ze denken dat ze zijn lichaam hebben gevonden.'

HOOFDSTUK TIEN

'Het is hem niet,' zei ik steeds weer tegen Luke in de auto die ons naar het plaatselijke politiebureau bracht. 'Geloof me, ze hebben iemand anders gevonden. Charlie is een goede zwemmer; het kan hem niet zijn.' Luke bleef uit het raampje zitten staren, zodat ik zijn gezicht niet kon zien, maar ik zag zijn kaak verstrakken.

Sofia had ons alleen kunnen vertellen dat er een man was aangespoeld op het strand in de stad. Hij was gevonden door een stelletje dat een nachtelijke strandwandeling maakte. Op een gegeven moment kwam er een dokter, erbij geroepen door het hotel, die me een kalmerend middel gaf. De regiomanager was bij ons in de kamer, maar ik weet niet meer wat hij allemaal heeft gezegd. Het duurde een uur of twee voor de politie arriveerde en ze leken een beetje verbaasd dat ik het al gehoord had. *Hadden ze een tatoeage aangetroffen op het lichaam?* bleef ik maar vragen, maar het waren maar geüniformeerde agenten die in wezen niets wisten, dus haalden ze alleen hun schouders op.

De zon was zeker al een uur op tegen de tijd dat er andere agenten kwamen om ons naar het bureau te brengen. We hingen in de receptie rond terwijl zij in het Italiaans een praatje maakten met de man achter de balie. Zelfs met dat kalmerende middel had ik moeite niet te gaan schoppen en gillen tot iemand verdomme eens iets deed.

Pas toen de binnendeur openging en er een agent in burger naar buiten kwam, besefte ik dat de agenten hadden staan wachten tot hij ons over zou nemen. Ze knikten Luke en mij gedag, riepen '*ciao*' tegen de baliemedewerker en verlieten het bureau.

De agent in burger was een jaar of vijftig en had kortgeknipt wit haar en nootbruine ogen. Er stonden diepe lachrimpels om zijn mond en kraaienpootjes rond zijn ogen. Zoals bijna alle Sicilianen was hij heel bruin, vooral in contrast met het lichte lavendelkleurige katoen van het overhemd dat hij droeg.

'Mevrouw Benson?' zei hij, en ik deed niet de moeite uit te leggen dat ik mijn meisjesnaam gebruikte. 'En meneer...'

'Broussard,' zei Luke. Hij gaf zijn voornaam niet.

'Ik ben Eduardo Graziani. Ik ben hier rechercheur. Wilt u alstublieft meekomen?'

Hij nam ons mee door een gang, een trap op en door nog een gang. Het politiebureau was praktisch leeg. We kwamen uit in een kamer met drie bureaus. Op een van de bureaus stond een computer aan en de screensaver dwarrelde over het scherm. Graziani ging aan dat bureau zitten en wees ons twee bureaustoelen met wieltjes tegenover hem.

'Zoals u weet hebben we vannacht het lichaam van een man gevonden op het strand,' zei hij. 'Ik vrees dat we u zullen moeten vragen het lichaam te identificeren.'

'Het is hem niet,' zei ik, met mijn armen stevig over elkaar geslagen.

'Ik ben bang dat het hem waarschijnlijk wel is,' zei Graziani niet onvriendelijk. 'Uw man is de enige die de laatste paar weken op zee vermist is geraakt. En het lichaam voldoet aan de omschrijving van uw echtgenoot.'

Ik fluisterde iets.

'Pardon?' zei Graziani, die zich naar me toe boog om me te kunnen verstaan.

Ik herhaalde heel zachtjes: 'Heeft het lichaam een tatoeage?'

Hij keek me ernstig aan. 'Ik ben bang van wel. Een tatoeage van een zwarte zon, wat volgens mij klopt met wat u onze kustwacht hebt verteld.'

Ik sloeg mijn handen voor mijn mond.

'Mevrouw Benson? Gaat het een beetje? Wilt u een glas water?'

Ik schudde mijn hoofd. 'Ik wil het lichaam zien,' zei ik gedempt vanachter mijn vingers en handpalmen.

'De lijkschouwer is op dit moment met de autopsie bezig, maar zodra ze klaar is...'

'Een autopsie?' Ik sloot mijn ogen. Natuurlijk deden ze een autopsie. Maar ook al had ik nog niet geaccepteerd dat Charlie en het dode lichaam één en dezelfde man waren, het idee dat iemand hem opensneed was verschrikkelijk, misdadig.

'We moeten erachter zien te komen wat er gebeurd is,' zei Graziani.

'Zijn er sporen van een misdrijf?' vroeg Luke fronsend.

'Dat is moeilijk te zeggen tot de dokter klaar is met haar onderzoek. Er is wat schade, maar dat is vaak het geval met mensen die verdronken zijn en aanspoelen, omdat hun lichaam meestal in aanraking is gekomen met de rotsen die dicht op de zee staan.'

'Hebt u het lichaam gezien?' vroeg ik.

'Ja.'

'Is het erg?' Het was weinig meer dan een fluistering.

Graziani's blik schoot weg en ik volgde hem naar een ingelijste foto op zijn bureau, genomen in de studio van een fotograaf, van hemzelf met zijn vrouw en twee zoons. Hij knipperde met zijn ogen.

'U moet begrijpen dat lichamen die een aantal dagen in het water hebben gelegen, een beetje opgezwollen kunnen zijn en dat er wat huid en weefsel verloren kan zijn gegaan. De bovenlaag van de huid heeft over het algemeen losgelaten. Er is geen kleur meer. Het kan moeilijk zijn om uw man te herkennen. U zult misschien moeten afgaan op zijn lengte, zijn bouw en dat soort zaken – en natuurlijk op de tatoeage – in plaats van alleen op zijn gezicht.'

'Jezus, moet u het zo cru zeggen?' zei Luke. 'Ziet u dan niet dat ze helemaal van streek raakt?'

Graziani streek zijn overhemd glad. 'Het spijt me, meneer Broussard, maar mevrouw Benson kan maar beter voorbereid zijn. Het lichaam heeft lang genoeg in het water gelegen om niet alleen schade te hebben opgelopen van de rotsen, maar ook van de vissen en andere zeedieren. Ik wil niet dat ze er al te erg van schrikt. En nu vrees ik dat ik u wat vragen moet stellen.'

Ik keek hem alleen maar aan. 'Ten eerste,' zei hij. 'Kunt u me vertellen wat er allemaal gebeurd is op de ochtend van de verdwijning?'

'We waren op het strand.' Ik vertelde hem over Charlies ergernis over de strandwacht, maar benadrukte dat het niets te betekenen had gehad. 'We gingen naar een restaurant om te lunchen.'

'Hebt u daar met iemand gesproken? Heeft iemand met u gepraat?'

'Nee. Alleen de kelner.'

'En daarna?'

'We zijn meteen weer naar het strand gegaan. En toen ging Charlie zwemmen.'

'En de strandwacht?'

'Hoezo?'

'Was hij er ook?'

Ik knikte. 'Ik ben in slaap gevallen. Toen ik een paar uur later wakker werd was hij op het strand. Het zag er niet naar uit dat hij achter mijn man aan was gezwommen en hem had vermoord, als u dat soms wilt vragen.'

Graziani maakte een aantekening op het schrijfblok op zijn bureau. 'Hoe was de stemming van meneer Benson?'

'Jezus, ik weet niet. Prima, normaal.'

Luke hief geërgerd zijn handen. 'Hoor eens, hij had heus geen zelfmoordneigingen, als u dat soms wilt suggereren.'

'Hij was niet depressief,' beaamde ik. 'Charlie was een gelukkig mens. Hij ís een gelukkig mens. Hoor eens, waarom stelt u me al die vragen als er niets is dat erop wijst dat dit geen ongeluk was?'

'En u, mevrouw Benson?' vroeg Graziani. 'Bent ú gelukkig?'

'Dolgelukkig, verdomme,' zei ik.

'U en uw man hebben geen ruzie gehad op de dag dat hij vermist raakte?'

'Nee,' zei ik met een boze blik.

'Prima.' Hij legde zijn pen over het schrijfblok. 'Ik ben bang dat we u zullen moeten vragen nog even te wachten voor we u het lichaam kunnen laten zien. Hebben we intussen uw toestemming om DNA-monsters van de bezittingen van uw man te nemen? Ik neem aan dat u absolute zekerheid wilt hebben, zelfs als u het lichaam met zekerheid kunt identificeren.'

Ik knikte en haalde de sleutel van het appartement uit mijn zak. 'Neem maar mee wat u nodig hebt.'

Hij stak zijn hand op. 'Houdt u die maar. Het hotel kan ons ongetwijfeld in uw kamer laten.'

Ik had gedacht dat wachten op nieuws over Charlie erg was, maar die twee uur dat we moesten wachten voor we het gevonden lichaam konden zien, waren nog veel erger. Mijn longen konden maar voor een paar seconden lucht tegelijk innemen, alsof er een dikke band om mijn borstkas zat. Intussen kwam het politiebureau tot leven toen de kantooruren ingingen en de mensen op hun werk arriveerden. En Luke en ik zaten daar maar te wachten. De Italianen waren minder strikt dan de Britten of de Amerikanen als het om roken ging en ze gaven ons een asbak voor de groeiende stapel peuken. De kamer waar we in zaten stond vol met sigarettenrook, zelfs met het raam open. Luke en ik zeiden bijna niets.

Het mortuarium was een paar straten van het politiebureau. Het was een doelmatig betonnen blok van één verdieping met vierkante ramen en een metalen deur en leek aan de rand van het parkeerterrein te hurken.

De autopsieruimte zelf was in de kelder. Graziani leidde ons een deur door en een grijze trap tussen kale betonnen muren af, en het was alsof we in een koude, grimmige hel afdaalden. In een anonieme gang bleven we staan voor een deur met een bordje met een Italiaans opschrift erop en Graziani keek naar ons alsof hij wilde zeggen: 'Daar zijn we dan.'

'Je hoeft niet mee te komen, Luke,' zei ik. 'Als hij het is, is het al erg genoeg dat één van ons hem zo moet zien.'

Hij knikte, zijn gezicht bijna net zo grauw als de muur achter hem. 'Laat mij het dan doen,' zei hij.

'Het spijt me,' kwam Graziani tussenbeide. 'Het moet de naaste bloedverwant zijn.'

Ik haalde mijn schouders op naar Luke en voelde mijn onderlip en kin trillen. Ik wilde de kamer in lopen en Luke greep mijn hand en kneep erin. Hij was niet van plan me dit in mijn eentje te laten doen.

Hand in hand knikten we allebei tegelijk tegen Graziani.

Hij klopte op de deur en we gingen naar binnen. We kwamen in een Spartaans kamertje en ik nam in een paar seconden in me op wat er allemaal in stond. Een klein aanrecht in de hoek. Een paar van die staande luchtverfrissers, die niet al te discreet over het kamertje waren verspreid. Een brancard met een lichaam erop, bedekt met een laken. Het stonk verschrikkelijk. Boven het lichaam hing een blauwwitte, zoemende tl-balk die een kunstmatig licht wierp op een vrouw met geverfd blond haar met donkere uitgroei, die naast de brancard stond. Ze droeg een witte jas met een naamplaatje erop, waarop dr. Sabrina Bianchi stond.

'Dit is onze patholoog,' zei Graziani. Bianchi knikte naar ons, maar stak niet haar hand uit. Ik vroeg me af of ze had gemerkt dat de mensen die over het algemeen niet wilden schudden.

'Bent u er klaar voor?' vroeg ze aan ons.

Ik was er niet klaar voor. Ik was doodsbang. Hoe zou ik de aanblik kunnen verdragen? En toch slikte ik moeizaam, kneep in Lukes hand en knikte naar haar. Ze stak haar hand uit en trok het laken weg om ons zijn gezicht te laten zien.

Ik hapte naar adem en opeens leek het ongerijmd dat mijn benen bedoeld waren om mijn lichaam te ondersteunen, want ze leken niet meer dan plastic zakken met glibberig water. Je kon bijna niet zien dat het gezicht van de man – ik kon hem op dat moment niet als Charlie zien – een gezicht was, laat staan dat van een bepaald persoon. Het zat vol rode schaafplekken, de neus zat plat tegen de zijkant van het gezicht en de lippen ontbraken bijna helemaal. Van de nek en het hoofd van de man waren repen huid weggescheurd en ik zag de steken over zijn hoofd van de snee die de patholoog had gemaakt om hem open te snijden en de huid weg te trekken om de schedel te bekijken. Aan de kant waar wij stonden was geen oor, alleen een gerafeld stuk vlees waar het zich had moeten bevinden.

'Jezus christus,' zei Luke, die zijn blik afwendde.

Ik liet zijn hand los en pakte de bovenkant van het laken. Het was fris en stijf in mijn vingers. Graziani maakte een gebaar alsof hij me wilde tegenhouden, maar Bianchi schudde haar hoofd. 'Het is goed,' zei ze. Ik trok het laken verder omlaag, zodat de nette hechtingen van de lange Y-incisie te zien waren die over de borst van het lijk liepen, en ontblootte de bovenarm van het lijk.

In mijn hoofd zag ik een snelle diavoorstelling van alle soorten zwarte zonnen die over de hele wereld op de wanden van tattooshops te zien moeten zijn. Kleine getande, grote en uitgebreidere versies. Hoekige en geometrische afbeeldingen. Fijne exemplaren, uit de hand getekend. Maar het was die van Charlie. Het was Charlies tatoeage. Dezelfde omvang, hetzelfde ontwerp. Omdat het in het water had gelegen en zoveel lagen huid was kwijtgeraakt, zag het lichaam zo bleek als een spook, en de tatoeage leek zwarter door het contrast, maar ik twijfelde er geen seconde aan dat het hetzelfde ontwerp was. Ik liet mijn vingers eroverheen gaan, over de iets dikkere huid waarin de inkt zich had genesteld.

'Waarom is hij zo koud?' zei ik, en mijn stem klonk alsof hij van heel ver weg kwam.

Sabrina Bianchi zei iets tegen Graziani in het Italiaans. 'Dat kippenvel is ontstaan omdat hij in zee heeft gelegen,' zei hij tegen me. 'Het heeft te maken met het verstijven van de haarzakjes.'

'Kunt u de airconditioning niet lager zetten?' zei ik.

Luke kwam achter me staan en sloeg zijn armen om me heen. Ik wist niet waarom hij me zo vasthield. Ik voelde dat hij me een zoen op mijn hoofd gaf.

'Kom op, Katie,' zei hij. 'We gaan.'

HOOFDSTUK ELF

'Hoe bedoel je, "om ze op een dwaalspoor te brengen"?' vroeg Luke, die bleef staan met zijn T-shirt half aangetrokken.

'Luke, daar hebben we het later wel over. Ze zeiden dat we nog net op tijd op Miami Airport kunnen zijn voor de vlucht van kwart over zes naar Heathrow als we opschieten.' Ik keek op mijn horloge. 'Ik zie je in de lobby.'

'Schat, ik hoef maar één pak en één overhemd te pakken. Kun je niet even op me wachten?'

'Ik ga vast uitchecken. Pak jij je Miami Vice-outfit in en kom dan maar naar beneden.'

Met mijn koffer in de hand wierp ik een blik in de bar, maar de man in het pak en met de bril uit de jaren vijftig was verdwenen. Ik keek om me heen, ervan overtuigd dat iemand ergens naar me stond te kijken.

Toen ging ik naar de receptie en zei tegen het meisje dat we wilden uitchecken.

'Geen probleem,' zei ze met een plastic glimlach, en ze begon met haar lange kunstnagels op het toetsenbord te tikken. 'Alles is nu in rekening gebracht op meneer Broussards creditcard. We hopen dat u een goed verblijf hebt gehad in het Moonlite en zien u graag terug als u weer in Miami bent.'

Luke zag nog een beetje verward toen hij kwam opdagen, maar hij had zijn tas bij zich. Hij trok met zijn vingers een slingerend pad door zijn blonde haar en probeerde helemaal wakker te worden.

De overgang van de koele lobby van het Moonlite naar de hitte van Florida was net zo groot als van een koelkast naar een oven. Die arme kerel van de valetparking had piepkleine zweetdruppels op zijn bovenlip en zweetvlekken onder beide armen. Terwijl we wachtten tot hij onze huurauto had gebracht, zag ik de man die me in de bar had aangesproken in een auto aan de andere kant van de weg zitten. Zijn brillenglazen weerspiegelden het blauwe neon van het reclamebord van het Moonlite.

'Kijk daar.' Ik gaf Luke een por en wees met mijn hoofd. 'Die vent. Kijk die vent.' Luke volgde mijn blik. De man zag ons kijken en knikte met een zelfgenoegzame glimlach, waardoor ik zin kreeg de weg over te steken en hem een rotschop te geven. 'Ken je hem?'

'Nee,' zei Luke fronsend. 'Wie is het?'

'Ik weet het niet. Maar hij kent ons.'

Onze auto arriveerde en we voegden in tussen het andere verkeer. Luke zag in zijn achteruitkijkspiegel dat de man ons volgde in zijn auto. Na een tijdje concentreerde hij zich met een strak gezicht op de weg voor ons.

'Wil je me nu eens vertellen wat er in godsnaam aan de hand is?'

'Ik ben naar de hotelbar gegaan om iets te drinken en toen kwam die vent daarachter bij me zitten. Hij noemde me bij mijn naam en zei dat ik Charlie moest vergeten en naar huis moest gaan.'

Luke schudde zijn hoofd en keek schijnbaar geïrriteerd naar de nachtelijke hemel. 'Dit is toch niet te geloven,' zei hij zachtjes.

'Wat?' vroeg ik.

'Ik vraag me alleen af hoe dit zich vertaalt in een vlucht naar Sicilië.'

'Nou, iemand heeft duidelijk iets te verbergen,' zei ik verontwaardigd, en ik draaide me naar hem toe om zijn gezicht te kunnen zien.

'En je denkt niet dat Bruno Luna hierachter zit, omdat hij er zeker van wil zijn dat je niet bij zijn vriend Joe Cantelli voor de deur zult staan met de bewering dat hij de reïncarnatie is van je overleden man?'

'Nee, dat denk ik niet. De waarschuwing ging niet over Joe Cantell. "Vergeet Charles Benson" zei hij, niet "vergeet Joe Cantelli". Hij had het over Charlie.'

'Wat zei hij nog meer?' vroeg Luke uiteindelijk.

'Hij zei: "Als u stenen blijft omkeren, komt u uiteindelijk een schorpioen tegen." Wat denk je dat dat betekent?'

'Het zal wel betekenen dat we niet blij zullen zijn als we iets ontdekken.' Hij keek even naar me en nu stonden zijn ijsblauwe ogen bezorgd. 'Katie, weet je zeker dat je hiermee door wilt gaan?'

Ik sloeg mijn armen over elkaar. 'Natuurlijk weet ik dat zeker. Hoor eens, als jij het niet ziet zitten, doe ik het wel alleen.'

'Dat zei ik niet. Maar ik vraag me alleen af wat je denkt te bereiken.'

Ik keek naar buiten, naar de straatlantaarns die langs de auto schoten terwijl we er voorbij reden. De donkere hemel boven de stad vertoonde een rode gloed van alle kunstlicht, zelfs op dit uur van de ochtend.

'Ik weet het niet,' zei ik zachtjes. 'Dat zullen we pas weten als we het ontdekken, denk ik.'

'Weet je, die lui klinken behoorlijk akelig. Weet je zeker dat je met ze te maken wilt krijgen?'

'Zo eng zijn ze niet,' zei ik.

'Niet? Word jij niet bang van mannen die je blijkbaar hebben gevolgd, mannen die jij een ietsje pietsje nerveus lijkt te hebben gemaakt? Weet je, soms moet je luisteren als mensen je zeggen iets niet te doen.' Hij slaakte een zucht. 'Hoewel ze je duidelijk nog niet zo lang in de gaten houden, anders zouden ze wel begrijpen dat jou laten weten dat er iets uit te vinden vált het domste was wat ze konden doen.'

'Dus je doet mee?' vroeg ik.

'Ik weet het niet. Misschien moeten we mensen inhuren die weten wat ze doen,' zei hij. 'Wij zijn geen privédetectives.'

'En wat doen wij dan intussen? Rustig in Engeland tv-kijken, doorgaan met ons leven en elke week een telefoontje plegen met ons gehuurde personeel om op de hoogte te blijven van nieuwe ontwikkelingen? Rot op.'

'Wat ben jij dan van plan?'

'We gaan terug naar Londen en laten ze denken dat we doen wat ons gezegd is. Dan gaan we naar Sicilië om uit te zoeken wat daar echt gebeurd is.'

Luke moest scherp remmen om niet door rood te rijden. 'Hoe weet je dat wat ze in de doofpot proberen te stoppen iets met Sicilië te maken heeft? Misschien is het zijn verleden dat ze geheim willen houden.'

'Nou, Luke,' zei ik, terwijl ik hem scherp aankeek. 'Ik neem aan dat jij, als zijn beste vriend sinds jullie kinderen waren, wel enig idee zou hebben als er een groot geheim in zijn verleden schuilt. Of heb ik het mis?'

Hij wilde me niet aankijken, hoewel ik moet toegeven dat dat ook kon zijn omdat hij moest rijden. 'Nee.'

'Dus moet het iets te maken hebben met wat er op Sicilië is gebeurd.'

'Goed dan. Wat doen we als we op Sicilië zijn?'

'We gaan naar Graziani. We gaan naar die patholoog, hoe heette ze ook weer? Bianchi?'

'Niet echt onopvallend.'

'We hebben niet veel keus. Ik wil ook naar San Giordano om die neef van de Crestenza's op te zoeken, die Cesare.'

'Wat kan hij je nou vertellen?'

'Dat weet ik niet, daarom moet ik hem juist spreken.'

De terugvlucht naar Londen leek eeuwig te duren. Ik keek de ene film na de andere op het tv-schermpje in de stoel voor me, liet de dialogen ongehoord over me heen gaan, trommelde met mijn vingers op de armleuning en dacht aan alle vragen die ik de Sicilianen wilde stellen.

De man met het pak en de bril ging niet aan boord, maar ik stelde me voor dat hij in de vertrekhal stond om ons na te kijken toen we opstegen.

Het toestel landde midden op de avond plaatselijke tijd en ik zette mijn horloge gelijk. Ik was eigenlijk niet lang genoeg in Amerika geweest om een jetlag te hebben en negen uur in de avond leek beter te passen bij mijn biologische klok.

In vergelijking met Florida voelde de temperatuur van zesentwintig graden Celsius op Heathrow wat kil aan, en ik trok mijn T-shirt met capuchon aan. We pikten mijn koffer op van de bagageband en gingen door de douane. In de aankomsthal stonden de gebruikelijke groepjes verwanten en chauffeurs te wachten op de reizigers. Luke en ik letten er niet op, wetend dat we niet verwacht werden, maar toen we langs de mensen liepen, ving ik de blik op van een gebruinde kerel in een onopvallend pak met een net kapsel. Zijn ogen gleden over me heen alsof hij me wilde laten denken dat we elkaar niet recht aangekeken hadden, en ik zag hem wegdraaien en iets in de telefoon mompelen die hij tegen zijn oor hield.

'Dat is een van hen,' fluisterde ik tegen Luke.

'Een van wie?' vroeg hij.

'Ik wed dat hij een Amerikaans accent heeft, net als die vent in de bar.' Ik draaide me op mijn hakken om, liep langs de man in het pak en tikte hem op de schouder, over het lint heen dat de passagiers van de begroetende mensen moest scheiden. 'Neem me niet kwalijk,' zei ik luid.

De man klikte zijn mobiel dicht en zijn blik ging naar de mensen aan weerszijden van ons voordat hij op me reageerde.

'Kunt u me vertellen hoe laat het is?' vroeg ik met een lieve glimlach.

Hij bekeek me even en strekte toen scherp zijn arm, zodat zijn manchet omhoogging en zijn pols zichtbaar werd. Hij draaide soepel zijn arm en keek op zijn gouden horloge. 'Halftien,' zei hij. Beslist een Amerikaans accent.

'Dank u zeer,' zei ik.

Hij knikte slechts en glimlachte gemaakt terug, maar hij was niet van plan 'graag gedaan' te zeggen. Ik draaide me weer om naar Luke, die naar me keek alsof ik ergens in de 'niets aan te geven'-gang gek was geworden. Hij pakte me bij mijn elleboog en loodste me naar de uitgang.

'Kijk achter ons,' zei ik toen we wachtten op de bus naar het parkeerterrein waar ik mijn Fiat had achtergelaten. 'Staat hij daar of niet?'

Luke keek over mijn schouder. 'Ja, hij staat er. Hij denkt waarschijnlijk dat je hem wilde versieren. Volgens mij kan hij elk moment naar ons toekomen om je zijn telefoonnummer toe te stoppen.'

Ik keek zelf ook om en zag de man met het horloge een paar haltes verderop staan. 'Gek dat hij alleen is, terwijl hij zo ostentatief op passagiers stond te wachten.'

'Ik heb het woord "ostentatief" niet meer gehoord sinds de laatste keer dat ik naar *Newsnight* keek,' zei Luke.

Onze bus arriveerde en de man met het horloge stapte niet in. Tijdens het korte ritje naar het parkeerterrein bekeek ik de passagiers die samen met ons waren ingestapt. Een blonde vrouw in een mooi grijs pak zonder koffertje of handtas was mijn voornaamste verdachte.

'Ik wed voor vijftig pond dat ze bij zone L uitstapt,' fluisterde ik in Lukes oor.

Hij boog zich naar me toe en fluisterde in mijn oor: 'Ik word gek van je. Echt. Je bent een volslagen paranoïde androïde geworden.'

'Geef me de hand,' zei ik op een normaal volume.

Hij wierp me vanonder zijn gefronste wenkbrauwen een medelijdende blik toe, maar schudde me toen de hand. 'Vijftig dollar.'

'Vijftig pond, hoor.'

'Oké, vijftig pond.'

We reden langs vier andere zones en de vrouw bleef roerloos zitten wachten. Toen we bij zone L arriveerden stond ze op, veegde wat denkbeeldig stof van haar rok en liep achter ons aan de bus uit.

'Godverdomme,' zei Luke zachtjes.

'Gewoon doorlopen, mooie jongen,' zei ik, en we begaven ons bijna schouder aan schouder naar mijn auto. Toen we wegreden, zagen we haar tussen twee afgesloten auto's staan; ze keek ons na en praatte in een mobiel.

'Jij betaalt het eten,' zei ik tegen Luke, terwijl ik schakelde en snel terugreed naar Noord-Londen.

We zaten in mijn voorkamer op de tegenover elkaar staande banken een pizza te eten die was afgeleverd door de pizzeria om de hoek. Luke had een Hawaï en ik een Kaasfeest. Het was nu donker, maar niet zo donker dat we de twee mensen niet konden zien die voor in een auto zaten die langs de straat voor de flat geparkeerd stond. Ze zaten er al meer dan een uur te wachten in de schaduw.

'Hoe komen we in Sicilië als we de flat niet eens uit kunnen zonder gevolgd te worden?' vroeg Luke.

Ik slikte een stuk korst door. 'We moeten een ontsnappingsroute hebben. Via de achterkant, misschien? Maar dan moeten we door de flat van Hannah en Agnetha.' Alleen de flat op de begane grond gaf toegang tot de tuin.

'Wat dacht je van de brandtrap?' vroeg Luke met een knikje naar de hoop roestig ijzer voor het raam van de woonkamer.

'Dat overleef je niet. Laten we hopen dat de meiden het niet erg vinden dat we bij ze binnenvallen.'

Luke schudde zijn hoofd. 'Wil je dit echt doen?'

'Jazeker. Als jij het niet wilt, Luke, hoef je niet mee te gaan.'

Hij rolde met zijn ogen en veegde zijn vingers af aan een stukje keukenpapier. We verlieten de flat met alleen mijn huissleutels. Als de kust vrij was, zouden we terugkomen voor wat spullen die we mee wilden nemen.

Hannah en Agnetha woonden al jaren beneden, maar ik had ze pas echt leren kennen toen Charlie dood was en ze waren werkelijk reddende engelen geweest – een keer bijna letterlijk – door bijvoorbeeld boodschappen voor me te doen bij de plaatselijke supermarkt of langs te komen om te kijken of alles goed met me was. Ik had onlangs de eer gehad om als getuige op te treden bij het sluiten van hun geregistreerde partnerschap en hoewel me dat uiteraard had herinnerd aan mijn eigen huwelijk, was ik die dag gelukkig geweest.

Het duurde even voor Hannah reageerde op ons kloppen omdat ze in een rolstoel zat, maar ze leek blij ons te zien.

'Kate, schat, hoe is het met je? En Luke, knapperd, je maakt mijn hele dag goed. Kom toch binnen. Aggie zit in bad, maar laat dat je niet weerhouden.'

'Het klinkt misschien een beetje raar, maar we hoopten eigenlijk dat we even jullie tuin in konden,' zei ik.

Hannah keek me met schuin hoofd aan. 'Ga je weer vleermuizen kijken?'

'Zoiets.'

'Prima. Kom binnen.'

Ze draaide aan haar wielen en rolde voor ons uit. Hannah had heel sterke armen met prachtige, goed gedefinieerde triceps en biceps. Als je haar in actie zag, was het net alsof je naar sport zat te kijken. De sleutel van de achterdeur hing aan een haakje ter hoogte van mijn middel en ze stak hem in het slot en deed de deur voor ons open.

Luke en ik keken elkaar aan. We hadden allebei moeite niet te lachen om wat we gingen doen, ondanks de ernst van de hele zaak. We gingen op onze tenen de donkere tuin in.

'Moet het buitenlicht aan?' vroeg Hannah.

'Nee!' sisten we allebei tegen haar.

We slopen over het pad tot we achter in de tuin waren. Daar maakten we het hekje open en staken ons hoofd naar buiten. Het hek gaf toegang tot een smalle poort die achterlangs de tuinen van de volgende drie huizen liep. We konden maar één kant uit als we niet door andermans tuin wilden, en dat was naar de straat die in een rechte hoek stond op de straat waar onze bewakers geparkeerd stonden.

We slopen door de poort en keken voorzichtig om de hoek.

Er stond een zilverkleurige sedan, precies waar de poort uitkwam op de straat. Er zaten twee mannen in pakken in. Ze zagen ons en een van hen wuifde. Het leek de vent wel die me eerder op het vliegveld had verteld hoe laat het was.

We wuifden schaapachtig terug en verdwenen weer in de poort.

'Nou, dat is dat,' zei Luke.

Ik schudde mijn hoofd. 'We moeten een plan b bedenken.'

Terug in de keuken van de meiden stond Aggie met een badhanddoek om te druipen op het linoleum. Ze keek ons verbaasd aan.

'Hannah zei dat jullie vleermuizen aan het kijken waren,' zei ze met haar Nederlandse accent.

'Nee, ik zei dat ze vleermuizen wáren,' zei Hannah droog. 'Wat is er in godsnaam aan de hand?'

‘Er staan twee auto’s, een op Stiles Street en de ander op Kennerley Place, en die houden de flat in de gaten,’ legde ik uit. ‘We moeten weg zonder dat ze ons zien.’

‘Heb je een schop?’ sprak Luke lijzig.

‘Ik geloof dat er wel een in de schuur staat,’ zei Agnetha. ‘Hoezo?’

‘Misschien kunnen we een tunnel graven, net als Steve McQueen,’ zei hij.

HOOFDSTUK TWAALF

'Ik heb een idee,' zei ik. 'We bellen Samantha.'

Luke trok een wenkbrauw op. 'Zou je het niet eerst met mij bespreken?'

'Hoezo, heb jij de leiding dan?'

Hij keek naar het plafond. 'Meiden, mogen we jullie telefoon even gebruiken?' vroeg hij.

'Natuurlijk,' zei Hannah. 'Maar mag ik vragen wat er mis is met jullie eigen telefoon?'

'Ja,' herhaalde ik. 'Wat is er mis met onze telefoon?'

'Misschien wordt hij afgetapt,' zei hij, en hij gaf me de hoorn.

'Ik dacht dat de politie toestemming van minstens één deelnemer aan het gesprek nodig had om de telefoon te kunnen aftappen,' zei ik.

Hij keek me vreemd aan. 'Waarom denk je dat de mensen daarbuiten zich aan enige wet houden?'

Ik was er niet zeker van. 'De pakken?'

Luke lachte kort. 'Heb je ooit van Enron gehoord, liefje?'

Ik gaf met mijn middelvinger een wereldwijd erkend symbool voor schelden af en draaide het nummer van Samantha. Ze nam bij het derde rinkeltje op.

'Sam, met Kate.'

'Kate? Kate, wat doe je toch allemaal? Ben je naar Miami gegaan? Is Luke bij je?'

'Sam, doe alsjeblieft even rustig. Luister eens, hebben jij en David dit weekend plannen?' Het was vrijdag en de volgende dag begon een lang weekend.

'Nee,' zei ze op haar hoede. Ik kon het haar niet kwalijk nemen. Ze dacht dat de gekke weduwe haar wilde uitnodigen voor een barbecue of zoiets.

'We hebben jullie hulp nodig. Ik en Luke. We worden in de gaten gehouden en we moeten weg zien te komen.'

Er viel een lange stilte aan de andere kant van de telefoon. 'Kate, ik maak me zorgen om je,' zei Samantha eindelijk. 'Volgens mij moet je eens met iemand gaan praten.'

'Ze denkt dat ik gek ben geworden,' zei ik tegen Luke, en ik gaf hem de telefoon.

'Samantha, ze is niet gek. Er staan twee auto's voor het huis, elk met twee mannen erin. Ze houden ons in de gaten.' Hij luisterde even. 'Nee, ik heb er nooit van gehoord dat achtervolgingswaanzin besmettelijk zou kunnen zijn.' Ik hoorde haar nog iets zeggen, maar kon het niet verstaan. Luke liet zijn hoofd zakken. 'Nee, Charlie leeft niet. Maar er is iets aan de hand.'

Ik nam de telefoon weer van hem over. 'Waarom worden we gevolgd als er niet iets mis is? Alsjeblieft Sam, je moet ons helpen.' Ik wachtte, maar er klonk niets dan stilte aan de andere kant van de lijn. 'Dank je,' zei ik uiteindelijk, ervan uitgaand dat wie zwijgt toestemt. 'Je moet het volgende voor ons doen.'

Die nacht sliep ik als een blok en ik werd wakker in dezelfde houding als waarin ik in slaap was gevallen. Ik nam snel een douche en zette koffie. Luke lag in zijn boxershort en T-shirt te slapen op de bank. Hij deed me denken aan een Grieks standbeeld als hij sliep; iets in de droomtoestand maakte zijn gezicht zachter en serener en nam het cynisme en de hardheid die anders zo prominent aanwezig waren weg.

Ik nestelde me in de leunstoel tegenover hem en keek naar hem terwijl ik koffie dronk. Hij had al vaak op de bank geslapen na lange nachten, als hij de korte rit naar zijn eigen appartement aan de rivier niet meer zag zitten. Charlie en ik hadden vaak vrienden over om te pokeren en bier te drinken en Luke leek altijd de pot te winnen. Hij had te lang in Las Vegas gewoond om te worden verslagen door een stelletje Londenaren, denk ik. De anderen verdwenen een voor een tot Charlie en Luke alleen over waren en tot laat in de nacht in de keuken bier bleven drinken.

Ik keek naar de keuken en als ik mijn ogen half dichtdeed, kon ik Charlie daar bijna zien zitten op een van de keukenstoelen, in een donkerblauw T-shirt en een joggingbroek, met afgezakte sokken aan zijn voeten en een voet op het dwarsbalkje van de stoel, bier drinkend en lachend om de gevatte opmerkingen van Luke.

Deze flat herbergde honderden herinneringen. Na Charlies dood was ik erdoor overspoeld; ik werd omringd door zoveel dingen die me aan hem deden denken. Soms werd het me te veel en moest ik eruit om rond te blijven rijden tot ik een plek had gevonden waar we nooit samen waren geweest. Dan kalmeerde ik even, maar na een tijdje raakte ik in paniek omdat ik zijn aanwezigheid niet voelde en moest ik terug naar de dingen die me aan hem herinnerden. Ik was nooit vergeten wat hij had gezegd over de herinnering aan zijn ouders en ik was doodsbang dat ik zijn gezicht, zijn lach, zijn stem kwijt zou raken. Ik hing foto's van hem in de hele flat, op elk stukje muur. Ik vroeg onze vrienden of ze foto's van Charlie hadden die ze zelf hadden genomen. Bij elk ervan was het alsof ik Charlie voor het eerst zag. Ik luisterde keer op keer naar het bericht op het antwoordapparaat dat hij had ingesproken en het werd een soort mantra voor me. Als ik 's nachts wakker lag, hoorde ik zijn stem steeds weer de banale woorden 'dit is het antwoordapparaat van Katie en Charlie, laat een boodschap achter, dan bellen we terug' herhalen tot ze een eigen ritme kregen, als het gedender van een trein over de rails. Ze werden net zo vertrouwd als de kreet van een cabaretier of de tekst van een lied en verloren uiteindelijk hun resonantie, zodat de woorden net zo goed door een robot uitgesproken zouden kunnen worden. Als ik zijn stem die woorden hoorde zeggen, werd ik niet meer aan Charlie herinnerd, en als ik in bed die zin in mijn hoofd herhaalde, leek ik elke stem te horen, behalve die van Charlie, tot ik op het punt stond mijn bedlampje door de kamer te smijten.

Toen Luke en ik met Charlies lichaam terug waren gekomen van Sicilië, voelde ik me een hele tijd verdoofd; ik kon het niet bevatten.

Ik werd elke morgen wakker met de zekerheid dat ik het allemaal gedroomd had en dat Charlie naast me lag. Ik had een voortdurend gevoel van angst in mijn maag, omdat ik wist dat ik in geen enkel opzicht onder ogen zag wat er gebeurd was, maar dat het moment zou komen waarop ik dat wel zou moeten. Ik wist dat ik daarvoor niet sterk genoeg zou zijn, en ik had gelijk.

Luke was degene die met mensen praatte en hun vertelde wat er gebeurd was. De eerste die ik belde, was mijn broer Kytell en het hem vertellen was een van de moeilijkste dingen die ik ooit had gedaan. Want de woorden 'Charlie is dood' uitspreken, betekende dat het waar was. Daarom liet ik het aan Luke over het alle anderen te vertellen, terwijl ik me in mijn slaapkamer verstopte met mijn koptelefoon op en aan één stuk door Charlies favoriete cd's draaide.

Aanvankelijk reageerden onze vrienden fantastisch. Ze kwamen naar me toe om bij me te zijn. Pas na de begrafenis lieten ze het een voor een afweten. Ik kon het hun niet kwalijk nemen; ik haatte het dat ze nooit wisten wat ze moesten zeggen. Als ze niet over Charlie praatten, haatte ik hen vanwege hun lafheid en het feit dat ze dachten dat ik belangstelling kon hebben voor iets anders dat ze te zeggen hadden. Als ze de moed hadden wel over Charlie te praten, haatte ik hen omdat ze over hem konden praten zonder in tranen uit te barsten en zonder de verpletterende pijn te voelen die ik voelde. Luke was de enige die volgens mij enig idee had wat ik doormaakte.

Ik sloot me aan bij een praatgroep voor jonge weduwen en weduwnaars, wanhopig op zoek naar mensen die me zouden begrijpen. En een tijdlang had ik het gevoel dat ik mezelf kon zijn, dat ik niet op mijn woorden hoefde te letten uit angst dat mensen zich ongemakkelijk zouden voelen. Er waren nog twee andere vrouwen die ongeveer in dezelfde tijd als ik hun man hadden verloren. Een halfjaar later had een ervan haar trouwring afgedaan. 'Ik draag hem aan een ketting om mijn hals.' Ze liet het me zien. 'Ieder weldenkend mens snapt zo dat ik niet meer getrouwd ben, maar dat ik nog steeds van mijn man houd. Soms denken ze dat ik gescheiden ben, maar de meesten beseffen dat ik weduwe ben.' Ik kon haar alleen maar aankijken. Hoe had ze haar ring af kunnen doen? Ik verliet de groep toen de andere vrouw die er ongeveer tegelijk met mij bij was gekomen zich verloofde. 'Het feit dat ik weer verliefd ben geworden betekent niet dat ik minder van Jim hield dan jij van Charlie,' zei ze tegen me. 'Je oordeelt vaak zo hard over mensen. Je denkt dat jouw pijn erger is dan die van ieder ander.'

Ze had gelijk.

Mijn vrienden waren blij geweest toen ik bij die groep ging. Ze dachten dat het betekende dat de groep de moeilijke gesprekken op zich kon nemen, zodat de druk niet zo op hen lag. Ze wilden dat ik doorging met mijn leven zodat ze zich geen zorgen meer over me hoefden te maken. Ik haalde mijn schouders op en liet hen los. Degenen die nog steeds kwamen, die nog steeds belden, die nog steeds vroegen hoe het met me was en ook echt het antwoord wilden horen, dat waren de mensen die ik met me meenam.

Luke verroerde zich op de bank zodat er plooien in de plaid kwamen. Charlie en ik hadden die bank bij Ikea gekocht en hadden er een muntje voor opgegooid omdat hij liever de grotere versie had gehad. Ik dacht eraan hoe stoer we gegromd hadden en hoe we onze biceps gespannen hadden om hem door de deur het huis in te manoeuvreren en hoe we gegiecheld hadden toen de kat van Hannah en Agnetha erop was gesprongen en als een vorst op het middelste kussen had gezeten, terwijl wij hem de smalle trap naar onze flat op de eerste verdieping op sjouwden. Ik herinnerde me dat ik eens was teruggekomen van het winkelen en mijn nieuwe rode ondergoed had geshowd aan Charlie, en hoe de bank vlak daarna was ingewijd. Ik herinnerde me hoe Samantha en David erop hadden gezeten in hun zwarte kleren terwijl we wachtten tot de volgwagens zouden arriveren. Ik weet nog hoe ik erop had gezeten met Agnetha in haar natte kleren en een met bloed doorweekte handdoek in haar handen.

'Waar denk je aan?' Luke was wakker en lag naar me te kijken.

'Dat wil je niet weten,' zei ik. 'Koffie?'

Samantha belde om halfelf, zoals we hadden afgesproken.

'Hallo Kate, met Samantha,' zei ze alsof ze een script voorlas. 'Hoe is het met je? David en ik vroegen ons af of je het leuk hebt gehad in Miami.'

Ik weerstond te verleiding om ook te praten alsof ik de Engelse vertaling voor een taalcursus voor buitenlanders insprak en zei dat we ons prima geamuseerd hadden. 'Mooi weer, ook. Kom brunchen, dan kunnen jullie de foto's zien.'

Ik wipte even naar de plaatselijke Tesco om wat boodschappen te doen, zodat Sam en David iets te eten zouden hebben. Een van de inzittenden van de auto wachtte tot ik halverwege de straat was en stapte toen uit om me te volgen. Ik vermaakte me in de Tesco door kriskras door de gangpaden te lopen, zodat hij moeite had me in het zicht te houden.

Kort na mijn terugkomst stopte de Renault van Sam en David voor de flat. Samantha had haar blonde krullen met een speld opgestoken en droeg haar oude leesbril met het dikke schildpadmontuur. David had een zwarte honkbalpet op en had de klep ver naar beneden getrokken. We keken uit het raam en ik zag dat Samantha grote moeite deed om gewoon te doen en niet de weg af te kijken, op zoek naar twee mannen in een stilstaande auto.

We lieten ze binnen en Samantha sloeg haar armen om me heen zodra ik de deur van de flat opendeed. Ik keek over haar schouder naar David, die met een samenzweerderig gezicht toekeek.

'Hebben jullie alles?' vroeg ik.

Hij stak me een plastic tas toe. 'Waar laten we ons mee in, Kate?'

Ik nam de tas van hem aan. 'Kom binnen, dan leggen we het uit.'

Luke maakte een uitgebreid Engels ontbijt en we vertelden hun wat er in Miami was gebeurd; hoe we de man op de foto hadden opgespoord, over Bruno Luna en zijn vriend Joe Cantelli. Samantha leek op dat punt een beetje van streek, zodat ik me afvroeg of ze soms gehoopt had dat ik gelijk had en dat het echt Charlie was. Ik vertelde over het dienstmeisje, Claudette, en hoe ik naar haar *botánica* was gegaan en er daar achter was gekomen dat ze me probeerde te bedonderen met haar voodoogedoe. Ik zei niet dat ik was overvallen en dat ik geprobeerd had de knieschijf van de overvaller te breken. Uiteindelijk kwam ik bij het punt dat ik naar de hotelbar was gegaan nadat alle hoop me was ontnomen, en bij de man die me had gewaarschuwd mijn speurtocht naar informatie over Charlie te staken.

'En jij denkt dat de man die je in die bar heeft aangesproken iets te maken heeft met de mannen die je hier volgen?' vroeg Samantha, die haar eten nog niet had aangeraakt.

'Ja,' zei David, die al twee aardappelkoekjes en een worstje op had en aan een hoop roerei begon. 'Waar denk je dat ze van zijn? MI-6? Denk je dat Charlie een spion was?'

Luke spuwde bijna zijn koffie uit. 'Man, dat is een goede. Nee, Dave, ik denk dat we veilig kunnen zeggen dat Charlie geen geheim agent was.'

'Maar wat dan?' vroeg David. 'Ik bedoel, jij kent hem het langst. Wat denk jij dat die lui met hem te maken hebben?'

Luke haalde zijn schouders op. 'Ik heb geen idee.' Hij veegde zijn handen af aan een theedoek en trok een sigaret uit het pakje. 'Mag ik, Kate?'

'Nee,' zei ik. 'Wacht tot Sam en David hun eten op hebben, brutale aap.'

'Dus al dat geheimzinnige gedoe is bedoeld om hen ervan te overtuigen dat jullie gehoorzaam thuisblijven,' zei Samantha, die eindelijk haar vork had opgepakt en aan haar brunch begon, ongetwijfeld omdat ze bang was dat ze sigarettenrook zou inhaleren bij het eten van haar worstjes als ze er te lang mee wachtte.

'Dat klopt. We moeten minstens een paar dagen op Sicilië hebben zonder dat zij in onze nek hijgen,' zei ik. 'Weet je zeker dat je het wil doen? Dat jullie hier zo lang kunnen blijven hangen zonder de flat uit te komen?'

'Wij redden ons wel, zolang we Charlies filmverzameling hebben en genoeg Pinot Grigio,' zei David. 'Nu hoef ik tenminste niet die planken op te hangen in de logeerkamer.'

Samantha gaf hem een por. 'Doe nou maar niet alsof je zo'n doe-het-zelver bent, Dave. Heb jij de badkamer opnieuw betegeld? Nee. Heb jij die kast van Ikea in elkaar gezet? Ik dacht het niet.'

Toen we allemaal klaar waren met eten, schudde ik de inhoud van de plastic tas op de salontafel. Een lange blonde pruik. Een zwarte pruik met een bobkapsel. Twee mobiele telefoons met prepaidkaarten, want als we bang waren dat onze telefoon werd afgeluisterd, was het logisch om te denken dat onze mobieltjes ook werden afgetapt en dat we bovendien gevolgd konden worden via het signaal, wat nog erger was. Ik vroeg me op dat punt niet af of onze achterdocht gerechtvaardigd was en zo ja, wie de technologie en het geld had om ons met dergelijke middelen in de gaten te houden. Ik wist alleen dat we van het ergste uit moesten gaan en daarnaar moesten handelen; op die manier kregen ze ons niet te pakken.

'Wij kleden ons om in de slaapkamer,' zei ik tegen de jongens. 'Nemen jullie de badkamer maar.'

De gordijnen in mijn slaapkamer waren al dicht. Ik zag Samantha naar het bed kijken. Je kon zien dat het maar aan één kant beslapen was; het voelde niet natuurlijk om meer dan mijn helft van het bed in beslag te nemen, ook al was Charlie nu al een jaar weg.

Sam en ik hadden altijd dezelfde maat gehad en toen we in de twintig waren, hadden we vaak elkaars kleren geleend.

'Dit roept herinneringen op,' zei ze, terwijl ze zich van me af draaide en haar zwarte blouse opendeed. Ik trok mijn rok uit. 'Weet je nog dat je me die jurk van Karen Millen had geleend voor een trouwerij en dat ik rode wijn op de mouw kreeg?'

'Ja,' zei ik. Ik ruilde met haar van topje en trok de zwarte blouse aan over het witte T-shirt met lange mouwen dat ik al droeg. 'De kosten worden gedekt door de inhoud van die tas, geloof ik.' Ik glimlachte om te laten zien dat ik het niet meende.

Haar spijkerbroek was een laag heupmodel en je had een riem nodig als je je ondergoed niet aan Jan en alleman wilde laten zien. 'Sorry,' zei ze. 'Je zei dat je het liefst een spijkerbroek had en dat ik hem waarschijnlijk niet terug zou zien, dus heb ik er een aan gedaan die ik nooit draag omdat mijn buikvet over de bovenkant bobbelt. Goed dat je een plattere buik hebt dan ik.'

Ze bekeek de kleren in mijn kast. 'Ik verheug me erop hier iets van aan te doen.'

'Nou, als je er maar aan denkt dat alleen Dave ervan zal genieten.'

'Goed punt.' Ze ging aan de kant staan waar mijn sexy jurken en rokken hingen.

'Zeg, als je seks hebt in mijn kleren, zorg er dan alsjeblieft wel voor dat ze naar de stomerij zijn geweest voordat je ze teruggeeft.'

'Natuurlijk doe ik dat,' zei ze. 'Wie denk je dat ik ben, Monica Lewinsky?'

Ik wilde geen risico nemen, dus ik haalde het hangertje met mijn favoriete rode jurk van de stang en legde hem op het bed om in te pakken.

We borstelden ons haar tot strakke knotjes en probeerden toen de pruiken. Sam zag er eigenlijk verdomde goed uit als brunette, een beetje als een oudere versie van Natalie Portman in *Léon*. Ik leek zelf op Dolly Parton die dringend naar de kapper moest. We gingen giechelend aan de slag om de verwarde krullen door te kammen en ze met een speld vast te zetten. Toen keken we in de spiegel. Ik had nu Barbie-blond haar en zwarte wenkbrauwen.

'Nou, je lijkt tenminste niet meer op Dolly,' zei Samantha. 'Eerder Madonna in de tijd van "Who's That Girl".'

'Ik zie eruit als een kruising tussen een bibliothecaresse en een hoer,' zei ik. 'Waarom moest je vandaag per se rode lippenstift op?'

'Hé, je zei dat ik opvallende dingen moest dragen.'

'Je hebt gelijk, neem me niet kwalijk.' Ik had gezegd dat mensen minder op de aspecten van je uiterlijk letten die blijvender zijn en moeilijker te verhullen, zoals je neus of de vorm van je kin, als je dingen draagt die ze zich gemakkelijk kunnen herinneren, zoals een dik brilmontuur en felrode lippenstift.

Op dat moment hoorde ik iets tegen het raam tikken en ik keek op naar het daklicht. 'Godzijdank, het regent.'

'Is dat een goede zaak?' vroeg Samantha.

'Het betekent dat ik een paraplu kan opsteken.'

Ik pakte Samantha's tas en leegde hem op de kaptafel. 'Weet je zeker dat dit niet een van je favoriete tassen is?'

Ze trok haar mondhoeken naar beneden. 'Het is nepkrokodil. Wat dacht je?' Ze pakte een pen die van de rand van de kaptafel wilde rollen en legde hem weer op de hoop.

Ik stopte de tas vol met mijn paspoort, ondergoed, tandenborstel, haarborstel, mijn juwelendoosje en een paar topjes. Samantha keek toe.

'Je lijkt anders,' zei ze uiteindelijk. 'Alsof het licht in je is aangegaan.'

Ik bleef haar met mijn hand in de tas aankijken. 'Misschien komt het omdat ik weer een doel heb.'

Haar zeegroene ogen keken door me heen. 'Je denkt dat hij nog leeft,' zei ze. 'Ja, toch?'

Ik wendde me van haar af en ritste de tas dicht. 'Dat deed ik. Ik probeerde het niet te denken, maar ik kon het niet echt helpen. Maar het DNA dat ze bij het lichaam in Sicilië hebben afgenomen was hetzelfde als dat van Charlie. Hoe kan hij dan nog leven?'

'Dat kan ook niet,' zei ze, 'maar ik ben bang dat je nog steeds hoopt dat je hem ergens levend terug zult vinden.'

'Nee. Ik zoek niet meer naar Charlie. Ik wil weten wat die kerels proberen te verbergen. Ik weet het niet, misschien is Charlie vermoord. Misschien willen ze ons ervan weerhouden daarachter te komen.'

'Vermoord? Maar wie zou Charlie nou willen vermoorden?'

'Ik weet het niet. Maar als het zo is, mag degene die het gedaan heeft wel oppassen.'

'Voor jou of voor Luke?'

Het was een terechte vraag. Op een keer waren we met een groepje wat gaan drinken en kwamen we een stel luidruchtige knapen tegen die een beetje te veel gedronken hadden en ruzie zochten. Een van hen viel Luke aan met een bierfles. Luke brak twee van zijn vingers en liet hem als een zielig hoopje achter in een winkelportiek.

'Kom op,' zei ik. 'We laten de jongens onze make-over zien.'

Samantha kwam van het bed en pakte me bij de arm toen ik de slaapkamerdeur opendeed. 'Weet je zeker dat dit een goed idee is?' vroeg ze zachtjes.

Ik schraapte mijn keel. 'Nee, dat is het waarschijnlijk niet. Maar ik moet het doen. Als het om David ging, zou jij het ook doen.'

Ze keek triest. 'Misschien. Misschien ook niet. Ik ben niet zo dapper als jij.'

Ik schudde mijn hoofd. 'Dat heeft niets met dapper te maken. Het is gewoon koppigheid.'

Luke en David reageerden heel verschillend op ons nieuwe uiterlijk.

'Hallllooo, schatje,' zei David, die Samantha van top tot teen bekeek.

Die twee hadden net het rollenspel voor in de slaapkamer ontdekt.

'Je ziet eruit als een travestiet die Jayne Mansfield wil zijn,' zei Luke tegen mij.

'Ook bedankt. Mooie pet.' Luke droeg Davids honkbalpet.

'Als je maar weet dat ik dat ding bij de eerste gelegenheid weggooi,' zei hij. 'Jezus, David, de L.A. Raiders?'

David had duidelijk de laatste tien minuten al naar hetzelfde gemopper moeten luisteren en hij rolde met zijn ogen. 'Zever toch niet zo! Ik ben geen man voor honkbalpetjes. Ik heb deze alleen gekocht omdat het regende en ik langs een wereldwinkel kwam. Had je liever mijn cricketpet gehad?'

'Nee,' zei Luke, en ik moest lachen.

'Zijn we klaar?' vroeg ik. 'Luke, heb je je paspoort en Davids sleutels?'

'Ja, mam.'

'Dan gaan we.' We zoenden elkaar en ik zette Samantha's bril op. 'Jezus, Luke, rijd jij maar. Ik ga brokken maken als ik met dit ding achter het stuur kruip.' Ik pakte een paraplu en de tas en we verlieten de flat.

We gingen de trap af en troffen Hannah en Aggie in de gang. 'Succes,' zeiden ze, niets meer, en toen gingen ze hun eigen flat weer in en deden de deur dicht.

Luke en ik keken elkaar aan. 'Ja,' zei hij. 'Succes, Kate. Als dit niet werkt, moeten we toch maar een tunnel graven.'

Hij trok de klep van de pet in zijn ogen en ik hield de paraplu in de aanslag. We deden de voordeur open. Grote druppels regen maakten het stenen pad nat. Ik duwde de paraplu open en hield hem zó dat het grootste deel van mijn gezicht erachter schuilging vanaf de plek waar ik wist dat de auto geparkeerd stond. Ze zouden hopelijk slechts een glimp van een donkere bril en rode lippenstift opvangen. We liepen kordaat naar de auto van Sam en David en Luke zette met de afstandsbediening het alarm af en deed de portieren open. Luke moest zijn stoel verzetten, omdat Samantha uiteraard naar mijn flat was gereden. Elk moment dat we ons in het zicht van het surveillanceteam bevonden werd ik zenuwachtiger.

'Kom op, kom op, kom op,' zei ik zachtjes. Luke zette zijn stoel goed en startte de wagen, en we reden de weg op.

'Niet omkijken,' zei Luke. 'Doe alsof er niets aan de hand is.'

Ik keek in de achteruitkijkspiegel, waarin ik een hoekje van hun auto kon zien. Hij kwam niet in beweging. We gingen de hoek om en kwamen op de hoofdstraat. Vijf minuten lang keek ik voortdurend in de spiegels, maar ik zag niemand die ons volgde.

'Ik geloof dat het gelukt is,' zei ik, duizelig van opluchting.

'Mooi zo,' zei Luke. 'Maar laten we ons voor de zekerheid toch maar aan het plan houden.'

Het plan, dat we precies volgden, was om naar het huis van Samantha en David te rijden en onszelf binnen te laten alsof we er thuishoorden. Samantha had een koffer gepakt met kleren voor een paar dagen voor ons allebei. Ik had ze gewaarschuwd dat ze de kleren misschien niet terug zouden krijgen, dus het waren dat soort dingen die je meestal achter in je kast hebt, dingen die eens trendy waren maar die je na een tijdje gebruikt voor schilderwerk of werken in de tuin. Lukes stapel van David bestond grotendeels uit reclameshirts in maat L, die hij blijkbaar gewonnen had bij de quizavond van de plaatselijke kroeg en die varieerden van een blauwe trui van Labatt tot een zwart T-shirt met V-hals van Jack Daniels.

'Ik lijk straks net een dronkaard,' zei hij.

'En ik zie er straks uit alsof ik uit 2007 kom.' Ik pakte een strak shirt met roze en witte stippen. 'Maakt het iets uit?'

'En een tijdje geleden kwam ik nog uit Miami Vice,' zei Luke triest. 'Het was fijn om stijl te hebben.'

We gingen weg via de achterdeur, nog steeds in onze vermomming voor het geval 'Samantha en David' uit voorzorg waren gevolgd naar hun huis. De mensen die ons in de gaten hielden zouden hopelijk niet genoeg mankracht hebben om ook allebei hun uitgangen te bewaken. En om honderd procent zekerheid te hebben, gingen we bij onze wandeling over de hoofdstraat bij de ingang van een metrostation opeens rechtsaf, holden naar de poortjes en scanden onze metropassen. Terwijl we de roltrap af renden, keek ik om, maar ik zag niemand die achter ons aan leek te zitten.

Het was snikheet in de metro; ondanks de regenbui was het een warme dag. Ik deed met enorme opluchting de bril in de handtas en trok mijn blonde pruik af. Een paar mensen staarden naar me toen ik de haarband aftrok en mijn echte haar losschudde, en ik glimlachte naar hen. De andere inzittenden, die waarschijnlijk in Londen woonden, lieten zich geen moment van de wijs brengen en bleven nonchalant naar niets in het bijzonder kijken.

Op King's Cross namen we de Stansted Express, want we gingen ervan uit dat ze niet elk groot vliegveld rond Londen in de gaten konden houden en hoopten dat ze niet samenwerkten met de Britse politie, want we hadden uiteraard geen tijd gehad om valse paspoorten te bemachtigen.

Bij de balie van de luchtvaartmaatschappij haalde ik een stapel bankbiljetten tevoorschijn. 'Twee tickets voor de eerstvolgende vlucht naar Sicilië, alstublieft.'

HOOFDSTUK DERTIEN

Het was vreemd om weer op het vliegveld van Palermo te arriveren. De laatste keer dat ik daar was, was op de terugweg van onze noodlottige vakantie, slechts één dag na het gerechtelijk onderzoek. De uitspraak was 'onopzettelijke verdrinking' geweest. Ik had thuis een map met belangrijke documenten erin, zoals onze huwelijksakte. Ik had gedacht dat ik daar op een dag de geboortebewijzen van onze kinderen bij zou doen. Maar in plaats daarvan kreeg hij gezelschap van Charlies overlijdensakte.

Ik wist nog dat ik in de hal had zitten wachten tot onze terugvlucht werd omgeroepen; ik had het gevoel gehad dat er een dikke glazen muur om me heen stond die elk geluid en elk gevoel dempte. Om me heen ging het leven door. Zakenmensen en vakantiegangers keken op de klokken, kochten belastingvrije artikelen en aten iets bij de restaurants. Ik keek naar ze vanuit mijn glazen bol en vroeg me af waarom de hele wereld niet tot stilstand was gekomen.

Luke en ik stonden in de rij voor de beveiliging en ik zag dat hij het zich ook herinnerde. Hij sloeg een arm om me heen en kneep geruststellend in mijn schouder. 'Het is goed,' zei hij. 'We zijn zo weg.'

'Je begrijpt het niet,' zei ik met een misselijk gevoel. 'Alles zal zo zijn. Alles.'

We huurden een auto van dezelfde maatschappij waar Charlie en ik die van ons vandaan hadden en bleven op de parkeerplaats even staan.

'Ik denk dat we eerst naar die Cesare moeten,' zei Luke.

'O, ja?' zei ik. 'Niet naar de politie?'

'Als je gelijk hebt en er inderdaad iets verdachts was aan Charlies dood, moet de politie daarbij betrokken zijn. Misschien kunnen we van Cesare wat plaatselijke informatie krijgen.'

'Goed dan,' stemde ik in, met meer vastberadenheid dan ik voelde. 'Op naar San Giordano.'

De hemel was prachtig azuurblauw, met maar een paar wazige wolkjes helemaal bovenin. Het was warm, maar niet drukkend warm, en een zacht briesje schudde de bladeren van de palmbomen langs de weg. Het was een hele rit midden over het eiland om bij het dorpje te komen waar Charlie en ik een dag met Cesare en de Crestenza's hadden doorgebracht. Luke duwde op de knopjes van de radio, op zoek naar een zender die geen Italiaanse liedjes of Europop ten gehore gaf. Uiteindelijk vond hij er een waarop ze Puccini speelden, en het klagende geluid van 'Un bel dì, vedremo' vulde de auto.

'Je kunt net zo goed proberen wat te slapen,' zei hij. 'We zijn wel een paar uur onderweg.'

'Nee,' zei ik. 'Ik wil erbij blijven.'

De rit over de stoffige weg tussen de donkergroene heuvels bracht Charlie weer terug. Na anderhalf uur begon ik de omgeving te herkennen.

'Die kerk heb ik eerder gezien,' zei ik tegen Luke, en ik draaide me om in mijn stoel om nog eens goed te kijken. Ik moet toegeven dat alles een beetje door elkaar liep vanwege het feit dat we nog geen vierentwintig uur geleden in Miami en vijf uur geleden in Londen waren geweest en nu alweer op Sicilië zaten. Ik begon me af te vragen of ik soms in een koortsachtige droom was beland die was begonnen toen ik de deur opendeed voor de man van de bloemist op de dag dat Charlie een jaar dood was. Misschien kon ik elk moment wakker worden en merken dat er helemaal geen foto was, geen waarschuwing van een vreemde in een hotelbar, geen kans op iets anders dan dat Charlie een doodgewone, ongelukkige, maar onopmerkelijke dood was gestorven.

Ik stak mijn hand in de mouw van mijn shirt, krabde hard over mijn arm en merkte dat de pijn scherp en heel echt was.

'Wat doe je nou in godsnaam?' vroeg Luke, terwijl hij mijn arm wegtrok van mijn hand.

'Ik wilde alleen even zeker weten dat ik echt hier ben,' zei ik tegen hem. 'Daar! Daar is de afslag.'

Ik herinnerde me de jurk die ik die dag gedragen had en hoe Charlie eruit had gezien in zijn witte shirt en met de wind in zijn haar, die zijn overhemdmouwen deed opbollen. Het was bijna alsof hij bij ons in de auto zat, een spookachtige, half doorzichtige gedaante die over Luke heen viel. Met een oog dicht zat Luke daar. Dat oog dicht en het andere open, en het was Charlie.

Er stond een bordje met de naam van het stadje, SAN GIORDANO. We reden het plein op, stapten uit en er was helemaal niets veranderd. Ik draaide me om en ja hoor, daar zat ze, dezelfde oude vrouw over wie Charlie voor de grap had gezegd dat ze beschikbaar behoorde te zijn voor elke film waarin een rimpelige Italiaanse weduwe voorkwam.

'Er zijn geen andere wegen,' zei Luke. 'Dus tenzij we terug moeten, zijn we verkeerd gereden naar het huis van die Cesare.'

'Ik weet niet hoe we met de auto van hier naar daar moeten komen,' gaf ik toe. 'De vorige keer hebben we gelopen.'

Luke stak zijn arm door het open portier en haalde zijn zonnebril van het aflegvak in het dashboard. Hij deed de auto op slot en lachte me vreugdeloos vanachter de donkere glazen toe.

'Gaat u voor, mevrouw,' zei hij.

Ik liep dezelfde richting uit die we een jaar eerder hadden genomen. Toen we langs de donkere bar kwamen keek ik even door het raam, alsof ik als ik goed genoeg keek Charlie zou kunnen zien, die nog steeds aan het tafeltje zat te wachten en water zat te drinken.

Het veld vol lang, droog gras zag er precies zo uit als een jaar eerder: groen en goud met felle rode vlekken waar de papavers opschoten tussen de grasstengels. Charlies geest zweefde voor ons uit in zijn spijkerbroek en witte shirt en liet zien waar we heen moesten. Er sprongen tranen in mijn ogen en ik wilde dat ik eraan gedacht had mijn zonnebril mee te nemen zodat Luke niet kon zien dat ik van streek was. Maar ook zonder naar mijn gezicht te kijken liet hij zijn hand in de mijne glijden en kneep erin toen we naar het olijfbomenbosje omhoogliepen.

We waren halverwege het pad door het bosje toen de achterdeur van de boerderij openging en er een man naar buiten kwam. Ondanks de hitte droeg hij een donkerblauw pak en hij stak zijn hand in zijn binnenzak toen hij ons zag. Achter hem kwam Cesare het huis uit en hij zag er veel relaxter uit in een overhemd met opgerolde mouwen. Hij tuurde naar ons, legde een hand op de arm van de andere man en kwam toen met een glimlach en gespreide armen naar me toe.

'Katerina!' zei hij toen hij bij me was. Hij greep mijn armen boven de ellebogen en trok me naar zich toe voor de drievoudige Italiaanse kus. 'Wat doe jij hier?'

'Dat is een lang verhaal,' zei ik. 'Mogen we binnenkomen?'

Het was koel in de boerderij na de Siciliaanse middaghitte. Cesare bracht ons naar de keuken, zette koffie voor ons en vertelde me hoe erg hij het vond van Charlie. Ik zei dat Luke en ik hadden geprobeerd contact met hem op te nemen nadat Charlies lichaam was gevonden, maar dat de boerderij er leeg en afgesloten bij had gestaan.

'We waren op vakantie,' zei hij. 'Ik hoorde pas wat er gebeurd was toen we een paar weken later terugkwamen. Het spijt me enorm dat ik er niet voor je kon zijn, Katerina. Maar wat kom je nu op Sicilië doen? Ik begrijp niet waarom je hier ooit nog zou willen komen.'

Ik sloeg het begin van onze reis over en vertelde Cesare alleen dat ik was gevolgd door een paar mannen en dat een van hen me had gewaarschuwd niet naar details te graven over wat er met Charlie gebeurd was.

'Ik weet niet of ik je wel begrijp,' zei Cesare. 'Ik heb gelezen dat Charlie is verdronken. Dat ze – hoe noemen jullie dat – valse opzet hebben uitgesloten.'

'Kwade opzet,' corrigeerde Luke. 'Dat is wat de patholoog heeft gezegd. Een typisch geval van verdrinking.'

Ik keek Luke boos aan. Wat hadden we daaraan? Cesare fronste slechts.

'Er kan worden geknoeid met het rapport van een patholoog,' zei ik. 'Ik denk dat de politie iets verbergt.'

'De politie?' herhaalde hij.

'Het spijt me als ik je beledig,' zei ik, 'maar Sicilië heeft nogal een reputatie als het om corruptie gaat.'

Cesare zette zijn koffiemok met een klap op de houten tafel.

'Twintig jaar geleden woedde er een territoriale oorlog in mijn land,' zei hij. 'Veel Sicilianen zijn daarbij omgekomen. Die behoorden niet allemaal tot de *cosa nostra*. Er zijn veel aanslagen gepleegd op rechercheurs, mannen die de taak hadden deze misdadigers achter de tralies te krijgen. Ze waren niet corrupt, Katerina. Het waren eerlijke mannen en ze stierven omdat ze hun werk deden.'

'Het spijt me,' zei ik.

'Een eindje die weg af,' zei hij boos gebarend, 'bevindt zich het graf van Armando Graziani, die begraven is door mijn kerk. De oudere broer van Eduardo Graziani. Hij is op zijn tweeënveertigste overleden, vermoord omdat hij zich niet liet omkopen. Eduardo is net als hij. Geloof me, Katerina, er is niet genoeg geld op deze wereld om hem ertoe te brengen een moord in de doofpot te stoppen. Als hij zegt dat het een ongeluk was, was het ook een ongeluk.'

Luke en ik stapten in onze huurauto en staarden door de voorruit zonder iets te zien.

'Als het Graziani niet was, moet het de patholoog geweest zijn,' zei ik.

Luke sloot gefrustreerd zijn ogen. 'Bianchi?' zei hij, en het ongeloof droop van elke lettergreep.

'We moeten het dossier lezen. Laten we naar Graziani gaan. Als Cesare gelijk heeft, zal hij ook niet willen dat er iets in een doofpot verdwijnt.'

Luke schudde zijn hoofd en startte de auto. We vertrokken uit San Giordano.

'Het spijt me, maar daar kan geen sprake van zijn,' zei Graziani. We zaten in zijn kantoor in het politiebureau. Hij was nog precies dezelfde man als een jaar eerder; wit haar en witte snor, walnootbruine huid, lichtroze overhemd met korte mouwen. Hij zag er niet corrupt uit, moest ik toegeven. Hij leek een vriendelijke man, een man met vrouw en kinderen. Hoewel ik minstens één zo'n man had gekend die met plezier iedereen die hem tekortdeed een kogel door zijn knieschijf schoot.

Ik verschoof op mijn stoel bij de onbehaaglijke gedachte aan de vorige keer dat ik daar gezeten had en Graziani had horen vertellen dat het lichaam van mijn man waarschijnlijk onherkenbaar zou zijn. Nu ik terug was op Sicilië, had ik het gevoel dat de afgelopen twaalf maanden van rouw en herstel er helemaal niet geweest waren.

'Maar het is het dossier van mijn man,' drong ik aan. 'Ik heb het recht het in te zien.'

'Het is vertrouwelijk. Het dossier is eigendom van de politie.'

'Wat probeert u te verbergen?' Ik kwam overeind als een slang die op het punt stond aan te vallen.

Luke, die naast me zat, legde een waarschuwende hand op mijn arm. Na een paar tellen kalmeerde de druk me en ging ik weer zitten.

'Ze heeft een punt,' zei Luke tegen Graziani. 'Alles in het dossier zal immers behandeld zijn bij het vooronderzoek? Wat kan het voor kwaad dat ze het inziet?'

Graziani leunde achterover in zijn bureaustoel en tikte met een pen tegen zijn onderlip.

'Waarom wilt u het dossier inzien?' vroeg hij. 'Zoals u zegt, is alles wat erin staat immers al bij het vooronderzoek naar voren gekomen.'

'Dat gelooft hij misschien,' zei ik, 'maar ik niet.'

Graziani legde de pen op het bureau. 'Ik doe dit werk al dertig jaar, signora Benson. Ik heb nog nooit smeergeld aangenomen, heb zelfs nog nooit een gratis kop koffie aangenomen in een café. En dan denkt u dat u me ervan kunt beschuldigen te liegen over een politierapport? Terwijl u zelf uit een land komt waar mannen en vrouwen geslagen werden tot ze moorden bekenden die ze niet hadden begaan, alleen omdat ze Iers waren en goede verdachten? Of uw land, signore Broussard, waar ze processen naar blanke districten overhevelen zodat een politieman onschuldig kan worden bevonden aan het slaan van ongewapende zwarte mannen, ook al staat het op film?'

'Hoho, als we het over mensenrechten gaan hebben, wat dacht u dan van...'

Dit keer was ik het die Luke onderbrak.

'Oké, misschien heeft geen van onze landen een onbevlekt blazoen als het op eerlijke agenten aankomt,' zei ik. 'Maar ik weet alleen dat hier iets niet klopt. Ik word gevolgd door mannen die willen dat ik naar huis ga en doe alsof er niets is gebeurd. Nou, ze kunnen naar de hel lopen. Ze zouden me niet waarschuwen als er niets te ontdekken viel. Misschien was u het niet, misschien was het de politie niet, maar er is iets gebeurd met mijn man, iets anders dan bij het vooronderzoek naar voren is gekomen, en ik peins er niet over dat allemaal maar te vergeten omdat u iets te mekkeren hebt over de gratis koffie die u gemist hebt. Geef me verdomme dat dossier.' Ik glimlachte liefjes. 'Alstublieft.'

Graziani mompelde wat Siciliaanse verwensingen, schoof zijn stoel achteruit en liep weg.

'Denk je dat die tirade heeft geholpen?' fluisterde Luke.

'Anders is hij de pepperspray en een knuppel gaan halen,' fluisterde ik terug. Ik hield mijn vingers gekruist.

Een paar minuten later kwam Graziani terug met een map in zijn rechterhand. Hij legde hem voor me op zijn bureau.

'Dat is het origineel,' zei hij. 'Het komt niet buiten dit kantoor. In die hoek staat een kopieerapparaat als u een kopie wilt maken, en u kunt gebruik maken van die computer daar. Die heeft een internetverbinding voor als u Italiaanse woorden tegenkomt die signore Broussard niet kan vertalen.'

'Dank u.' Ik moest de neiging onderdrukken in zijn wangen te knijpen en hem te zoenen. 'Het spijt me dat we zo onbeleefd tegen u waren. Dat was onnodig. Dank u zeer dat u ons dit laat zien.'

Hij haalde zijn schouders op. 'Er staat niets nieuws in, signora Benson. Ik geloof niet dat u me ergens voor hoeft te bedanken.'

Twee uur later zat ik achter een leeg bureau in de open kantoorruimte en deed ik het dossier met een zucht dicht. Op de voorkant van de map was niets anders te lezen dan BENSON, CHARLES, geschreven op het etiket in blauwe markeerstift. Luke, die naast me zat, masseerde mijn schouders.

'Weet je, het was de moeite waard,' zei hij.

'O, ja?' Ik lachte. 'Wat verwachtte ik nou te vinden, een autopsierapport waarin 'doodsoorzaak: kogelwond' was doorgestreept, waarna er 'verdrinking' voor in de plaats was gezet? Jezus christus, Luke, wat doen we hier eigenlijk?'

'We zijn hier voor Charlie,' zei hij in mijn oor. 'We zijn het hem verplicht dit te controleren. Het heeft niks opgeleverd, en misschien is dat maar goed ook. Je wilt er toch niet echt achter komen dat hij vermoord is, of wel soms? Zou dat niet erger zijn dan een ongeluk?'

'Ik weet het niet,' zei ik mismoedig. 'Dan kon ik tenminste iemand de schuld geven.'

'Dan had je iemand om wraak op te nemen, bedoel je,' zei hij. 'Kom op, we gaan. We moeten een hotel zoeken.'

'We logeren in Hotel Ricci,' zei ik.

'O ja?' zei hij verrast. 'Kate, waarom wil je daar in godsnaam weer naartoe?'

'Daar is het gebeurd. Daar is hij in ieder geval vermist geraakt. Ik wil niet naar huis zonder alles geprobeerd te hebben. Hoor eens, ik besef dat het slechts een kwestie van tijd is voor die kerels thuis beseffen dat ze Samantha en David in de gaten houden, maar hopelijk zijn wij dan alweer weg. Ik wil Sofia spreken en misschien de mensen die daar werken een paar vragen stellen, vragen die we toen niet gesteld hebben omdat we niet wisten dat dat moest.'

'Zoals?' vroeg Luke. '"Heb je soms gezien dat iemand signor Benson op het hoofd sloeg met een steen en hem de zee in sleepte?" "O ja, inderdaad. Sorry dat ik dat niet eerder heb gezegd. Als u het gevraagd had..."'

'Dat is niet grappig,' zei ik. 'Wat lig je toch dwars.'

'Dwars?' herhaalde hij. 'Dat meen je toch niet? Ik ben je van Londen naar Miami gevolgd, van Miami naar Londen en van Londen naar Sicilië, alleen omdat jij een man op een foto zag die op Charlie leek.'

'Daarom zijn we niet hier.' Nu was ik boos. 'We zijn hier omdat een volslagen vreemde me in een hotelbar heeft aangesproken en me heeft gezegd op te houden met graven naar wat er met Charlie is gebeurd.'

'Dat zeg jij.' Luke keek weg.

'Hoe bedoel je dat?' Ik greep hem bij de arm.

'Niets, laat maar.' Hij hief zijn handen om me af te weren.

'Nee, ik laat het niet. Wil je zeggen dat ik lieg over die man in de bar?'

'Ik heb hem niet gezien, Kate. Het spijt me. Voor zover ik weet heb je hem verzonnen zodat ik met je mee zou gaan naar Sicilië. Kunnen we hier nou over ophouden? In Charlies dossier staat precies wat ze ons bij het vooronderzoek hebben verteld. Er is geen groot geheim, geen grote samenzwering. Hoe lang blijven we zoeken voor we aanvaarden dat er niets te vinden is?'

'Maar die mannen dan die ons in Londen zijn gevolgd?' vroeg ik ongelovig. 'Die heb je wel zelf gezien.'

'Misschien zijn het privédetectives,' zei Luke. 'Misschien heb je een relatie met een getrouwde vent waar ik niets vanaf weet en heeft zijn vrouw ze ingehuurd. Of misschien heb je ze zelf opdracht gegeven om me over te halen mee te gaan.'

Ik keek hem even aan en toen sloeg ik hem hard in zijn gezicht. Hij liet me begaan en probeerde niet de klap af te weren of me tegen te houden. Ik maak er geen gewoonte van om mijn vrienden te slaan en het gevoel van mijn stekende hand herinnerde me eraan dat ik een jaar eerder ons appartement in was gelopen in de wanhopige verwachting Charlie daar te vinden, om in plaats daarvan Luke aan te treffen.

'Het spijt me,' wilde ik zeggen, maar hij schudde zijn hoofd en liep weg.

Ik kocht een Italiaans-Engels woordenboek in de plaatselijke boekwinkel en nam een taxi naar het hotel. De chauffeur probeerde een gesprek met me aan te knopen, maar gaf het al snel op, waarschijnlijk meer door mijn gezicht dan door de taalbarrière. Ik herkende de man bij de receptie die me welkom heette in Hotel Ricci niet, maar de barman die door de lobby liep, zag me staan en vertelde aan de rest van het personeel dat de Engelse vrouw wier man was overleden terug was.

Ik vroeg om appartement 217, hoewel ik niet goed wist wat ik daar na een jaar nog verwachtte te vinden... misschien een geheime gang of een boodschap onder een losse vloerplank. Toen de receptionist me vertelde dat appartement 217 niet vrij was, was ik stiekem opgelucht. Het was geen plek waar ik echt naar terug wilde.

Hij gaf me in plaats daarvan de sleutel van nummer 225. 'Het is net zo mooi, met hetzelfde decor en even groot,' zei hij.

'Prima,' zei ik. 'Werkt Sofia hier nog?'

Hij schudde zijn hoofd. 'Nee, ik geloof dat ze vorige zomer is weggegaan.'

Ik vroeg me af of de dood van een gast iets te maken had gehad met haar besluit om weg te gaan, maar al was dat zo, dan zou hij me dat waarschijnlijk niet vertellen. Plotseling miste ik haar vreselijk. Ze was een vriendin geweest toen ik er een nodig had. Ik had haar begrip en praktische steun op dit moment wel kunnen gebruiken.

Appartement 225 was aan de andere kant van het pad, maar verder was het identiek aan nummer 217. De gordijnen hadden dezelfde blauwe, witte en crèmekleurige strepen, de tv was van hetzelfde merk en ik ontdekte al snel dat de douchekop ook hier lekte. Het enige verschil tussen dit appartement en het appartement dat ik met Charlie had gehad, was dat dit wit geschilderd was in plaats van magnolia en dat de plattegrond gespiegeld was, zodat de deur naar het terras aan de linkerkant van de kamer was in plaats van de rechterkant en de badkamer zich in de noordwestelijke hoek bevond in plaats van de noordoostelijke hoek. Nadat ik gedoucht had, stond ik me voor de beslagen badkamerspiegel af te vragen of ik terug zou kunnen klimmen naar mijn oude leven, weg van deze weerspiegelde wereld, dit parallelle universum waarin ik de helft van mezelf was kwijtgeraakt.

Ik ging met een handdoek om op het bed zitten en wist niet wat ik nu moest doen. Ik was nog steeds woedend op Luke en dat leidde me zo af dat ik de volgende stap niet kon uitdokteren. Zou hij me volgen naar het hotel of zat hij nu in een vliegtuig naar Londen? Hoe kon hij denken dat ik dit allemaal verzon? Ik had nog nooit tegen hem gelogen. *Dat is niet waar*, vermaande mijn geweten, dat een herinnering naar boven bracht aan de keer dat ik hem vanuit het ziekenhuis had gebeld en hem had verteld dat ik een week op bezoek ging bij vrienden. *Oké*, verduidelijkte ik, *ik heb nooit tegen hem gelogen over dingen waar hij iets mee te maken had*. Hij had in ieder geval niet het recht om te suggereren dat ik iets zou hebben met iemand anders, laat staan een getrouwde man. Alsof ik Charlie ooit zou bedriegen. Luke was gewoon een schoft en ik kon hem missen als kiespijn. Nu kon ik tenminste doen wat ik moest doen zonder hem voortdurend te moeten overtuigen.

En wat moest ik dan doen? Alles wat ik had, was de overtuiging dat er meer achter Charlies dood zat en dat hij niet per ongeluk verdronken was, en dat kwam door de man met de bril uit de jaren vijftig in de bar van het Moonlite Hotel. Wat had hij ook alweer tegen me gezegd? 'Vergeet Charles Benson en houd op vragen te stellen. Als u stenen blijft omkeren, komt u uiteindelijk een schorpioen tegen.' Hij impliceerde dat ik gevaar liep als ik bleef graven en ik had aangenomen dat hij bedoelde dat iemand iets te verbergen had, iets wat hij desnoods met geweld zou beschermen. Was Charlie vermoord omdat hij iets te weten was gekomen? En zo ja, wat was het dan? Iets over een moord? Ontrouw? Een politiek schandaal of zo?

Wat ik niet begreep, was waarom Charlie me niets verteld had als hij zoiets schokkends had gezien of ontdekt. Het klopte gewoon niet. Het antwoord moest zijn dat hij de betekenis van de informatie die hij had verkregen niet had begrepen, dat iemand had aangenomen dat hij een risico vormde terwijl hij in werkelijkheid geen idee had gehad dat hij iets had gezien of te weten was gekomen wat hij niet mocht zien of weten.

Met deze gedachtegang kwam ik nergens. Ik richtte mijn aandacht op de geheimzinnige man zelf. Wat wist ik over hem? Hij leek een jaar of vijfenvijftig. Hij was goed gekleed, in een simpel pak. Ik was geen kenner van designkleding, maar het had er niet erg duur uitgezien. En ook niet goedkoop. Dus hij had een fatsoenlijk salaris, maar geen geld om zich te buiten te gaan aan maatpakken. Zijn accent was Amerikaans, maar niet een van de opvallendste varianten; niet het lijzige van Boston, het nasale van het zuiden of het staccato van Brooklyn. Midden-Westen misschien? Westkust? Luke zou het waarschijnlijk hebben herkend, maar Luke was er niet bij geweest, zoals hij zo puntig had opgemerkt.

Wat verder? Hij had een trouwring om, dus hij was getrouwd of deed alsof. Misschien was het zo'n man die zijn ring omhoudt, ook al heeft zijn vrouw hem al jaren geleden verlaten. Ik probeerde me een vrouw voor te stellen bij brillenmans en zag er een in een roze twinset die enthousiast praatte over een nieuw arbeidsbesparend apparaat dat een vaatwasser heette.

Terug naar het pak. De mannen die ons waren gevolgd, hadden ook een pak gedragen. Dus het waren geen privédetectives, want die zouden willen opgaan in de omgeving. Ik stak een denkbeeldige vinger op naar Luke, waar hij ook mocht zijn. Wat een sukkel; Amerikanen in pak en hij wil me laten geloven dat het privédetectives zijn. Ja, hoor. Maar wie droeg er anders regelmatig een pak? Zakenmensen. Juristen. Politici. Mensen van de geheime dienst (maar ik had de president niet gezien). Politierechercheurs. En die zouden geen van allen en masse naar Londen trekken om ons in de gaten te houden en dat ons heel goed duidelijk maken.

Zo kwam ik nergens. Ik pakte mijn tas en haalde er een kopie uit van het dossier die ik na Lukes vertrek uit het politiebureau had gemaakt. Omdat ik niet wist wat nuttig zou kunnen blijken, had ik elke bladzijde gekopieerd. Het had me meer dan een uur gekost.

Ik ging in kleermakerszit weer op het bed zitten met de vellen papier voor me uitgespreid. Ik was vastbesloten elke bladzijde nog eens grondig te bekijken en me volledig te overtuigen van de authenticiteit ervan voordat ik overging naar de volgende, maar mijn blik bleef naar de stapel foto's van de autopsie dwalen. De kwaliteit van het kopieerapparaat was prima voor tekst, maar de kleurenfoto's waren vlak en onduidelijk in zwart-wit. Ik pakte een A4-vel op en staarde naar de foto van het gezicht van mijn man. Toen Luke en ik zijn lichaam hadden geïdentificeerd waren zijn ogen dicht geweest, maar de foto's waren minder genadig. Charlies rechteroog was dof als een gespoeld stuk gekleurd glas dat ondoorzichtig was geworden door de zee. Waar zijn linkeroog had moeten zitten, zag ik slechts een lege kas. Ik legde de foto op zijn kop en schoof hem weg. Ik moest me vermannen om mijn tranen te bedwingen. Mijn man had zulke mooie ogen gehad, als gloeiende stukken saffier, als de Indische Oceaan.

Het had zo oneerlijk geleken om hem te moeten verliezen. Waarom hij, waarom wij? Waarom kon het niet iemand zijn van wie minder werd gehouden, iemand die een dergelijke wreedheid meer verdiende? Maar als het geen ongeluk was, had zijn dood in ieder geval betekenis. Als iemand het bewuste besluit had genomen dat hij van de aardbodem moest verdwijnen, hoefde ik nu alleen maar die persoon te vinden en voor hem dezelfde beslissing te nemen als hij voor Charlie had genomen.

Met hernieuwde vastberadenheid nam ik elke pagina van het rapport meerdere malen door. Ik nam de tekst in me op en bewaarde die in mijn geheugen. Ik was er uren mee bezig. Toen ik eindelijk klaar was, was mijn haar droog en weigerden mijn ogen nog scherp te zien. Ik had niets ontdekt waar ik iets aan had. Ontmoedigd en plotseling uitgeput keek ik op mijn horloge en zag dat het bijna middernacht was. Ik had niet eens de energie om mijn tanden te poetsen, mijn handdoek af te doen en onder de dekens te kruipen. Ik sliep en droomde over mannen in pakken met doffe ogen.

Toen ik zeven uur later wakker werd, koud en ineengedoken boven op het beddengoed, was ik volslagen gedesoriënteerd. Mijn halfwakkere hersenen zagen het licht door de gestreepte gordijnen vallen en roken de vertrouwde geur van het waspoeder dat ze hier voor het linnengoed gebruikten, en even was ik weer op het Sicilië van een jaar geleden en wachtte ik tot Charlie terug zou komen van de zee. Er was nog tijd, er was nog hoop. En toen kwamen de verdere herinneringen aan het lijkenhuis, de begrafenis, het lege leven.

Ik kreunde, wendde me af van het door de zon verlichte raam en sloot mijn ogen in de hoop dat de laatste twaalf maanden zouden verdwijnen en ik nog heel even kon doen of Charlie elk moment binnen kon komen.

Het eerste wat ik zag toen ik mijn ogen weer opendeed waren twee fotokopieën van het autopsierapport. Onder aan elke bladzijde had de laserprinter automatisch de tijd opgetekend waarop hij afgedrukt was. '10:15, 22 Agosto' las ik op de ene. '13:10, 25 Agosto' stond op de andere.

Ik kwam met een ruk overeind en greep de vellen papier om nog eens te kijken. Op pagina negen van het rapport stond beslist een andere tijd en datum dan op pagina acht.

Ik legde de drie bladzijden op volgorde en mijn blik ging langs de onderkant van elk. 'Goeie god,' zei ik tegen mezelf.

Het autopsierapport was twee dagen nadat het voor het eerst was afgedrukt gewijzigd. Maar wat had er voor de 25e augustus in godsnaam op pagina negen gestaan? En wie had het veranderd?

HOOFDSTUK VEERTIEN

Dokter Sabrina Bianchi arriveerde om 08:16 uur bij het vierkante, lelijke lijkenhuis. Ik zat aan de andere kant van het plein in een café dat me al sinds halfacht die ochtend koffie met melk serveerde. Ik zat op zijn zachtst gezegd boordevol cafeïne en toen ik de patholoog in haar snelle zilverkleurige auto aan zag komen rijden, was ik het café al bijna uit voordat ik eraan dacht dat ik nog niet betaald had.

Ik gooide wat euro's op het tafeltje, rende de weg over en onderschepte Bianchi voordat ze de kans had de deur naar haar kantoor open te maken, dat officieel pas om negen uur opengingen.

Ze had nog geen dokterskleding aan en droeg een stijlvol broekpak en een heleboel gouden sieraden. Ze had geen donkere uitgroei meer; door de professionelere kleuring leek ze nu een natuurlijke blondine, ondanks haar bruine wenkbrauwen en diepbruine ogen.

'Dokter Bianchi?' zei ik toen ik bij haar stond.

'Si?' antwoordde ze zonder echt naar me te kijken. Ze draaide haar pols, keek op haar horloge en zag dat ze inderdaad nog vijfenveertig minuten had voordat ze mij of iemand anders te woord hoefde te staan.

'Mooie auto,' zei ik met enige nadruk. Toen keek ze me eindelijk aan en ik zag dat ze me herkende. Maar ze maakte de fout om te doen alsof ze niet wist wie ik was, terwijl verdronken toeristen zeldzaam genoeg moesten zijn om onaannemelijk te maken dat ze me een jaar later al vergeten was.

'Ik ben de weduwe van Charles Benson.' Ik friste haar geheugen op met een glimlach die de persoon tegen wie hij gericht is heel doeltreffend laat weten dat je hem helemaal door hebt. 'U hebt afgelopen augustus sectie op hem verricht.'

Ze fronste alsof ze het zich probeerde te herinneren.

'Hij was verdronken,' zei ik.

'O, natuurlijk, signora Benson. Het spijt me, wat kan ik voor u doen?'

'Mag ik even binnenkomen?' Ik wees op de glazen deur naar de receptie.

'O...' Ze keek om zich heen, misschien in de hoop dat er een collega zou komen opdagen die haar kon redden, maar we stonden alleen in de straat. 'Zeker, komt u binnen.'

De benedenverdieping van het mortuarium was erop gericht de betreder een aangenaam gevoel te bezorgen, precies zoals ik me herinnerde; zacht tapijt, lichthouten meubels, subtiele kleuren, abstracte afbeeldingen in aluminium lijsten. Bianchi typte een code in voor het alarmsysteem en deed de deur weer achter ons op slot.

'Mijn kantoor is hier beneden,' zei ze. Ik volgde haar door een gang met beige wanden naar een even nietszeggende werkkamer. De felle ochtendzon weerkaatste tegen de muren en ze stelde de jaloezieën bij om het licht buiten te sluiten. Er vielen stroken schaduw over haar gezicht.

'Wat kan ik voor u doen, mevrouw Benson?' Ze vermeed mijn blik door haar post en de andere papieren op haar bureau door te kijken. Toen ik klein was, had mijn vader me alles geleerd wat hij wist over het doorgronden van mensen en ik zocht naar microtrekjes, gezichtsuitdrukkingen die een fractie van een seconde voorbijflitsen voordat ze onderdrukt worden. Slechts een klein percentage van de bevolking merkt ze met enige regelmaat op, maar het feit op zich dat ik ernaar uitkeek, vergrootte mijn kansen.

'Graziani heeft me gisteren een kopie gegeven van het autopsierapport van mijn man,' zei ik. Ik merkte dat het haar niet aanstond dat ik hem gewoon Graziani noemde, zonder rechercheur of signore ervoor. Ze vroeg zich vast af waar dat gebrek aan respect vandaan kwam. Ik ging er niet op door, maar liet haar erover nadenken.

Ze had haar benen gekruist en duwde de stilettohak van het achterste in het tapijt. 'Ja?' zei ze uiteindelijk.

'Ik hoopte dat u me kon vertellen waarom u het hebt veranderd.'

We keken elkaar over haar bureau heen aan.

'Ik kan me niet herinneren dat ik er iets in veranderd heb,' zei ze behoedzaam.

Ik legde mijn exemplaar van het rapport voor haar neer, op haar glanzend gewreven bureau, en tikte met mijn vinger op pagina negen.

'U hebt een verandering aangebracht op deze pagina.'

Ze bekeek hem alsof ze zich probeerde te herinneren wat ze veranderd kon hebben.

'Het spijt me, maar ik denk dat u zich vergist. Dit lijkt me allemaal accuraat.'

Ik wees naar de door de printer genoteerde datum op pagina acht, toen naar de afwijkende datum op pagina negen, en vervolgens naar de oude datum op pagina tien.

Bianchi keek opgelucht en glimlachte zelfs even. 'Dat kan van alles zijn geweest. Vellen papier die vast zijn komen te zitten in de printer. Of misschien heb ik een typefout gecorrigeerd.'

'Wat wordt er op deze bladzijde behandeld?'

'Ik begrijp u niet.'

'Wat wordt er gezegd over het lichaam?'

'Natuurlijk, u spreekt geen Italiaans.' Ze keek nog gelukkiger bij dat nieuws en ik vertelde haar niet dat ik de bladzijde al vertaald had. Ik hoopte dat ze met opzet iets zou vergeten terwijl ze hem voorlas, omdat ik dan zou weten dat het weggelaten punt belangrijk was.

Ze pakte de negende bladzijde op. 'Maaginhoud...' vertaalde ze terwijl haar ogen over het vel papier gingen. 'Rode wijn. Gedeeltelijk verteerde pasta. Tomatensaus. Geen spoor van gif of narcotica. Wijst erop dat het slachtoffer een paar uur na zijn maaltijd is overleden. Inhoud van de dunne darm... volledig verteerd voedsel. Geen gifstoffen aanwezig.'

Bianchi keek weer naar me op. Ze had het precies zo vertaald als ik. 'Hebt u op de dag van de vermissing met uw man geluncht?' vroeg ze.

Ik knikte.

'En heeft hij pasta met pomodorosaus gegeten en rode wijn gedronken?'

Ik knikte.

'Dan begrijp ik niet wat het probleem is. Ik heb niets verdachts in zijn lichaam aangetroffen.'

Haar mahoniebruine ogen keken in de mijne en weigerden weg te kijken. Ze was niet langer in de verdediging, omdat ze er nu zeker van was dat ik niet wist welk aandeel zij had gehad in het verhullen van wat er met Charlie was gebeurd. Ik zou meer druk moeten uitoefenen.

'Mijn man is vermoord,' zei ik botweg.

Bianchi lachte, een beetje te hoog. 'Mevrouw Benson, u hebt het mis. Ik heb de sectie gedaan. Alle bewijzen wezen op verdrinking.' Haar goed gemanicuurde handen bleven op de armleuningen van haar stoel liggen. Er wordt wel gezegd dat mensen onbewust op de een of andere manier hun mond of hun gezicht verhullen als ze liegen, maar pa had me geleerd dat het tegendeel waar was. Mensen die je willen overtuigen van een leugen lijken open en eerlijk en doen een bewuste poging niet door hun lichaamstaal te verraden dat ze liegen. Ze zitten stiller en zijn minder expressief dan iemand die de waarheid vertelt.

'U liegt,' zei ik met meer overtuiging dan ik voelde. 'Wat u oorspronkelijk op bladzijde negen van het autopsierapport hebt geschreven, bewees dat er sprake was van moord. Wat had u ontdekt, dokter Bianchi?'

Ze stond op. 'Ik wil dat u vertrekt, mevrouw Benson.' Toen ik geen aanstalten maakte, pakte ze de telefoon. 'Het politiebureau is even verderop,' merkte ze op.

'Prima.' Ik kwam overeind, pakte de pagina's van het autopsierapport van haar bureau en liep haar kamer uit naar de voordeur. Ze legde de telefoon neer en kwam achter me aan om de glazen deur open te maken, zodat ik naar buiten kon. 'U bent dokter,' zei ik toen ik de warme Siciliaanse ochtend weer in liep. 'Hoe hebt u dit kunnen doen?'

Daar was het, dat microtrekje. Even flitste er een schuldige uitdrukking over haar gezicht en ik wist dat ik gelijk had; wat er ook met Charlie gebeurd was, zij was er op een of andere manier bij betrokken.

Ze duwde de deur dicht, sloot me buiten en staarde me door het glas heen aan. Ik liep het plein weer over naar het cafeetje en keek nog even om om te zien of ze nog stond te kijken, maar ze was teruggegaan naar haar kamer. Ik had er op dat moment alles voor willen geven om te kunnen zien wat ze nu deed. Belde ze iemand? Waarschuwde ze iemand dat ik ze op het spoor was?

In het café bestelde ik een cola – ik had genoeg koffie gedronken voor een week – en ging ik weer aan hetzelfde tafeltje zitten. Ik wist niet hoe lang ik had voordat degene die zij beschermde achter me aan zou komen. Bianchi wist iets, daar was ik zeker van, en als ze niet mee wilde werken, moest ik overgaan tot extremere maatregelen.

Ik had een van de prepaid mobieltjes die we in Engeland hadden gekocht in mijn tas. Ik zette hem aan, ontving een 'welkom in Italië'-sms van de plaatselijke provider en toetste uit mijn hoofd een nummer in.

'Ja?' zei een diepe mannenstem.

'Met mij,' zei ik. 'Ik heb hulp nodig.'

Mijn halfbroer Kytell is nogal een opvallende verschijning. Hij is ruim één meter vijfennegentig en zo breed als een hele rij kleerkasten. Hij draagt mouwloze shirts, zelfs als het koud is, om zijn enorme biceps en massieve schouders goed te laten uitkomen. In de winter heeft zijn huid de kleur van chocolademelk en in de zomer is hij donkerbruin, hoewel zijn groenbruine ogen in ieder geval wat blanke genen verraden.

Kytell kwam bij ons wonen toen hij een jaar of tien was en ik zeven. Zijn moeder was overleden en pa had zich over hem ontfermd. Ik besefte op die leeftijd niet dat hij mijn halfbroer was, maar mijn moeder had meteen door dat dit kind van gemengd ras het resultaat was van werkgerelateerde voordeeltjes die mijn vader genoot en ging door het lint. Het maakte niet uit; wat mijn vader zei, gebeurde. Nu ik erop terugkijk, besef ik dat het heel wat was om dit van haar te vragen – om het kind van je ontrouwe partner op te voeden –, maar dat gaf haar nog niet het recht zich op Kytell af te reageren. Ze sloeg hem niet of zo, maar hij kreeg altijd de kleinste portie eten, de laatste keus uit pakken met verschillende soorten ontbijtgranen, afdankertjes terwijl de rest gekleed ging volgens de laatste mode en het armzaligste en meest ongeschikte cadeau met Kerstmis. Voortdurende, kleine steekjes om hem te laten weten dat hij niet zoveel waard was als de rest.

Ook toen al was ik er dol op geweest haar nijdig te maken, en daarom bombardeerde ik Kytell meteen tot mijn lievelingsbroer. Zo begon het tenminste. Ze vond het vreselijk dat hij de eerste was die ik 's morgens gedag zei en dat ik altijd alleen ons tweetjes tekende. Ik ruilde mijn stuk pizza met dat van hem, zodat hij een groter stuk had. Hij leefde op door mijn genegenheid en zijn ware persoonlijkheid kwam tevoorschijn vanachter de muur die hij om zichzelf had opgetrokken. Hij begon te lachen, grapjes te maken, me zijn geheimen te vertellen. Als mijn oudere broers me op de huid zaten, ging hij voor me op de bres staan, hoewel hij in die tijd kleiner was dan zij. Toen we ouder werden, pikte hij me op als ik tot laat uit was gegaan en te dronken of te stoned was om thuis te komen. Toen ik van de chique school waar mijn vader me naartoe had gestuurd geschopt dreigde te worden, ging Kytell met een boeket bloemen langs de hoofdonderwijzeres en probeerde hij haar er met mooie praatjes toe te bewegen mijn straf om te zetten in een schorsing. Toen dat niet werkte – het was een vrouw die niet door zijn intimiderende lijf of donkere huid heen kon kijken – sloeg hij met een moersleutel de voorruit van haar auto in.

Kytell was het enige lid van mijn familie die ik in contact had gebracht met Charlie. Kytell was eerst argwanend; hij was er niet blij mee dat ik was getrouwd met iemand die hij nog nooit had ontmoet. Hij onderwierp Charlie praktisch aan een derdegraadsverhoor, de oudere-broerversie van 'wat zijn je bedoelingen met mijn dochter', maar hoe beter ze elkaar leerden kennen, hoe meer Kytell zag wat ik zag: een goede man.

Toen hij eenmaal wist dat Charlie goed voor me zorgde en dat hij me zou beschermen op dezelfde manier als Kytell al deed, ontspande hij en werden ze echte vrienden.

De deur van het café leek te krimpen toen Kytell zijn enorme lijf door de opening moest wringen. De serveerster keek naar zijn dikke gouden ketting en zijn biceps als meloenen en leek zenuwachtig. Kytell negeerde haar en kwam meteen op mij af. Ik stond op en hij sloeg zijn enorme armen om me heen en tilde me van de grond.

'Voorzichtig, tijger,' zei ik. Hij zette me weer neer en kwam tegenover me zitten. Hij paste maar net in de ruimte tussen onze tafel en de volgende.

'Is alles goed met je?' vroeg hij met zijn zware stem met het Londense accent. Als Kytell praatte, voelde je soms eerder trillingen dan dat je geluid hoorde.

'Prima, alleen kan mijn blaas elk moment knappen. Ik moet al vijf uur plassen.' Ik wees naar het kantoor aan de overkant van het plein. 'Roep me als je een blonde vrouw in een donkergrijs broekpak naar buiten ziet komen. Ze rijdt in de grijze Lexus op de hoek.'

Kytell knikte en zijn aandacht was meteen buiten.

Het was alsof ik na drie dagen zonder slaap in een veren bed wegzonk toen ik eindelijk kon plassen. Ik slaakte een diepe zucht van verlichting. Het leek een eeuwigheid te duren eer mijn blaas leeg was, maar toen ik weer bij mijn tafeltje kwam, zag ik dat Kytell geen millimeter had bewogen sinds ik hem op wacht had gezet.

'Heb je op het vliegveld een auto gehuurd, zoals ik had gezegd?'

Kytell knikte. 'Hij staat buiten. Ga je me nu eens vertellen wat er in godsnaam aan de hand is?'

Ik keek om naar de serveerster, die haar ogen nog steeds niet van Kytells spiermassa kon afhouden. 'Niet hier,' zei ik met een blik op mijn horloge. 'Laten we in de auto gaan zitten. Ze zal zo wel weggaan.'

Kytell zette grote ogen op toen hij de rekening zag. 'Drie Dr. Pepper, twee cola en twee ijsthee?' las hij voor.

'Ky, ik zit hier al meer dan acht uur,' zei ik. 'Wat had je dan verwacht, dat ik één kop koffie zou bestellen en elk halfuur een nipje zou nemen?'

'De volgende keer dat je iemand in de gaten moet houden, moet je wat minder drinken, meer wil ik er niet van zeggen.' Hij haalde zijn schouders op, die omhoogkwamen als twee rotsblokken die uit de grond werden geduwd.

Kytells huurauto was een zwarte Audi met getinte ramen en was van een behoorlijk formaat. We reden hem naar de andere kant van het plein, zetten hem twee plaatsen van Bianchi's Lexus en nestelden ons toen op de comfortabele voorstoelen. Tijdens het wachten vertelde ik mijn broer alles wat er de laatste paar dagen gebeurd was.

Hij nam het allemaal in zich op zonder een enkele vraag te stellen, maar toen ik was uitgesproken vroeg hij hoe ik er zo zeker van kon zijn dat Bianchi tegen me had gelogen.

'De meest voor de hand liggende verklaring is dat er inderdaad een typfout in stond,' zei hij. 'Wat maakt jou er zo zeker van dat er iets sinisters aan de hand is?'

'Ze is bang en schuldig,' zei ik tegen hem. 'Je kent me, Ky. Ik ben niet paranoïde. Je zult me op mijn woord moeten geloven dat ik weet dat ze liegt.'

'Ik geloof je wel,' zei hij met een zucht. 'Maar Luke duidelijk niet. Waar hangt hij trouwens uit?'

'Dat weet ik niet.' Ik keek naar buiten. Tussen de twee gebouwen door kon je net de kust zien en een strook van de donkergroene zee die ik zo haatte. 'Ik heb hem sinds gistermiddag niet meer gezien. Hij zal wel naar huis zijn gegaan.'

Als mijn broer het afkeurde dat Luke me in de steek had gelaten, hield hij dat voor zich. 'Wat is het plan?' wilde hij weten, maar voordat ik de kans had het hem voor te leggen kwam Sabrina Bianchi het kantoor uit.

Ondanks de getinte ramen lieten we ons naar beneden zakken op onze stoelen. We zagen haar naar ons toe komen. Hoewel haar gezicht bedachtzaam stond, liep ze met lange en zelfverzekerde passen, als een model dat met wiegende heupen over de catwalk banjert. Aan haar arm hing een leren handtas met de gouden g van Gucci als gesp. Ze haalde haar autosleutels eruit en de portieren van de Lexus gingen met een piepje open.

Kytell startte de motor van de auto, en toen ze wegreed, reden we voorzichtig de weg op en volgden haar.

'Hou er minstens drie auto's tussen,' zei ik.

'Zeg je dat tegen mij?' grinnikte hij.

'Maar verlies die teef niet uit het oog.'

'Wil jij soms rijden?' vroeg hij.

Bianchi voerde ons naar de rand van de stad en vervolgens gingen we het platteland op. Na een halfuur begon ik me af te vragen of ze wel naar huis ging, maar toen sloeg ze links af, verschenen er huizen langs de wegen en kwamen we in een ander stadje met modernere gebouwen en bredere straten.

Ze gaf gas om een heuvel op te komen en kwam tot stilstand voor een wit gebouw van twee verdiepingen met een hoog hek eromheen. Ze richtte een andere afstandsbediening op het hek, dat openging om haar de oprit op te laten en toen weer achter haar dichtviel. We keken met draaiende motor van een afstand toe en toen reed Kytell het huis voorbij tot aan de rand van een paar velden, waar we ons buiten het zicht bevonden. Hij parkeerde de auto op een stoffig stuk grond onder wat bomen.

'Heb je nog iets nuttigs in die tas?' vroeg hij.

'Zoals wat, een loper? Nee.'

'Op de achterbank liggen een honkbalpet, handschoenen en wat kleren.'

Ik draaide me om, pakte de blauwe Yankees-pet en trok hem laag over mijn ogen. Het marineblauwe shirt stopte ik onder mijn arm. Kytell had zelf een effen zwarte honkbalpet.

'Denk je dat dat gaat helpen om niet op te vallen?' vroeg ik geamuseerd. 'Hoeveel zwarte mannen van één meter vijfennegentig denk je dat hier in de buurt rondlopen? We zijn hier niet in Londen, Ky.'

Kytell negeerde mijn sarcasme en stapte zonder nog iets te zeggen uit. We liepen de straat weer in waar Bianchi woonde en probeerden ons zo onopvallend mogelijk te gedragen. We bevonden ons aan de rand van de stad, op een terrein dat duidelijk relatief recent was aangekocht door projectontwikkelaars, die er ruime vrijstaande huizen met een behoorlijk stuk grond ertussen bouwden. Er waren maar een paar andere huizen in de buurt en twee daarvan leken gloednieuw en leken leeg te staan. Waarschijnlijk waren ze nog maar net op de markt.

We zochten een weg naar de achterkant van Bianchi's glanzend nieuwe huis met zijn smetteloze witte muren en zuivere lijnen en merkten dat we geluk hadden; haar terrein grensde aan een bouwplaats waar de arbeiders inmiddels klaar waren voor die dag. Als we dicht bij het hek gingen staan, konden we door spleten en knoestgaten Bianchi's achtertuin in kijken en door de patiodeuren de woonkamer in.

'Mooi zwembad,' zei ik.

'Mooi huis,' beaamde Kytell.

'Hoeveel ambtenaren ken jij met een luxe nieuw huis, een zwembad of een Lexus?' vroeg ik.

We bleven door het tuinhek naar Bianchi zitten kijken. Ze ging naar boven en kwam tien minuten later weer beneden in gemakkelijker zittende kleding; een T-shirt en een joggingbroek, met haar haar in een paardenstaart. Ze schonk een groot glas witte wijn voor zichzelf in en ging met haar benen onder zich op een grote, crèmekleurige bank zitten, zo te zien om tv te kijken.

'Om eerlijk te zijn ziet ze er niet uit als iemand die zich zorgen maakt,' zei Kytell na een tijdje.

'Ze is gewoon een brutaal wijf,' zei ik. 'Ze weet dat ik haar niets kan maken. Hoe lang wachten we nog?'

'Tot het donker wordt,' zei Kytell. 'Ontspan je nou maar.'

We zagen Bianchi een salade voor zichzelf maken als avondeten, vergezeld door nog twee grote glazen wijn. De dunne wolken in het hoekje van de horizon, waar de zon was ondergegaan, waren nu felroze en de hemel eronder werd indigokleurig in het oosten. Terwijl die donkere vlek zich verbreidde over de rest van de atmosfeer stond Kytell op om zich uit te rekken, zijn schouders los te maken en zijn ledematen wakker te schudden. Mijn eigen benen kraakten toen ik overeind kwam en het was alsof er naalden in mijn kuiten en voeten staken.

De avond voelde niet veel koeler dan de dag, maar ik wilde er klaar voor zijn, dus trok ik het zwarte shirt aan over mijn blouse met roze stippen en lange mouwen. Kytell was al in het zwart; een zwart T-shirt zonder mouwen en een joggingbroek. Zelfs zijn sportschoenen waren zwart. Hij hield ervan dingen op elkaar af te stemmen.

'Zorg dat je klaar bent als ik zeg dat we gaan,' zei hij.

Ik knikte en trok mijn handschoenen aan. 'Ik ben er helemaal klaar voor.' Ik voelde me lichtvoetig, alsof er veren in mijn benen zaten. De adrenaline stroomde door mijn aderen en probeerde me in actie te krijgen. Toen Kytell weer op zijn hurken ging zitten om nog eens door het hek te kijken, had ik niet veel zin om terug te keren naar onze eerdere positie. Ik was klaar om te gaan, nú.

'We gaan,' siste hij opeens.

Kytell was verrassend lenig voor zo'n grote man. Nadat hij me een zetje had gegeven om over het hek te komen, zwaaide hij er zelf overheen en landde gebukt. Daarna slopen we langs het hek tot we bij de bosjes aan de rand van de patio waren.

'Je zou bijna denken dat je dit eerder hebt gedaan,' zei ik tegen hem, en hij glimlachte terug zodat zijn met diamant afgezette tand glinsterde in het licht van de lampen naast het zwembad.

We tuurden tussen de bladeren door naar het raam van de grote keuken naast de woonkamer en ik besefte wat Kytell tot actie had bewogen; Bianchi gooide een leeg blik in de afvalemmer en zette een bak eten voor de kat op de vloer. We hadden geen kat in het huis gezien, en dat betekende waarschijnlijk...

Ik dook weg toen ik hoorde hoe de patiodeuren van het slot werden gedaan en opzij werden geschoven.

'Porcellino!' hoorde ik Bianchi roepen. Ergens vlakbij mauwde een kat en ik zag een witte donsbal met pootjes en een staart over het grasveld naar het huis rennen, op de voet gevolgd door mijn broer.

Bianchi zag de kat het eerst. Ze glimlachte tegen het huisdier en bukte om het te verwelkomen. Toen zag ze de grote zwarte man erachter, die op haar afstormde. Met grote ogen hapte ze naar adem, en ze sloeg instinctief de deur weer dicht en draaide de sleutel om in het slot. De meeste mensen zouden door hun vaart door de deur zijn gegaan, maar Kytell had het griezelige vermogen abrupt tot stilstand te kunnen komen. Hij staarde haar door de deur heen aan en door zijn adem besloeg het glas, hoewel hij net zo langzaam ademde alsof hij op zijn gemak naar de deur was gewandeld.

Bianchi keek ontzet terug. De kat, die aan zijn voeten zat, bracht een poot omhoog en tikte mauwend tegen de deur. Toen hij Bianchi's gezicht zag bij dit gebaar, pakte Kytell de kat met één hand op en legde hij zijn andere om de nek van het dier alsof hij op het punt stond een natte handdoek uit te wringen.

'Nee!' riep Bianchi. Haar stem werd gedempt door het glas.

'Doe de deur dan open,' gromde Kytell.

Ik kon niet geloven dat ze het nog deed ook. Voor zover Bianchi wist, was Kytell een serieverkrachter die zijn slachtoffers altijd doodsloeg, en toch verdween al haar gezonde verstand als sneeuw voor de zon, uit liefde voor haar kat.

Ze stond met trillende handen voor hem en begon al te huilen. Ik had geen enkel medelijden met haar. Ze had geholpen de moord op Charlie te verhullen.

Kytell duwde de kat in haar armen en schoof haar achterwaarts de woonkamer in. Ik kwam uit de schaduwen en holde over de patio en door de deur, die ik achter me dicht en op slot deed.

De angst in Bianchi's gezicht maakte plaats voor verontwaardiging toen ze me herkende.

'Jij!' zei ze. 'Wat moet je? Wil je dat ik tegen je lieg? Laat je me dan met rust?'

Er sloeg een golf van gerechtvaardigde woede door me heen en ik stormde op haar af. Ze liet de kat vallen, die zich verstopte onder een glazen salontafel, en bracht verdedigend haar armen omhoog.

Ik greep haar vast en zette mijn vingernagels in haar wangen. 'Alles wat ik wil,' fluisterde ik van heel dichtbij, 'is de waarheid.' Ik duwde haar op de bank.

Kytell pakte de rugleuning van de bijpassende leunstoel en trok hem naar de bank. Hij ging zitten zodat zijn knieën die van Bianchi raakten, die tegen haar tranen moest vechten, tilde toen de kat op en aaide hem zoals de schurk in een Bond-film.

'Mijn man, Charles Benson,' zei ik. 'Was er iets verdachts aan zijn dood?'

'Nee!' riep ze.

'Iets in zijn maaginhoud,' hield ik vol. 'Heb je gif gevonden?'

'Nee.'

'Kalmerende of verdovende middelen, pijnstillers?'

'Nee, nee, nee, *mi dispiace*!'

Kytell keek me van opzij aan. We waren er allebei goed in leugen van waarheid te onderscheiden en hij zag dat Bianchi niet loog.

Iets anders dan, als er geen giftige stoffen in zijn maag waren aangetroffen. Ik had in de maanden na Charlies dood veel gelezen over de verdrinkingsdood en mezelf gekweld met details van het lijden dat hij moest hebben doorstaan. Ik wist wat ze had moeten vinden om tot de conclusie te kunnen komen dat hij was verdronken.

'Heb je diatomeeën aangetroffen in zijn bloed?' vroeg ik.

'Ja.' Ze knikte, maar keek me niet aan.

'Zeewater in zijn longen?'

'Natuurlijk. Er kwam bloed uit allebei de oren en er zaten wier en kleine steentjes in zijn handen geklemd, wat wijst op spasmen door het verdrinken. Dat staat allemaal in het rapport. Ik kan jullie verder niets vertellen!'

Ik nam alles door wat ik in het rapport had gelezen, maar wat ik ook vroeg, ze wijzigde haar verhaal niet. Toen ik niets meer wist te vragen, haalde ik wat theedoeken uit de keuken, scheurde ze in stroken en bond haar handen op haar rug en haar benen aan de poten van de bank waarop we haar hadden neergezet. Kytell sneed de telefoonlijn door met zijn zakmes en we lieten haar zo zitten terwijl we het huis doorzochten, op zoek naar aanwijzingen.

Het huis was minimalistisch ingericht, een en al glas, metaal en neutrale kleuren. Ze zette de boel niet vol met foto's of siervoorwerpen. Haar papieren zaten allemaal netjes opgeborgen in een kast in de studeerkamer op de eerste verdieping, maar omdat ik geen woordenboek had meegenomen, kon ik ze niet van het Italiaans in het Engels vertalen. Ze zagen er trouwens toch niet erg veelbelovend uit. Er was geen kluis, er lagen geen stapels bankbiljetten met ondertekende bedankbriefjes eraan. Bianchi scheen geen familie en zelfs niet veel vrienden te hebben. De enige persoon aan wie ze geld leek uit te geven, was zijzelf, te oordelen naar de flatscreen plasma-tv en de Bose-stereo met *surround sound*.

Hoe meer vragen we haar stelden en hoe langer we zochten, hoe gestrester ik werd. Ik kon me niet goed concentreren op wat we aan het doen waren, omdat de vraag die ik al een tijdje naar de achtergrond had weten te verdringen zich steeds sterker opdrong. En die vraag had te maken met hoe ver ik bereid was te gaan om antwoorden te krijgen van Bianchi. Hoe langer ze weerstand bood, hoe onontkoombaarder het feit dat we ons op een heel onaangename weg bevonden.

Uiteindelijk nam ik Kytell apart.

'Zo gaat het niet werken,' zei ik zachtjes, zodat zij het niet kon horen. 'We kunnen hier niet eeuwig aardig tegen haar blijven doen.'

'Ze houdt voet bij stuk,' beaamde hij. 'We moeten gaan.'

Ik schudde heftig mijn hoofd. 'Nee. Ik ga niet weg. Als ik haar er niet toe kan brengen me de waarheid te vertellen, kom ik er nooit achter wat er met Charlie is gebeurd. We kunnen haar aan het praten krijgen, Kytell, dat weet je.'

Hij hield zijn hoofd scheef en keek me met zijn hazelnootkleurige ogen aan. Ik zag dat ik hem boos had gemaakt. 'Moest ik daarom mee?' fluisterde hij. 'Om de dingen te doen waar jij niet tegen kunt, zodat je een zuiver geweten kunt houden en toch krijgt wat je wilt?'

'O, doe niet zo onschuldig,' snauwde ik. 'We weten allebei waartoe je in staat bent.'

Hij snoof. 'Je kent me niet zo goed als je denkt, prinses. Ik heb nog nooit een vrouw iets aangedaan en ik ga er nu ook niet mee beginnen, zelfs niet voor jou. Als je die stap wilt maken, moet je het zelf doen.'

We bleven elkaar strak aankijken, maar wisten dat de ander niet zou toegeven.

'Prima.' Hij maakte de patiodeur open en vertrok.

Ik probeerde mijn paniek te bedwingen toen ik de deur achter hem dicht en weer op slot deed. Bianchi zat nog steeds ineengedoken op de bank, hoewel het vertrek van Kytell haar enige hoop leek te hebben gegeven dat de beproeving in ieder geval niet zwaarder zou worden. Ze had het mis.

Ik deed langzaam mijn handschoenen uit en stopte ze in de zak van mijn spijkerbroek. Toen beende ik de kamer door en stompte haar zo hard ik kon in het gezicht. Het bloed stroomde uit naar neus en ik voelde me misselijk. Ze keek geschokt en begon nu pas te beseffen dat ik in staat was haar pijn te doen.

Te bang om haar blik van me af te wenden, probeerde Bianchi bijna onhoorbaar huilend uit de stroken stof te komen die haar polsen op haar rug bonden.

'Ik vind dit niet leuk, Sabrina,' zei ik met een bittere galsmaak in mijn mond. 'Vertel me alsjeblieft de waarheid. Dat ben je me verschuldigd. Je bent dokter, verdomme! Je zou mensen moeten helpen! Wanneer is geld belangrijker voor je geworden dan dat?'

'Ik had het nodig!' gilde ze plotseling. 'Ik had schulden en ik wilde het huis niet kwijtraken!'

Ik deed verrast een stap achteruit en besefte dat ik niet echt verwacht had dat ze zou toegeven dat ze gelogen had. Dacht ik ergens misschien dat ze de waarheid vertelde, maar was ik toch bereid haar voor de zekerheid te martelen?

Ik stopte die gewetensvragen diep weg. 'Wat heb je gedaan?'

'Het was niets!' zei ze. 'Echt, niet meer dan een kleine verandering. Ik dacht dat het geen betekenis had. Het was geen leugen, echt niet.'

'Vertel!' Wanhopig eiste ik de waarheid te horen.

Ze veegde haar neus af aan de schouder van haar T-shirt, zodat er een smeer bloed met slijm op kwam te zitten.

'Zijn laatste maaltijd.' Ze klonk uitgeput, maar wendde haar blik nog steeds niet van me af. 'Ik heb het woord "spaghetti" veranderd in het woord "pasta".'

'Wat?' Ik moest bijna lachen. Was dat het grote geheim waarvoor ik de wet had overtreden en iemand een bloedneus had geslagen? 'En iemand heeft je daarvoor betaald, heeft je geld gegeven om "spaghetti" in "pasta" te veranderen.'

'O god, je gelooft me niet.' Ze begon weer te huilen. 'Alsjeblieft, ik vertel de waarheid. Meer heb ik niet veranderd. Het spijt me zo, maar ik zou nooit geld aannemen om een moord te verhullen. Het lichaam was precies in de toestand die ik heb beschreven. Ik heb één beschrijving alleen iets algemener gemaakt, dat is alles.'

Ik liet me met mijn hoofd in mijn handen in de leunstoel vallen. Waarom zou iemand voor zo'n klein detail geld geven?

Omdat het belangrijk is, zei een stemmetje in mijn hoofd. Maar waarom zou het belangrijk zijn? Hoe kon die spaghetti verraden dat Charlies dood moord was?

Ik probeerde me onze laatste maaltijd tot in het kleinste detail te herinneren. De kelner, de niezende Amerikaan die steeds naar het toilet ging. De Engelsman die een pizza met een gevulde korst wilde. Kon een van hen iets in Charlies eten hebben gedaan? Ik haalde alles weer naar boven en liet de gebeurtenissen en gesprekken als een film aan me voorbij trekken. De wijn die we dronken. Charlies weemoedige stemming. De Amerikaan die zijn kruiswoordpuzzel zat te maken. Charlie die zwarte peper over zijn tagliatelle strooide.

Mijn ogen vlogen open en ik greep Bianchi bij de schouders, zodat ze geschokt naar adem hapte. 'De pasta, was dat echt spaghetti?' vroeg ik.

Ze knikte. 'Ja, spaghetti.'

'Weet je het zeker? Was het echt geen tagliatelle?'

Haar ogen gingen half dicht en ik had kunnen zweren dat ze glimlachte. 'Ik ben Italiaanse, signora Benson. Ik weet het verschil tussen tagliatelle en spaghetti.'

'Zelfs als het uit iemands maag komt?'

'De pasta was slechts gedeeltelijk verteerd. Ik kon het gemakkelijk zien.'

Plotseling was ik weer een en al energie en vastberadenheid. 'Wie heeft je betaald?' vroeg ik. Maar opeens stond haar gezicht gesloten. Het was alsof er een luik was dichtgegaan boven een kelder vol schatten.

'Hij is een goede man,' zei ze. 'Hij verdient niet wat jij hem zou kunnen aandoen.'

'Een goede man!' Ik lachte. 'Hij heeft je betaald om het bewijs van een moord achter te houden. Hoe kan hij dan een goede man zijn?'

'Ik ken hem,' hield ze vol. 'Hij moet zijn redenen gehad hebben. Je man moet het hebben verdiend, wat er ook met hem gebeurd is.'

Mijn linkerhand begroef zich in haar haar en mijn rechter stompte haar tegen de neus, de mond, het linkeroog.

'Hij had het niet verdiend!' riep ik. 'Waag het verdomme niet dat te zeggen!'

Ze bleef weigeren nog iets te zeggen en probeerde zich alleen te beschermen tegen mijn vuisten door haar gezicht in haar schoot te duwen. Ik moest alle mogelijke moeite doen om mijn handen weer onder controle te krijgen; mijn razernij bij haar zelfgenoegzame aanname dat Charlie de dood wel verdiend zou hebben, lag als gesmolten metaal in mijn ingewanden en vloog door mijn lichaam naar mijn armen, zodat ik haar domme gezicht tot pulp wilde slaan.

Mijn handen balden zich en ontspanden weer alsof ik elektrische schokken kreeg. Ik dwong mezelf een stap van haar weg te doen en trok plukken blond haar uit, die vastzaten tussen mijn vingers.

Ik haalde diep adem. 'Hij heeft iets ontdekt,' zei ik met trillende stem. 'Iets wat hij niet had mogen weten, en daarom is hij vermoord. Misschien is de man die je beschermt niet dezelfde als de man die Charlie vermoord heeft, maar hij is erbij betrokken, dat staat vast. Ik moet weten wie hij is!'

Bianchi hief langzaam haar hoofd. Haar wangen waren rood en haar lip was gebarsten. Er was een bloedvaatje gesprongen in haar linkeroog, zodat het wit rood was geworden. Ze spuwde een sliert speeksel in haar schoot en de heldere vloeistof was roze van het bloed. Ze staarde me aan en schudde haar hoofd.

Iemand had me een keer geleerd dat je vaak een fysieke daad moest stellen voordat iemand je serieus nam. Diezelfde persoon had me verteld dat zelfs het breken van botten vaak niet genoeg was, dat sommige mensen je alleen gaven wat je wilde hebben als je ze iets aandeed waarvan ze nooit meer volledig zouden herstellen. Mensen weten dat botten weer aan elkaar groeien, dat blauwe plekken in de loop der tijd verdwijnen. Maar als ze iets voorgoed dreigen te verliezen, zoals een vinger of een oor... Dat werkt als bij toverslag.

Ik was inmiddels wanhopig en ik draaide me om en beende de keuken in. Op het metalen aanrechtblad stond een blok met roestvrijstalen messen en ik griste het dichtstbijzijnde exemplaar eruit en ging terug naar de woonkamer. Haar ogen werden zo groot als schoteltjes toen ze het mes zag, en haar pupillen waren groot en zwart alsof ze probeerde zo veel mogelijk aanwijzingen binnen te krijgen over de grenzen van mijn vermogen tot geweld.

Ik greep naar haar handen, die nog steeds achter haar rug gebonden waren, en ze sprong op om weg te rennen. Maar haar voeten zaten nog aan de metalen poten van de bank, dus alleen haar bovenlichaam kwam in beweging. De stofrepen om haar enkels kwamen strak te staan en ze viel op haar gezicht op de vloer en miste de harde rand van mijn stoel op een paar millimeter.

Ze draaide zich naar me om en duwde met haar blote voeten tegen de bank om weg te komen. Ik haatte mezelf toen ik de angst in haar ogen zag. Hoe kon ik dit een ander mens aandoen?

Ik hield mezelf voor dat ik geen keus had. Ik sloot mijn ogen en dacht aan het lijk van Charlie. Ik dacht aan de uren dat ik had gewacht op nieuws over mijn vermiste man. Ik dacht eraan hoe ik zonder hem terug naar Londen was gegaan, ons huis binnen was gestapt en had geweten dat het nooit meer als vroeger zou zijn. Ik dacht eraan hoe ik in een bad vol koud geworden, roze water zat en wist dat zich in de leegte in mijn hart niets anders bevond dan een oneindig verlangen om weer bij hem te zijn.

Ik greep het heft van het mes steviger vast en deed mijn ogen weer open. Ze zag de vastberadenheid erin, ze zag dat de beslissing gevallen was en zei een naam alsof haar mond op eigen houtje tot daden overging, uit puur zelfbehoud.

'Graziani,' zei ze. 'Graziani heeft het me gevraagd.'

Ik liet haar met nog steeds gebonden handen achter in het afgesloten huis en gooide op weg naar buiten haar mobieltje in de bosjes bij de voordeur. Op weg naar Kytells auto, zonder te weten of hij er nog was, stopte ik halverwege abrupt langs de kant van de weg en braakte in de goot.

Ik had jaren geprobeerd te voorkomen dat ik de persoon zou worden die ik in die kamer was geweest. Ik dacht dat ik veranderd was, dat ik gegroeid was, dat ik veel te beschaafd was geworden om er ooit ook maar over te denken een ander mens zo te behandelen. Maar ik hoefde maar driftig te worden en daar was ze, de vrouw die ik had kunnen worden. Ze had vlak om de hoek op me staan wachten.

De auto stond er nog precies zoals we hem hadden achtergelaten, de motor uit en de lichten gedoofd. Kytell zat achter het stuur op me te wachten. Ik stapte huilend in en veegde mijn mond af. Er zat bloed op mijn handen. 'Het spijt me,' zei ik tegen hem. Hij keek naar me en knikte.

'Ben je nu klaar?' vroeg hij.

Ik schraapte mijn keel, schudde de tranen uit mijn ogen en probeerde weer tot rust te komen. Mijn bebloede handen balden zich in mijn schoot tot vastberaden vuisten.

'Nog niet,' zei ik.

HOOFDSTUK VIJFTIEN

In de stad zochten we een bar en Kytell bestelde whisky terwijl ik naar de toiletten ging en Bianchi's bloed van mijn handen waste. Mijn knokkels waren geschaafd. Ik kon mezelf niet aankijken in de spiegel.

Terug in de bar vroeg ik de barkeeper om een telefoonboek. Er stonden drie Graziani's in, maar slechts één E. Graziani, op Via Condotti 42. We dronken onze whisky op en stapten weer in de auto. Ik keek op de kaart; we konden bij de Via Condotti komen door via de kustweg de stad uit te rijden en bij de derde kruising linksaf te slaan.

Het huis was gemakkelijk te vinden, een boerderij met stenen muren die alleen op een heuvel stond. Er brandde geen licht.

'Je hoeft niet mee te gaan,' zei ik tegen Kytell. 'Dit is niet jouw pakkie-an.'

'Ik denk niet dat ik het je alleen kan laten doen,' zei hij. 'Een politieman is iets anders dan een burger, Kate. Hij zal wel gewapend zijn.'

'Hij heeft kinderen, Ky. Zit je daar niet mee?'

'Waar ik mee zit, is dat jij er niet mee schijnt te zitten.'

'Ik doe ze niets.'

'Dat weet ik! Maar je bent wel bereid voor hun ogen hun pa iets te doen.'

Ik haalde mijn schouders op. 'Hij heeft het aan zichzelf te wijten.'

Hij zette zijn honkbalpet op. 'Ik ga mee. Als je wilt, kan ik de kinderen een verhaaltje vertellen terwijl jij in een andere kamer hun pa een prop in zijn mond duwt en hem een pak slaag geeft.'

We lieten de auto halverwege de heuvel staan en liepen het pad naar de boerderij op. Kytells mes zat op zijn rug in de band van zijn joggingbroek. Ik had het mes uit Bianchi's keuken nog en hield het voorlopig in mijn hand, hoewel ik wist dat ik het over niet al te lange tijd kwijt moest zien te raken.

Het pad werd alleen verlicht door de maan. Ik marcheerde door het lange gras en probeerde er niet aan te denken wat ik Graziani aan kon doen als ik hem voor mezelf had. Mijn eerste prioriteit was uitzoeken of hij betrokken was bij de moord op Charlie, en zo niet, waarom hij geprobeerd had de zaak in de doofpot te stoppen. Eigenlijk wilde ik gewoon weten waarom.

Toen we dichter bij de boerderij kwamen, probeerden we minder geluid te maken. Eenmaal bij de stenen muren slopen we om het gebouw heen en keken door elk raam naar binnen. In alle bovenkamers en één benedenkamer waren de gordijnen dicht, maar nergens brandde elektrisch licht, wat erop wees dat de kamers leeg waren of dat de bewoners sliepen.

Ook in de kamers op de benedenverdieping waarvan de gordijnen niet dicht waren, was niemand te bekennen. Meubelstukken vormden omvangrijke schaduwen in de grijze duisternis. De familie zou wel in bed liggen.

'Het raam bij de keuken is niet dicht,' fluisterde Kytell in mijn oor. 'Denk je dat jij daardoor past?'

Ik volgde hem naar de achterkant van het huis, waar een paar bomen en een klein bijgebouw wat dekking verschaften. Ik keek door het raam de keuken in. Hij was maar klein, met een oud fornuis en tegels die eruitzagen alsof ze in de jaren zeventig waren aangebracht. In de hoek stond een ouderwetse bezem van twijgjes in plaats van door de mens gefabriceerd materiaal, en bij het fornuis stond een stapel netjes gehakte houtblokken. Er was geen enkel teken van de rijkdom die Bianchi leek te genieten en ik vroeg me af waar Graziani zijn zuurverdiende smeergeld aan uitgaf.

Kytell, die weer handschoenen aanhad, stak een hand met gespreide vingers op naar een van de kleinere ruiten en duwde zachtjes met de vingertoppen. Het raam ging langzaam verder open. We knikten tegen elkaar en hij liet het weer dichtvallen.

'Ga de wacht houden bij de kamer van Graziani,' fluisterde ik tegen mijn broer. We hadden van buitenaf de ramen op de eerste verdieping bekeken en wisten dat de ouders altijd de grootste slaapkamer hadden. In dit huis was dat de enige kamer met gordijnen die twee grote ramen bedekten. Die bevond zich aan de andere kant van het huis.

'Zodra je binnen bent, doe je de voordeur voor me open,' zei Kytell. 'Denk niet dat je dit alleen kunt.'

'Oké,' zei ik.

'Beloofd?'

'Beloofd.' Ik sloeg impulsief mijn armen om hem heen. Bij Kytell is dat een beetje alsof je een muur omhelst, een en al harde, platte oppervlakken. Hij rook naar een dure aftershave.

'Wat moet ik doen als ik het licht aan zie gaan in de slaapkamer?' vroeg hij. Mijn hoofd lag tegen zijn borst en mijn oor trilde door het gerommel van zijn middenrif, alsof ik met mijn hoofd tegen een stereospeaker lag.

Ik maakte me los. 'Het klinkt gek, maar misschien kun je nog het best aanbellen en je snel verstoppen.'

'Wil je niet dat ik hem vraag of hij de Heer al kent?'

Ik probeerde te lachen, maar ik was niet in de stemming om grapjes te maken over het misbruik van culturele stereotypen. Ik was nog helemaal vervuld van de geuren in Bianchi's huis; het kattenvoer, haar parfum en haar bloed.

Kytell gaf me een zoen op mijn kruin en schoot de hoek om naar de andere kant van het huis. Ik bleef nog even staan en schraapte al mijn moed bij elkaar om in te breken in het huis van een politieman. Het niet afgesloten raam bevond zich boven in het kozijn, ongeveer één meter tachtig van de grond. Ik trok mezelf op de dorpel, stak mijn arm omhoog en duwde tegen de bewuste ruit.

Ik voelde een hand op mijn enkel en ging er meteen vanuit dat het Kytell was, die me ergens voor wilde waarschuwen, maar een tel later besefte ik dat ik warme huid voelde en mijn broer droeg handschoenen.

Ik schopte om mijn enkel los te maken en draaide tegelijkertijd mijn bovenlichaam om te zien wie me had vastgepakt. Een paar blauwe ogen, koel in het maanlicht, keek fronsend naar me op.

'Kom naar beneden, Kate,' zei Luke. 'Nu meteen.'

'Wat doe jij verdomme hier?' siste ik.

Luke pakte me bij de hand en trok me van de dorpel. Ik duwde hem weg, woedend om zijn bemoeienis. 'Laat me met rust,' zei ik, maar hij begon me weg te trekken van het huis, weg van Kytell.

'Laat me los!' zei ik met enige stemverheffing. Ik zette mijn hakken in de grond en probeerde me los te rukken.

Ik bleek Kytell niet nodig te hebben om me te waarschuwen als er licht aanging in de boerderij. Iemand deed een lamp aan in de grote slaapkamer en de rechthoek geel licht die op het gras viel, was aan onze kant van het huis duidelijk zichtbaar. Kytell kwam de hoek om rennen en kon in het donker alleen zien dat een lange man me had vastgegrepen. Hij stormde op ons af, bracht zijn zwaartepunt omlaag en dook als een linebacker die een quarterback wil tackelen op Lukes maag af. Luke belandde op de grond met mijn broer op zijn knieën over hem heen, die hem een harde stomp in zijn ribben verkocht.

'Niet doen, het is Luke!' zei ik, en ik greep Kytells armen om hem tegen te houden. Hij hield onmiddellijk op en keek neer op de beste vriend van mijn man alsof hij wilde controleren of ik gelijk had. Hij gromde, duwde zich op zijn hielen en kwam overeind. Nu Kytells gewicht niet meer op hem drukte, kromp Luke met zijn armen om zijn ribben in elkaar.

'Kytell, klootzak,' piepte hij.

'Kom op.' Mijn broer trok me in de richting van de auto. We hoorden hoe de grendel van de achterdeur werd weggeschoven.

'We kunnen hem niet hier achterlaten,' zei ik met een blik op Luke.

'Waarom niet? Hij heeft jou ook in de steek gelaten.'

De achterdeur schoot open en in de verlichte rechthoek stond een silhouet. We hoorden het ratelende geluid van een geweer dat werd ontgrendeld. Graziani kwam in een T-shirt en een verbleekte blauwe boxershort de deur door en de keukentrap af. Zijn geweer was op ons gericht. Door het licht achter hem en doordat onze ogen gewend waren aan de nachtelijke duisternis kon ik amper zijn gezicht zien.

'Hoe durven jullie?' zei hij spijkerhard. 'Hoe durven jullie in de buurt van mijn gezin te komen, ellendelingen!'

Pure razernij brandde witheet in mijn borstkas. 'Hoe durf jij,' snauwde ik terug. 'Hoe durf je het over je gezin te hebben terwijl je de moord op mijn man hebt verdoezeld?' Ik rende op hem af zonder enig gewetensbezwaar over het gebruik van het mes dat weer in mijn hand was verschenen. Ik wilde hem in stukken snijden.

Graziani hief het geweer, en achter me hoorde ik het geluid van een revolver waarvan de haan gespannen werd, hoewel ik zo gebrand was op het bereiken van mijn doelwit dat het amper tot me doordrong.

Opeens werd ik door de lucht geslingerd en plat op de grond geworpen, met mijn gezicht in de ruwe grasstengels. Ik verzette me tegen het gewicht op mijn rug en probeerde te zien wat me tegen de grond hield. Ik lag nu met mijn gezicht van het huis af, in de richting van de bomen en de achterkant van het terrein.

Ik wist mijn hoofd een paar centimeter van de grond te krijgen en zag de glanzende schoenen en de onderbenen van een man die nog geen halve meter van me vandaan stond. Het deel van mijn hersenen dat nog rationeel kon nadenken en probeerde te achterhalen wat er in godsnaam was gebeurd, herinnerde het dierlijke deel van mijn brein eraan dat ik een paar seconden eerder een haan gespannen had horen worden en dat er grote kans was dat deze man de eigenaar van de revolver was, in welk geval het verstandig zou zijn om mijn verzet op te geven en de situatie opnieuw te bekijken.

Zodra ik ophield met tegenstribbelen werd de druk op mijn rug minder en werd ik met zoveel gemak overeind gezet dat ik wist dat het mijn broer moest zijn geweest die me had tegengehouden, in de wetenschap dat het de enige manier was om te voorkomen dat ik door Graziani zou worden neergeschoten.

Ik keek naar de man voor me, die ik zelfs in het donker meteen herkende. Hij hield het handwapen nonchalant vast en was er net zo vertrouwd mee als de meeste mensen met een pen of een telefoon. Omdat hij tegenover mij, Kytell, Luke en Graziani stond, wist ik niet zeker wie hij angst wilde aanjagen met de revolver.

'Ik bewonder je felheid,' zei Cesare tegen me. 'Echt. Maar je moet nu ophouden. Je wilt toch niet dood, Katerina?'

Ik keek naar hem en naar de glanzende zilverkleurige revolver die glinsterde in het licht van de boerderij, en toen keek ik naar Luke. Luke zat inmiddels overeind, een metertje van me af, en links van Cesare. Zijn linkerarm hield hij om zijn ribben geklemd. Hij vertoonde geen enkele verbazing om de verschijning van Cesare. Hij keek zelfs niet naar hem, maar naar mij. Op dat moment besefte ik dat de twee mannen samen waren gekomen en me hadden opgewacht om Graziani in bescherming te nemen.

Ik schudde mijn hoofd en deinsde achteruit, weg van hen en van Graziani.

'Neem haar mee naar Londen, Kytell,' zei Luke vermoeid.

Ik voelde hoe Kytell naar me keek, voelde zijn bezorgdheid. Graziani's gezicht stond ondoorgrondelijk en vertoonde geen enkele uitdrukking toen Kytell een arm om mijn schouders legde en me wegleidde van de boerderij.

Toen we door het lange gras terugliepen naar onze auto, hoorde ik de stem van Graziani in de verte tegen Luke en Cesare zegen: 'Wat doen jullie hier?' Ik wilde blijven staan om hun antwoord te horen, maar Kytell duwde me vooruit en hield me in beweging.

'We halen je spullen en gaan weg,' zei Kytell toen hij de auto startte. Hij schakelde en we zoefden de heuvel af.

'Het hotel is aan de andere kant van de stad,' zei ik. 'Volg de bordjes naar Patrezzi, dan komen we erlangs.'

Het duizelde me. Ik keek naar de dikke, zwarte wolken, die aan de onderkant werden verlicht door de maan. 'Het gaat regenen.'

'Heb je een tweede paspoort?' vroeg Kytell.

'Nee,' zei ik. 'Niet iedereen heeft de gewoonte altijd valse identiteitsbewijzen bij zich te dragen.'

'Jammer,' zei hij. 'Het was misschien handig geweest.'

'Bianchi zat vrij goed vastgebonden,' zei ik. 'En geen van de telefoons in haar huis doet het. Het zal wel een tijdje duren voor iemand haar vindt.'

'Mooi,' zei hij, 'maar Graziani kent je naam ook. Wat zou hem ervan weerhouden een arrestatiebevel voor je uit te doen gaan?'

'Zelfbehoud,' zei ik tegen hem. 'Hij zou het risico nooit nemen.'

'Laten we hopen dat je gelijk hebt.' Kytell hield zijn blik op de donkere asfaltweg voor ons gevestigd. In de verte hoorde ik het vage gerommel van de donder.

'Kytell, wat was dat daar nou allemaal?'

'Vraag je dat aan mij?'

'Wat deed Luke daar? Met Cesare? Ze hebben elkaar vanmorgen pas ontmoet. Dat dacht ik tenminste.'

'En waarom beschermen ze de man die de moord op Charlie in de doofpot heeft gestopt?' voegde Kytell eraan toe.

'Misschien was Luke daar niet om hem te beschermen,' zei ik, en ik wilde uit alle macht dat het waar was. 'Misschien was hij bang dat ik achter hem aan zou gaan en wilde hij me ervan weerhouden iets gevaarlijks te doen.'

'Misschien,' zei mijn broer. 'Maar te oordelen naar wat je eerder hebt verteld, kon Luke niet weten dat je naar Graziani zou gaan. Waarom zou hij juist daarheen gaan als hij alleen maar een oogje op je wilde houden?'

'Je hebt gelijk,' gaf ik ongelukkig toe. 'Voor zover Luke wist, was ik op weg naar het hotel om de mensen daar te ondervragen. Als hij dacht dat ik bij Graziani zou uitkomen, moet hij geweten hebben dat ik iets over hem kon ontdekken.'

'Dat, of hij had helemaal geen idee dat jij daar zou komen opdagen,' zei Kytell. 'Misschien waren ze daar uit eigen beweging.'

Er vielen zware, dikke regendruppels op onze voorruit en Kytell zette de ruitenwissers aan.

'Toen we weggingen, vroeg Graziani wat ze kwamen doen,' merkte ik op. 'Dus ze waren niet uitgenodigd. Hij leek net zo verbaasd hen te zien als ik.'

'Misschien kwamen ze hem vermoorden,' zei Kytell, die een soepele bocht naar rechts maakte en de weg naar Patrezzi nam.

Ik schudde mijn hoofd. 'Waarom? Iedereen die van Charlie hield had een motief, maar Cesare kende hem amper. Hij heeft hem maar één keer ontmoet, en dat was vorig jaar.'

'Voor zover jij weet, in ieder geval,' zei Kytell.

Had Cesare Charlie beter gekend dan ik wist? Ik dacht terug aan die middag bij de boerderij, aan de lunch in de keuken en aan het spelletje voetbal tussen de olijfbomen. Ik was er zeker van dat ze elkaar niet eerder ontmoet hadden. Wat deed hij dan bij het huis van Graziani met een revolver? En waarom was Luke bij hem?

'Er klopt helemaal niets van!' Ik wreef kreunend met de muizen van mijn handen over mijn gezicht. Mijn vingers werden dik van het pak slaag dat ik Bianchi had gegeven.

'Wat heeft die patholoog je verteld?' vroeg Kytell. Ik was niet erg spraakzaam geweest toen ik bij haar vandaan kwam en had mijn broer alleen verteld dat ze Graziani genoemd had.

'Het zegt je niets als je niet alle feiten kent,' zei ik. 'Ze heeft het rapport veranderd zodat er bij de maaginhoud pasta stond in plaats van spaghetti.'

'Wat krijgen we nou?' lachte mijn broer.

'Hier is het, aan de rechterkant,' zei ik, en ik wees hem de weg die naar het hotel leidde. 'Het klinkt idioot, maar ik geloof dat ik weet waarom ze wilden dat ze die verandering aanbracht.'

'Waarom dan?' De hotellampen, die een waas van witgeel licht door de regen op de voorruit wierpen, werden groter.

'Omdat Charlie die dag tagliatelle heeft gegeten bij de lunch.'

'Weet je dat zeker?' vroeg Kytell fronsend.

'Ik weet het zeker. En Bianchi is er zeker van dat ze spaghetti in zijn maag heeft aangetroffen.'

'Wat maakt dat voor verschil?'

Ik schudde mijn hoofd. 'Dat weet ik niet. In ieder geval dat de lunch die we samen hebben gegeten niet Charlies laatste maaltijd was voordat hij doodging. Maar ze willen dat we denken dat het wel zo was, anders blijft er van het oordeel van onopzettelijke verdrinking niets over.'

Kytell reed een parkeerplaats op het parkeerterrein op en trok de handrem aan. 'Hoe nauwkeurig is het tijdstip van overlijden vastgesteld?' vroeg hij.

'Niet heel nauwkeurig. Met een paar dagen speling.'

'Dus het enige dat "bewijst" dat hij is gestorven op de dag dat hij jou op het strand heeft achtergelaten, was het feit dat de maaginhoud paste bij de laatste maaltijd die jullie hebben gegeten?'

Ik verstijfde op mijn stoel. Mijn geheugen had een beeld omhooggebracht van woorden in de kantlijn van een krant, rechts van een kruiswoordpuzzel. Op dat moment had ik gedacht dat het de manier van een vergeetachtige man was zich te herinneren wat hij wilde bestellen: 'Spaghetti – tomatensaus – rode wijn.'

'Die vent met de krant, die Amerikaan!' Ik greep Kytell bij de arm. 'Hij heeft opgeschreven wat Charlie at!'

'Dus jullie werden in de gaten gehouden,' zei Kytell. 'Als ze wisten wat Charlie had gegeten, kunnen ze hem een dag of twee hebben vastgehouden en hem toen hetzelfde eten hebben gegeven wat ze dachten dat hij die laatste dag met jou had gehad, zodat het leek alsof hij op de dag dat jij hem voor het laatst zag is gestorven.'

'Dat is de enige logische verklaring. Ik bedoel, het is volslagen idioot, maar het is toch logisch.'

We bleven even zitten. Ik weet niet waar Kytell aan dacht, maar ik stelde me voor hoe Charlie zijn laatste bord spaghetti kreeg en vroeg me af of hij geweten had wat de betekenis van die spaghetti was. Wist hij dat hij hen hielp zijn eigen moord te verdoezelen?

'Weet je, Kate.' Kytells stem was zo laag als het gebrom van een motor. 'Ik dacht dat je zou zeggen dat ze met de DNA-test geknoeid heeft.'

De tranen prikten in mijn ogen. 'Was het maar waar, Ky. Was het maar waar. Maar zij heeft die test niet uitgevoerd. Het DNA is naar een lab in Rome gestuurd. En bovendien, die tatoeage en zo...'

'Ja,' zei hij zonder me aan te kijken. 'Ja, ik weet het.' Hij stak een enorme hand uit en kneep in een van mijn handen. 'Ga je spullen halen,' zei hij. 'Ik zal je rekening betalen terwijl jij aan het pakken bent.'

Ik haalde mijn kamersleutel op bij de receptie en holde door de regen naar het appartement. Het hotelcomplex leek bijna leeg; er waren maar een paar lampen aan. De regendruppels roffelden op de bladeren van de planten en deden een aanslag op de kwetsbare bloemen van de roze bougainville.

Toen ik de hoek om ging, kwam ik abrupt tot stilstand. Er zat iemand in de schaduw van het terras voor het appartement. Ik zag het uiteinde van een brandende sigaret oranje opgloeien en toen dreef er een mistige sliert strook langs me heen, die werd geabsorbeerd door de doornatte lucht.

Ik wist dat het Luke of een van de anderen niet kon zijn; het bestond niet dat ze ons onderweg hadden ingehaald. En het leek onwaarschijnlijk dat de Amerikaan die me had gewaarschuwd niet verder te graven naar Charlies dood zijn mensen toe zou staan iemand in de gaten te houden door op zijn patio te gaan zitten roken. Ik deed voorzichtig een stap naar voren en probeerde het gezicht van de vreemde te zien. Wie het ook was, hij hoorde me en stond op, zodat het licht van het naastgelegen appartement op hem viel.

'Kate?' zei de gestalte, die de duisternis in tuurde.

Ik liep de trap naar het terras op. 'Hallo, Sofia,' zei ik, en ik probeerde te glimlachen naar de vrouw die me door die verschrikkelijke dagen van wachten had geloodst.

Ze kuste me op beide wangen. 'Je bent drijfnat,' zei ze. 'Kom binnen, dan zorgen we dat je droog wordt.'

Ik liet ons in het appartement en ze haalde een handdoek voor me uit de badkamer. Ik begon mijn haar droog te wrijven.

'Wat doe je hier?' vroeg ik. 'Mij is verteld dat je bent weggegaan na... na wat er vorige zomer is gebeurd.'

Sofia knikte en drukte haar sigaret uit in de asbak. 'Nou, niet precies. Na een paar maanden heb ik om overplaatsing gevraagd en heeft het hotel me ingezet bij een andere vestiging, op Sardinië. Maar ik hoorde dat je in de stad was en ik wilde je zien.'

'Ben je helemaal uit Sardinië hierheen gekomen?'

Ze haalde haar schouders op. 'Zo ver is dat niet. Hoe is het met je, Katerina? Waarom ben je teruggekomen?'

Ik fronste, inmiddels te argwanend om haar zomaar te vertrouwen nu ze zei dat ze alleen maar uit bezorgdheid uit haar nieuwe woonplaats hierheen was gekomen. 'Het gaat prima,' zei ik. 'Ik ben voor een paar dagen teruggekomen, maar ik ga nu weer weg. Weet jij wanneer het volgende vliegtuig naar Engeland gaat?'

Ze keek op haar horloge. 'Als het schema het laatste jaar niet veranderd is, moet er over een paar uur een gaan.'

'Perfect.' Ik pakte mijn koffer, die ik nog niet eens helemaal had uitgepakt, en maakte een ronde door het appartement om de spullen te pakken die ik er wel uit had gehaald.

'Weet je zeker dat alles goed met je is?' vroeg Sofia. Ze legde een hand op mijn arm om me te laten ophouden met wat ik aan het doen was. Ze pakte mijn hand en trok die naar zich toe om de geschaafde knokkels te bekijken. 'Er is iets mis,' zei ze. 'Waar of niet?'

Ik zette de koffer neer en keek haar recht aan, in de hoop dat ik haar kon vertrouwen, dat ze geen deel uitmaakte van deze samenzwering. Het leek onwaarschijnlijk dat degene die Charlie had vermoord in staat was geweest een handlanger het hotel in te krijgen, want we hadden het pas op het allerlaatste moment uitgekozen, maar ik was inmiddels volslagen paranoïde.

'Ja,' zei ik eindelijk. 'Er is inderdaad iets mis. Ik denk dat Charlie is vermoord.'

'Wat?' stootte ze uit.

Ik ging met haar aan tafel zitten en we rookten een stuk of drie sigaretten terwijl ik haar een ingekorte versie gaf van alles wat er de laatste week was gebeurd. Ik liet de mishandeling van haar landgenote en de poging tot inbraak in het huis van een politieman eruit en moest haar nageven dat ze geen vragen stelde. Ze luisterde alleen en nam alles in zich op.

'Ik moet het weten,' zei ik uiteindelijk. 'Kun je je nog iets herinneren, wat het ook is, dat op dat moment niet veel betekende, maar nu misschien wel? Een vreemde die hier rondhing in de week dat Charlie vermist werd? Iemand die naar ons vroeg?'

Sofia zat al te knikken. 'Ja, ja. Maar we dachten dat Charlie verongelukt was, dus hadden we niet door dat het iets te betekenen had. Anders zou ik het je toen wel hebben verteld.'

'Wat dan?' vroeg ik ongeduldig. Het regenwater droop nog van mijn haar en langs de achterkant van mijn shirt en liep in kille stroompjes over mijn ruggengraat.

'Er raakte een loper zoek. Van een van de kamermeisjes. Zij was er zeker van dat iemand hem had weggenomen, maar er werd geen diefstal gemeld, dus we dachten dat ze hem misschien was verloren. De kosten van het vervangen werden van haar loon afgetrokken.'

'Wanneer was dat?'

Sofia fronste en deed haar ogen dicht om het zich beter te kunnen herinneren. 'De dag dat jullie weg waren, geloof ik. Ik weet het niet zeker. Ik herinner me dat ik je wilde waarschuwen alle kostbaarheden in het kluisje te doen, voor het geval dat, maar jullie waren de hele dag weg... en daarna werd Charlie vermist en leek het niet echt belangrijk. Denk je dat het er iets mee te maken heeft?'

Ik had geen idee. 'Misschien. Ik blijf maar denken dat Charlie iets had, een bewijsstuk dat ze moesten hebben.'

'En dat had hij in jullie appartement verstopt?'

'Misschien, misschien niet. Ik weet niet waar hij het verstopt had kunnen hebben waar ik het niet kon vinden. Hij zou het bijvoorbeeld niet in het kluisje hebben gelegd. Zou het nog in de kamer kunnen zijn, achter een van de schilderijen of zo?'

Sofia schudde haar hoofd. 'Nee. De kamers worden in november altijd geschilderd. Ze zouden het hebben gevonden. Maar waar kan hij het anders gelaten hebben? Kan hij het in jullie flat in Londen verstopt hebben?'

Ik lachte om mijn enorme gebrek aan kennis; mijn onwetendheid was net een grote vlakte, die zich uitstrekte zo ver het oog reikte. Een paar onduidelijke vormen aan de horizon waren mijn enige aanwijzingen voor de waarheid achter Charlies dood.

'Als dat zo is, weet ik zeker dat mijn flat allang overhoop gehaald zou zijn.'

'Misschien hebben ze hem doorzocht zonder dat jij het door had,' merkte Sofia op. Ik hoopte van niet. Het idee dat die kwaadaardige parasieten onze spullen hadden bekeken en het heiligdom van ons leven samen hadden geschonden, zorgde ervoor dat ik bijna weer ging braken.

Ik keek op mijn horloge. 'Ik moet gaan. Dank je dat je gekomen bent. Het spijt me dat we niet echt met elkaar hebben kunnen praten. Het was lief van je om te komen kijken hoe het met me was.'

Sofia glimlachte en haar ogen stonden opeens vol tranen. 'Ik heb mijn man ook verloren,' zei ze.

'Wat?'

'Hij is verongelukt toen ik drieëntwintig was.'

'O.' Nu leek het allemaal logischer, de zorg en het medeleven dat ze me in die verschrikkelijke week getoond had en waarom ze nu hier was. Ik omhelsde haar stevig. 'Dank je,' fluisterde ik. 'Ik vind het heel erg voor je.'

Sofia zwaaide mij en Kytell uit. Ik draaide me om op mijn stoel en keek door het achterraampje tot ze nog maar een vage bleke vlek in de verte was.

'Het zou toeval kunnen zijn,' zei Kytell, toen ik hem over de loper vertelde.

'Denk je dat echt?'

'Nee.' Hij grinnikte, een en al grote witte tanden in de donkere auto.

'Gaan we er dus van uit dat ze hebben gevonden wat ze zochten?' zei ik. 'Of gaan we thuis met een stofkam door mijn appartement?'

Kytell keek op zijn horloge. 'Ik moet morgen in Londen zijn voor een vergadering,' zei hij. 'Die mag ik niet missen. Maar ik houd het kort en daarna sta ik tot je beschikking.'

Op het vliegveld brachten we de huurauto terug en kochten tickets voor de terugvlucht naar Londen.

'Laten we uit elkaar gaan,' zei ik. 'Als er iets is gemeld, weten ze mijn naam, maar niet die van jou.'

'Succes,' zei Kytell.

Ik probeerde er ontspannen en nonchalant uit te zien toen ik mijn creditcard en paspoort afgaf. Het meisje bij de incheckbalie keek maar één keer naar me om mijn gezicht te vergelijken met de foto in mijn paspoort. Zo te zien hoefde ik me nergens zorgen over te maken, maar het duurde nog een uur voordat het vliegtuig ook werkelijk vertrok.

Ik doorliep de veiligheidscontroles en daarna ging ik in de hal in een café zitten. Aan beide zijden van het terras hingen plasma-tv's, een met CNN en een met een Italiaanse zender. Ik bestelde koffie en keek naar CNN, maar het nieuws ging grotendeels aan me voorbij.

Kytell kwam ook en ging een paar tafeltjes verderop zitten, met zijn gezicht naar me toe. We deden alsof we elkaar niet kenden. Vijf minuten nadat zijn mineraalwater was geserveerd ving ik zijn blik en hij keek snel even naar de andere tv, die met de Italiaanse zender. Ik verschoof een beetje om hem beter te kunnen zien en schrok me bijna dood toen ik de boerderij van Graziani op het scherm zag. Daarna werden beelden vertoond van Bianchi's huis, waar de voortuin vol stond met politiewagens met zwaailichten. De woorden *doppio omicidio* stonden in een tekstveld onder de beelden. Ik voelde dat ik rood werd.

Het Italiaans-Engelse woordenboek zat in mijn koffer, die ik ingecheckt had, maar ik hoefde het woord *omicidio* niet echt te vertalen.

'Godverdomme,' zei ik zachtjes. 'Godverdegodverdegodver. Luke... wat heb je gedaan?'

HOOFDSTUK ZESTIEN

Kytell en ik gingen in het vliegtuig zo ver mogelijk bij elkaar vandaan zitten, en hij bleef ook bij de paspoortcontrole op afstand. Toen mijn paspoort onder de scan ging, was ik er zeker van dat er een alarm zou afgaan dat elke douanier op het vliegveld op me af zou sturen, maar toen de gezichtsherkenningssoftware wel een halfuur over me leek te hebben nagedacht, ging het hekje open en kon ik doorlopen.

Ik volgde Kytell zwijgend naar zijn auto; geen van ons zei iets tot we erin zaten met de portieren dicht.

'Verdomme, ik was er zeker van dat er een aanhoudingsbevel voor me was uitgevaardigd,' zei ik, terwijl ik met trillende handen een sigaret uit het pakje in Kytells handschoenenkastje haalde. Kytell rookt niet, maar mijn andere broers laten daar altijd halflege pakjes liggen.

'Nadat ik je alleen had gelaten met de dokter,' zei hij, 'heb je toen... Is er iets wat je me niet verteld hebt?'

Ik bleef midden in het aansteken van de sigaret steken en wierp hem een woedende blik toe. 'Wou je soms vragen of ik haar vermoord heb?'

'Heb je dat gedaan?'

'Jezus, Ky, ik dacht dat je me beter kende.'

'De Kate die ik ken zou niemand hebben mishandeld om aan informatie te komen.'

'Ja, dat weet ik.' Ik ademde moeizaam uit. 'Het was niet goed, maar geloof me, zo ver ben ik niet gegaan. Niets dat niet in een week of twee geheeld zou zijn. En vergeet niet dat die teef de moord op Charlie heeft verdoezeld.'

'Dus het was haar verdiende loon?'

'Dat zei ik niet. Maar vind ik het erg dat ze dood is? Nee. Zij en Graziani kunnen rotten in de hel, wat mij betreft.'

'Je gaat ervan uit dat de tweede dode Graziani is,' zei Kytell.

Verdomme, hij had gelijk. Ik had niet eens in overweging genomen dat de dode over wie in het nieuwsbericht was gesproken Cesare zou kunnen zijn, of erger nog: Luke.

'Wat nu?' vroeg mijn broer.

'Naar huis.'

'Geen goed plan. Zelfs als je naam nog niet is opgekomen, zal dat niet lang meer duren. Weet je zeker dat je in je flat wil gaan zitten wachten tot de politie voor de deur staat?'

'Nee, maar ik heb niet veel keus. Mijn vriendin in het hotel zegt dat er een loper was gestolen, en dat betekent dat iemand onze kamer heeft doorzocht. Ik geloof niet dat ze gevonden hebben wat ze zochten – ik kan me niet voorstellen waar Charlie iets verstopt zou kunnen hebben waar ik het niet tegen zou komen – en dat betekent dat het nog in de flat zou kunnen zijn.'

Kytell probeerde me voor te houden dat de vermiste loper er misschien niets mee te maken had. Of misschien had Charlie iets verstopt in de hotelkamer en hadden de slechteriken het vervolgens gevonden. En als dat niet zo was, bestond er een goede kans dat ze mijn flat het afgelopen jaar al doorzocht hadden.

'Er is toch niet bij je ingebroken? Vlak nadat je terug was?'

'Nee, dat had ik je wel verteld.'

'Maar toch. Het kunnen heel nette inbrekers zijn geweest.'

'Ik had het gemerkt.'

Uiteindelijk gaf hij zijn pogingen om me de zoektocht uit het hoofd te praten op. Hij kende me te goed en wist dat ik niet opgeef als ik eenmaal ergens mee ben begonnen. Dat was de reden dat hij de Game Boy die hij me eens leende toen we kinderen waren, pas terugkreeg toen ik alle hoogste scores van mijn broers bij Tetris had overtroffen.

Toen we in Islington waren, reed Kytell een paar keer door mijn straat voordat we ervan overtuigd waren dat de auto's waren verdwenen en dat niemand me zat op te wachten.

'Hoor eens, ik kom zo snel mogelijk terug,' zei hij. 'Weet je zeker dat ik niet even met je mee naar binnen moet gaan om te controleren of alles in orde is?'

'Nee, ik red me wel. Zeg, als je de oude heer soms ziet, beloof me dan dat je hem hier niets over vertelt, oké?'

Kytell grinnikte, een geluid dat diep uit zijn borst kwam. 'Het is dom van je, Kate. Hij zou kunnen helpen.'

'Het kan hem toch allemaal niets schelen. Dat heeft hij vrij duidelijk gemaakt toen hij niet eens de moeite wilde nemen iets van zich te laten horen toen Charlie was overleden.'

'Hij mist je, weet je. Hij vraagt altijd naar je.'

Ik schudde mijn hoofd. 'Ik kan hem niet om hulp vragen. Zo hypocriet ben ik gewoon niet. Weet je niet wat hij zal zeggen? "Gek hoe snel je terug komt rennen als je problemen hebt. Je hebt besloten dat mijn vaardigheden toch niet zo walgelijk zijn, zeker?"' Mijn lip krulde verachtelijk. 'Dat genoegen wil ik hem niet doen.'

'Je begeeft je op een pad dat je rechtstreeks naar huis voert,' zei Kytell. 'Dat weet je toch?'

'Het is nu al te laat. Ik kan er niet meer mee stoppen.' Ik beet op mijn lip om niet emotioneel te worden. 'Verdomme, misschien heeft hij al die tijd gelijk gehad. Misschien ben ik niet geschikt voor het leven dat ik wil hebben.'

Kytell legde zijn hand tegen mijn voorhoofd. Ik keek hem verbaasd aan.

'Ik controleer even of je geen koorts hebt,' zei hij.

'Ja hoor, heel grappig.'

'Je moet doen wat jou goeddunkt. Ik zweer je dat ik geen woord zal zeggen. Maar wil jij me dan ook iets beloven? Als Luke komt opdagen, doe dan de deur niet open, oké? Ik weet niet precies wat voor spelletje hij speelde in Sicilië, maar er leven op deze wereld geiten en tijgers, Kate, en hij is geen geit.'

Er lag iets schuldigs in Kytells amberkleurige ogen. 'Wat hou je voor me achter?' vroeg ik.

Hij wendde zijn blik af. 'Ik weet dat ik je dit waarschijnlijk toen al had moeten vertellen, maar een paar maanden terug heeft hij ons contacten bezorgd in de Verenigde Staten. En dan heb ik het over grote spelers.'

'Wat krijgen we verdomme nou?' zei ik. 'Hoe heb je dat kunnen doen?'

'Spring nou maar niet meteen uit je vel. Luke weet alleen dat wat vrienden van hem zaken doen met wat vrienden van mij. Hij leek graag precies te willen weten hoe goed ik de mensen kende die ik aanbeval, en ik heb gedaan alsof het gewoon wat mensen waren waar ik in het verleden tegenaan was gelopen en van wie ik wist dat ze betrouwbaar waren. Dus je hoeft je geen zorgen te maken; hij heeft geen idee dat ik familie van ze ben en je kunt erop vertrouwen dat we het zo houden. Je geheim is nog steeds veilig.'

Ik stapte uit de auto en sloeg het portier achter me dicht. Kytell keek een beetje bedeesd en schakelde. Ik weerhield hem ervan weg te rijden door me om te draaien en op zijn raampje te kloppen.

'En Charlie?' zei ik toen hij het raampje naar beneden liet schuiven.

'Wat is er met hem?'

'Zie je hem ook voor een tijger aan?'

Mijn broer schudde zijn hoofd. 'Ik heb Luke er nooit op kunnen betrappen dat hij zich ongemakkelijk voelde bij geweld. Maar Charlie... Hij leek eraan gewend, maar voelde zich er nooit gemakkelijk bij.' Hij boog zich naar me toe. 'Een beetje als jij.'

Kytell liet het raampje weer dicht zoeven en reed de hoofdstraat op.

Toen ik de trap naar de voordeur op liep, zag ik dat de gordijnen dicht waren en ik maakte me een beetje bezorgd om Samantha en David. Het was rustig in de gang en ik legde mijn oor tegen de deur van ons appartement. Stilte.

De sleutel draaide soepel in het slot, maar de deur kraakte toen hij openging. De zitkamer was leeg en lag half in het donker.

'Samantha?' riep ik, bang voor wat ik in de slaapkamer zou kunnen aantreffen.

Plotseling stond David in de deuropening van de slaapkamer met het lampje van het nachtkastje in zijn hand.

'O, godzijdank,' zei hij. 'Ik dacht dat ik een hartaanval kreeg.'

Samantha verscheen achter hem met mijn zware braadpan. 'Jezus, had je niet eerst even kunnen bellen? Ik had je hersens wel kunnen inslaan met die pan.'

'Een pan?' zei ik. 'Ik denk dat jullie te veel tekenfilms hebben gezien. In de keuken vind je een hele verzameling messen die nuttiger zijn bij een gevecht.'

'We wilden niemand vermoorden,' legde Samantha uit.

'Nee, een flinke hoofdpijn vonden we wel genoeg,' beaamde David.

Tien minuten later hadden we koffie en zaten zij op de bank terwijl ik op de rand van de leunstoel zat te luisteren naar wat er de laatste paar dagen gebeurd was.

'Ik geloof dat we ze nog een hele tijd voor de gek hebben gehouden,' zei Samantha. 'Ik weet niet zeker wat ons heeft verraden, maar opeens werd er op de deur gebonkt, alsof die lui probeerden in te breken. Ik wist dat we de deur niet open konden doen, dus ik riep "wat moet dat, verdomme", weet je wel, alsof ik jou was.'

'Wat zeiden ze?'

'"Doe verdomme die deur open!"' Samantha deed een heel goede imitatie van een Amerikaans accent. 'Dat deden we natuurlijk niet, en gelukkig had niemand anders in het gebouw de neiging op de zoemer te drukken. Na een minuut of vijf hield het gebons op en we dachten dat ze het hadden opgegeven.' Ze huiverde. 'Toen verscheen er één voor het raam. Jezus, Kate, het was net iets uit *Salem's Lot*.'

Ik keek door het raam van de woonkamer naar de gehavende oude brandtrap. 'Wie hij ook was, dapper was hij wel.'

'O, het was heel eng. Hij keek naar ons en knikte, alsof hij iets bevestigd had gekregen wat hij al wist. Toen vroeg hij waar jij was.'

'Wat zeiden jullie?'

'Niets. David pakte de telefoon en zei dat hij de politie ging bellen. En toen was die vent weg.'

'Weten jullie nog hoe hij eruitzag?'

'Ik geloof niet dat ik dat ooit zal vergeten. Ik zal altijd voor me blijven zien hoe hij daar voor het raam stond.'

'Donker haar,' zei David, die al dat melodramatische gedoe een beetje zat werd. 'Ouderwetse bril. Ongeveer één meter tachtig, misschien wat langer. Slank. Gladgeschoren. Halverwege de vijftig, zou ik zeggen.'

'Die ken ik. Ik geloof dat hij de leiding heeft.'

'Ja, maar waarover?' vroeg Samantha.

'Over wie,' verbeterde David, wat hem een por in zijn ribben opleverde.

'Dat ga ik uitzoeken.'

Ze wilden weten wat ik in Sicilië had ontdekt en ik vertelde dat er geknoeid was met het autopsierapport, maar zweeg over hoe ik aan die informatie was gekomen en wat er was gebeurd met de persoon die het me verteld had.

'En waar is Luke?' vroeg een verbaasde Samantha.

'Dat weet ik niet,' zei ik. 'Ik denk dat hij er misschien bij betrokken is.'

'Wát?' barstte ze los.

'Ik weet het niet zeker. Hij gedroeg zich gewoon erg verdacht.'

'Dat meen je niet,' zei David. 'Luke en Charlie, die waren toch al vrienden vanaf dat ze klein waren? Ik zie niet hoe hij er iets mee te maken kan hebben.'

'Nou, ik denk dat je verbaasd zou staan. Wees voorzichtig als hij jullie komt opzoeken. Vertel hem niet dat ik terug ben, zeg alleen dat ze jullie door hadden en dat jullie vonden dat het geen zin had nog te blijven.'

'Wat ga je nu doen?' vroeg Samantha zwakjes.

'Het is waarschijnlijk beter als ik jullie dat niet vertel,' zei ik. 'Het spijt me dat ik jullie hierbij betrokken heb. Hoe minder jullie er nu over weten, hoe beter.'

'Maar...' begon Samantha, maar David viel haar in de rede.

'Ik denk dat je gelijk hebt,' zei hij. 'Kom op, Sam, we pakken onze spullen en laten Kate haar gang gaan.'

Ik gaf de kleren terug die Samantha me had geleend en ze pakten hun tassen. Bij de deur keek Samantha me nog één keer met haar trouwe hondenogen aan.

'Alsjeblieft, Kate,' zei ze. 'Ga naar de politie. Als je bewijs hebt dat Charlie is vermoord, zullen ze de zaak zeker onderzoeken.'

'Ik zal erover nadenken,' zei ik, maar ik meende het maar half.

David keek boos en ik zag dat hij besefte dat ik hen in gevaar had gebracht.

'Het spijt me, David,' zei ik, maar hij trok de deur dicht en sloot me binnen.

Hoewel ik niet veel tijd had, moest ik zorgen dat ik schoon werd. Toen ik mijn shirt uittrok, zag ik een paar vlekjes op de mouw die wel leken op opgedroogde ketchup. Toen ik besefte dat het Bianchi's bloed was, bleef ik naar de donkerrode vlekjes zitten staren terwijl de seconden wegtikten. Ik wist niet wat ik met het shirt moest doen. Het leek op de een of andere manier respectloos om het te wassen, alsof ik dacht dat een wasmachine evengoed schuldgevoelens kon wegwassen als vlekken van het eten. Moest ik het de rest van mijn leven dragen, als een boetekleed, als straf voor mijn misdaad?

'Doe normaal,' zei ik tegen mezelf. Ik propte het shirt in elkaar zodat de vlekken niet meer te zien waren en duwde het onder in mijn ladekast. Ik wist dat ik het in de nabije toekomst zou moeten weggooien.

Ik deed de rest van mijn kleren in de wasmand en nam een douche; het hete water brandde op de geschaafde huid van mijn knokkels. Zelfs nadat ik de helft van mijn douchegel had gebruikt voelde ik me nog niet schoon. De warme, metalige stank van Bianchi's bloed was als een spookachtige geur die de zeep niet weg kon wassen. Ik wist dat ik haar niet had vermoord, maar ik had haar laatste paar uur op deze aarde pijnlijk en angstig gemaakt.

Had Luke haar vermoord? Had hij de waarheid ontdekt over Charlie en was hij uit op wraak? Of was ze vermoord door de mensen die haar hadden omgekocht?

Iets in mij wilde Samantha's advies opvolgen en de politie om hulp vragen. Maar wat kon ik vertellen? Ik kon niet bewijzen dat een lijkschouwer op Sicilië een deel van het autopsierapport van mijn man had vervalst zonder de hoofdverdachte te worden voor haar dood. En ik kon in geen geval eerlijk toegeven dat ik haar huis was binnengedrongen en haar had gemarteld. Zelfs als ze me geloofden als ik zei dat ze nog leefde toen ik wegging, zou ik toch de komende paar jaar in een Italiaanse gevangenis doorbrengen.

En wat zou het opleveren? Hoe zouden ze reageren op mijn grote onthulling dat Bianchi het woord 'spaghetti' had veranderd in het woord 'pasta'? Iets zei me dat dit feit niet zou leiden tot het vormen van een groot rechercheteam bij Interpol.

Nee, ik kon het risico niet nemen. Ik kon er niet op vertrouwen dat ze net zo ver zouden gaan als ik. Ik was niet bereid om ergens op Sicilië in een cel te gaan zitten terwijl de moordenaars van mijn man hun sporen uitwisten. Er zouden geen aanwijzingen meer te vinden zijn als ik eruit kwam.

Ik pakte een handdoek en wreef tot mijn huid roze was. Toen ik droog was, trok ik een schone spijkerbroek aan en een wit T-shirt met korte mouwen dat Samantha achter in mijn la moest hebben gevonden. Met druipend haar ging ik achter het bureau zitten en trok ik mijn laptop naar me toe.

De zoekwoorden 'Graziani' en 'Bianchi' leverden niets recents op bij Google, dus ging ik naar de nieuwssite van de BBC en zocht naar recente items over Sicilië. Toen ik niets vond probeerde ik het bij *The Times*, en uiteindelijk vond ik iets bij *The Guardian*.

Het was maar een kort artikeltje, schijnbaar geschreven zonder veel feiten, en het meldde alleen dat er twee lichamen waren gevonden, dat de politie ervan uitging dat de moorden met elkaar verband hielden en dat de journalist had begrepen dat beide doden overheidsdienaren waren. Dus Luke was niet een van de lijken. Ik wist niet zeker of ik me opgelucht moest voelen.

Het nieuws zou me pas later op de dag iets nuttigs kunnen vertellen. Ik moest weten hoe Graziani en Bianchi aan hun eind waren gekomen en of de politie signalementen had doen uitgaan van mensen die ze wilden ondervragen.

Zelfs als ik niet gezocht werd door de Siciliaanse politie, had ik nog het onheilspellende gevoel dat de mannen in de pakken nog steeds achter me aan zaten, misschien nog harder nu ze wisten dat ik op Sicilië was geweest en daar allerlei stenen had omgedraaid.

Maar waar moest ik beginnen? Ik ging midden in de woonkamer staan met mijn handen in mijn zij, draaide om mijn as en keek naar alle meubels en andere voorwerpen in de flat.

Ik had zoveel films gezien waarin kluizen achter de schilderijen zaten dat ik ze allemaal omdraaide, maar er bleek niets dan muur achter te zitten. Ik haalde de achterkanten van de ingelijste foto's en controleerde of er geen briefjes tussen de foto's en de achterkant verstopt waren. Ik keek in de hoezen van alle bankkussens, ook al wist ik zeker dat ik ze een paar maanden geleden nog had gewassen. Ik keek in elk dvd- en cd-doosje en bladerde elk boek door. In een ervan, *A Prayer for Owen Meany* van John Irving, zat nog een boekenlegger. Charlie was het die zomer aan het lezen, maar was vergeten het in te pakken. Nu zou hij het nooit uitlezen. Ik smeet het boek door de kamer en bleef zoeken.

Ik maakte de keukenkastjes leeg, maar vond niets dan een paar losse rijstkorrels en een heleboel gemorste zoutkorrels. Ik bukte om onder de salontafel, het bureau en de keukentafel te kijken, maar er zat niets onder geplakt.

Ik deed geen moeite met de badkamer. Tenzij Charlie iets verstopt had in een halflege bus talkpoeder was ik er vrij zeker van dat ik alle toiletartikelen die een jaar geleden bij ons op de plank hadden gestaan had opgebruikt.

Dus was alleen de slaapkamer nog over. Ik ging op het vloerkleed liggen om onder het bed te kijken en doorzocht alle zakken van Charlies kleren. Alles wat ik vond, was wat stof en een afgescheurd kaartje van het bezoek dat we vorig jaar hadden gebracht aan de Anthony Gormley-tentoonstelling in de Hayward Gallery. Ik herinnerde me hoe ik samen met Charlie over de South Bank was gewandeld en moest even slikken. Bepaalde herinneringen aan hem waren net verdroogde bomen, uitgezogen door mijn pogingen om hem in mijn hoofd tot leven te brengen. En toch kwam er soms voor het eerst een herinnering boven aan een bepaald moment en voelde ik mijn man opeens weer naast me, een overvloed van groen in de woestijn van mijn geheugen. Ik kon hem zien lachen om een grappig commentaar van een straatmuzikant terwijl we voorbij liepen, de zon op zijn gezicht, zijn glanzende ogen. 'Ik houd van je, ik houd van je, ik houd van je,' zei ik geluidloos tegen mijn herinnering aan hem.

Ik ging op het bed zitten en nam onze mappen met belangrijke papieren door. Allemaal present en in orde; geen verrassingen. De doos met souvenirs – liefdesbriefjes, verjaardagskaarten, tekeningen die we voor elkaar hadden gemaakt –, nou, ik moest maar zorgen dat ik me niet door mijn gevoelens liet meeslepen. De fotoalbums werden eveneens doorgekeken zonder echt naar de foto's te kijken. Toen herinnerde ik me hoe het kwam dat ik hier op mijn bed zat te zoeken naar iets belastends, iets dat iemand ertoe gebracht had mijn man te vermoorden. Opeens leek het de moeite waard om de foto's toch nog eens te bestuderen, dit keer op zoek naar iemand op de achtergrond die ik daar niet verwachtte; Cesare misschien, of de man in het pak met de ouderwetse bril. Maar de mensen op de achtergrond waren dezelfde bekende vrienden en volslagen vreemden die ze altijd al waren geweest.

Ik zette de fotoalbums weer op de plank en haalde Charlies werkmappen naar beneden, die boven op zijn kast stonden. Er zat niet veel in – het grootste deel van zijn ontwerpen stond als elektronisch dossier in de computer –, maar ik vond nog wel een paar oude blauwdrukken uit zijn studietijd en een paar van de schetsen die hij soms maakte als hij een gebouw of een detail zag dat hij mooi vond.

Ik deed een van de mappen open en er viel een USB-stick op mijn schoot. Er zaten wat losse dingen in de map, zoals een fotokopie van een cartoon van Gary Larson, een ansicht van het inmiddels afgebroken Carnival Hotel in Las Vegas – daar moest ik om glimlachen – en een paar reçu's. Toen herinnerde ik me waar die map vandaan kwam; een collega van Charlie had hem bij de wake aan Luke overhandigd en uitgelegd dat er dingen in zaten uit zijn bureau waarvan ze dachten dat ik ze misschien wilde hebben.

Er was niet veel over om te bekijken, dus pakte ik de USB-stick en liep ermee naar mijn laptop. Ik nam ook de schetsen mee.

De memorystick leek een back-up te zijn van de harddrive van Charlies pc op zijn werk. Ik keek de mappen door, maar zag niets opvallends. Er was een map die 'persoonlijk' heette, maar daarin stond alleen wat informatie over Charlies pensioen en de verlanglijst van vrienden van ons die een halfjaar na ons getrouwd waren. Ik liet zoeken naar alle mappen die waren gemaakt of bewerkt in de drie weken voor Charlies dood en nam ze een voor een door.

Toen ik bij de bewaarde HTML-codes kwam van de websites die Charlie had opgezocht, was het raak.

'Lichaam onbekende man gevonden in Hudson,' las ik. 'Dood beschouwd als moord.' De eerste koppen dateerden van twee jaar eerder, voordat ik Charlie ontmoet had. Het bleek dat het lichaam het grootste gedeelte van het gezicht miste doordat het beschoten was met een hagelgeweer en dat de tanden zodanig verbrijzeld waren dat ze niet gebruikt konden worden om het lichaam te identificeren. Toen dubbelklikte ik op een webpagina van een blog over misdaden van een maand later.

'Hudson-lijk geïdentificeerd als Federico Calabresi,' las ik, en bij die naam stond mijn hart stil. Ik dacht dat ik die naam kende.

'Federico Calabresi was een bekende figuur in de wereld van de georganiseerde misdaad. Toen aan zijn compagnons werd gevraagd waarom ze niet gemeld hadden dat hij vermist werd, hebben ze de rechercheurs blijkbaar verteld dat ze dachten dat meneer Calabresi een lange zeilvakantie hield in de Bahama's. Er wordt uiteraard driftig gespeculeerd over de mogelijkheid dat dit een aanslag was van een rivaliserende familie of – gezien de schijnbare achteloosheid van de kant van de compagnons van meneer Calabresi – van iemand van zijn eigen organisatie. De recherche staat in dit geval voor een lastig karwei; het is niet alleen onmogelijk om via ballistische proeven na te gaan of hagel uit een bepaald geweer afkomstig is, maar de toestand van het lichaam toen het ontdekt werd en het aantal mogelijke verdachten die profijt zouden kunnen hebben van de dood van Federico Calabresi betekenen dat de FBI in New York moeite genoeg zal krijgen om zelfs maar iemand te vinden die ze kunnen aanklagen.'

Ik bleef met mijn ellebogen op het bureau en mijn handen over mijn neus en mond naar het beeldscherm zitten staren. Federico Calabresi keek me aan vanuit een foto die gelukkig vóór zijn dood was genomen. Hij was een gezette man van in de veertig met wijkend, zandkleurig haar en een snor. Als je niet wist dat hij een maffiabaas was, zou je hem voor een aardige vent aanzien. Hij glimlachte bijna verlegen, alsof hij het niet leuk vond om gefotografeerd te worden. Het leek er niet op dat hij wist dat zijn gezicht op het punt stond weggeschoten te worden door hagelpatronen.

'Nee, Rico, nee!' Dat riep Charlie vaak met hese stem in zijn slaap. Ik schudde hem dan altijd wakker. De eerste keer dat hij die naam zei, vroeg ik wie die Rico was.

Hij zei dat iemand die Rico heette de auto bestuurd had waarin zijn ouders waren omgekomen. Ze waren bij een verjaardagspartijtje van wat oude vrienden en zijn vader had wat te veel sangria gedronken. Rico had aangeboden hen thuis te brengen zonder de moeite te doen hun te vertellen dat ook hij een beetje te veel sangria op had. Hij was door rood gereden, was uitgeweken voor een voetganger die de weg overstak en was tegen de verkeerslichten aan geknald. Charlies vader, die voorin zat, was meteen dood geweest. Charlies moeder, op de achterbank, vond het niet prettig een gordel te dragen, omdat ze daar indigestie van kreeg. Ze schoot naar voren en haar schedel sloeg kapot tegen de achterkant van Rico's hoofd. Dat vond Rico niet erg, want hij was half doormidden gesneden en was al dood. Charlies moeder stierf aan hersenletsel in de ambulance, op weg naar het plaatselijke ziekenhuis.

In Charlies droom zat hij altijd naast zijn moeder in de auto. Hij zag het rode licht en besefte dat Rico niet ging remmen. Hij schreeuwde tegen Rico om te voorkomen wat er ging gebeuren.

Dat had hij mij tenminste verteld.

HOOFDSTUK ZEVENTIEN

De deurbel ging en ik sprong op als een kikker op een barbecue. Ik sloot de webpagina af, duwde de laptop dicht, ging naar het raam en keek door de kier tussen de gordijnen. Kytell keek meteen op bij die geringe beweging en toen hij me zag, trok hij zijn wenkbrauwen op. Ik drukte op de zoemer om hem binnen te laten en beet op mijn duimnagel toen ik de deur achter hem dichtdeed.

'Alles goed?' vroeg hij. 'Heb je gevonden wat je zocht?'

'Ik weet het niet zeker,' zei ik, en ik wees op de laptop. 'Kijk zelf maar eens.'

Hij ging zitten en door zijn enorme lichaam zag mijn stoel van normaal formaat er opeens uit alsof hij in een poppenhuis thuishoorde. Zijn hand was twee keer zo groot als de computermuis.

'Ik snap het niet,' zei hij na een tijdje. 'Wat heeft dit met Charlie te maken?'

'Hij had nachtmerries over een man die Rico heette,' legde ik uit. 'Herinner je je dat Charlies ouders zijn omgekomen bij een auto-ongeluk? Charlie heeft me verteld dat die man toen reed.'

'Deze man?' herhaalde Kytell, wijzend naar de foto van Federico Calabresi op het scherm van de laptop.

'Ik weet niet of het dezelfde man is. Ik denk het niet, want deze man is doodgeschoten en de man in Charlies droom zou bij dat ongeluk zijn omgekomen.'

'Wat denk je dan?'

'Misschien is het toeval, maar misschien ook niet. Misschien had Charlie nachtmerries over de moord op deze man en probeerde hij dat te verhullen door me te vertellen dat hij over de dood van zijn ouders droomde.'

Kytell beet op zijn lip. 'Wanneer heeft hij de naam van die Federico voor het eerst genoemd? Toen hij je belde om te vertellen dat zijn ouders waren verongelukt?'

'Nee, pas toen hij de naam noemde bij een nachtmerrie en ik hem ernaar vroeg,' zei ik.

Kytell leunde achterover en keek me aan alsof hij wilde zeggen: 'Dat is dan dat.'

'O Kytell, je denkt toch niet dat Charlie hem vermoord heeft?' fluisterde ik.

Alle frustraties en adrenaline van de laatste paar dagen werden me plotseling te veel. Ik dacht dat ik alles aankon wat ik zou kunnen vinden, maar ik had niet verwacht dat Charlie tegen me gelogen zou blijken te hebben. Kende ik hem eigenlijk wel? Hoe kon hij zoiets voor me verborgen hebben gehouden? Ik wilde tegen hem schreeuwen, antwoorden eisen, maar hij was er niet om mijn vragen te beantwoorden.

'Arg, Charlie!' riep ik met gebalde vuisten.

Mijn broer stond op en trok me naar zich toe. Hij sloeg zijn vlezige, warme armen om me heen en omhelsde me stevig. 'Ssshhh, ssshhh,' zei hij sussend.

'Maar stel nou dat ik er nooit achter kom wat er met hem gebeurd is?' zei ik gekweld. 'Stel dat ik alleen maar ontdek dat hij gezocht werd wegens moord? Jezus Ky, denk je dat dat de enige reden is waarom hij hierheen is gekomen?'

Kytell duwde me van zich af, met zijn handen op mijn schouders. Hij moest bukken om me aan te kunnen kijken.

'Kijk in je hart,' zei hij. 'Je kende Charlie. Beter dan hij zichzelf kende, volgens mij. Denk je dat hij in staat was iemand in het gezicht te schieten en hem dan in de rivier te gooien?'

Toen moest ik lachen. 'Nee,' gaf ik toe.

'Nee, ik ook niet. Hij is voor jou hierheen gekomen, voor niets anders. Dus moet er een andere verklaring voor zijn dat hij dingen heeft opgezocht over die Calabresi, een verklaring die jij gewoon nog niet gevonden hebt. Waar of niet?'

'Waar,' zei ik, en ik deed een stap naar voren en omhelsde hem. 'Dank je. Dank je voor alles.'

De deurbel klonk weer en we gingen uit elkaar.

'Verwacht je iemand?'

Ik schudde mijn hoofd. Kytell knikte naar de laptop en ik haalde de memorystick eruit en stak hem in mijn zak.

Mijn broer ging naar het raam en bekeek onze nieuwe bezoeker door de kier tussen de gordijnen. Toen hij zag wie het was, rende hij naar de deur. Ik volgde hem en zag hem de voordeur openrukken, en daar stond Luke. Ik dacht eraan dat ik een T-shirt met korte mouwen aanhad en sloeg automatisch mijn armen over elkaar.

'Wat doe jij hier, verdomme?' snauwde Kytell tegen Luke. 'Laat mijn zus met rust, klootzak!'

Luke keek behoedzaam naar Kytell, die als een stier voor hem stond, maar hield stand. 'Kate?' Hij keek langs Kytell naar mij. 'Kate, ik was het niet, ik zweer het je. Alsjeblieft, ik moet met je praten.'

'Heb je me niet gehoord?' zei Kytell, die een grote hand midden op Lukes borst zette en hem twee treden achteruitduwde. 'Ik zei: laat mijn zus met rust, klootzak.'

'Wil je niet weten wat ik daar deed?' vroeg Luke. 'Waarom ik Cesare bij me had?'

Kytell hief zijn vuist en Luke deed nog een stap achteruit.

'Kytell, laat dat,' zei ik. 'Laat hem erin.'

Mijn broer keek me over zijn schouder aan. 'Weet je het zeker?'

'Hij kan me niets doen als jij er bent.'

Kytell deed aarzelend een stap achteruit en liet Luke erlangs. Luke schudde met gekwetste bleekblauwe ogen zijn hoofd naar me. 'Ik zou jou nooit kwaad doen, Kate.'

'Je zegt het,' zei ik, mijn armen nog steeds over elkaar. 'Ga naar binnen, dan. Je weet de weg.'

We liepen met hem de flat in en deden de deur dicht en op slot.

'Dus zo staan de zaken, hè?' lijsde hij toen Kytell de sleutel in zijn zak deed.

'Ja, zo staan de zaken,' gromde Kytell. Hij sloeg zijn enorme armen over elkaar en leunde tegen de afgesloten deur.

Ik had geen zin in al dat vertoon van testosteron. 'Luke, heb jij Graziani vermoord?'

'Nee,' zei hij. 'Jullie?'

'Donder toch op,' lachte ik. 'Je zag ons weggaan.'

'Ja, en daarna zijn wij weggegaan. Voor zover ik weet zijn jullie teruggegaan om het karwei af te maken.'

'Wat dacht je ervan eens te vertellen wat je daar verdomme uitvoerde?'

Luke haalde diep adem, wreef over zijn voorhoofd en ging aan de keukentafel zitten. 'Je hebt zeker geen pijnstillers? De Rots daar heeft me flink te pakken gehad; mijn borstkas ziet eruit alsof iemand zich eens lekker heeft uitgeleefd met groene en gele verf.'

'Sorry,' zei ik met een gemaakte glimlach. 'Ze zijn op.'

Hij zuchtte. 'Ook goed. Hoor eens, we waren daar voor jouw bestwil. Ik wist dat je Graziani niet vertrouwde, zelfs niet nadat Cesare je had verteld dat hij een goede vent was, en we waren bang dat je je in de nesten zou werken. En we hadden gelijk ook! Jezus Kate, je had een mes bij je.'

'Cesare had verdomme een pistool bij zich!' merkte ik op. 'En sinds wanneer zijn jullie zo dik met elkaar?'

'Hij was daar voor jou, voor Charlie, niet voor mij.'

'Gelul. Jullie kwamen Graziani beschermen.'

'Nee. We wilden jou tegen jezelf beschermen. Ik bedoel maar, jezus Kate, wat hebben jullie met die arme dokter uitgehaald?'

'Genoeg om erachter te komen dat ze heeft geholpen de moord op Charlie te verdoezelen,' zei ik.

'Hebben jullie haar daarom vermoord?' vroeg Luke. Hij stond kreunend op, met zijn arm tegen zijn ribben. 'Jezus, ik dacht dat blokhoofd hier zich had laten meeslepen, maar jij hebt het zelf gedaan, waar of niet?'

'We hebben haar niet vermoord,' zei ik met opeengeklemde tanden.

'Wie probeer je verdomme in de maling te nemen?' lachte Luke. 'Ik weet hoe razend je bent over Charlie en ik weet hoe beroerd je zelfbeheersing is. Wou je mij vertellen dat die vrouw bekende betrokken te zijn bij Charlies dood en dat jij gewoon "dank u wel, mevrouw" zei en wegliep?'

'Je kunt denken wat je wilt,' zei ik, nog steeds met mijn armen strak over elkaar. 'Het kan me niet echt meer schelen.'

'Vertel dan maar eens wat het grote mysterie is achter Charlies dood,' zei Luke.

'Ze zei dat ze het autopsierapport veranderd had.'

'En wat had ze dan veranderd?'

Ik stak uitdagend mijn kin in de lucht. 'Ze veranderde wat ze had neergezet bij de maaginhoud, zodat het paste bij de maaltijd waarvan wij wisten dat hij die gehad had.'

'Wat stond er dan eerst?' vroeg Luke.

'Spaghetti,' zei ik.

'En ze veranderde het in...'

'Pasta.'

'Godverdomme, Kate!' brulde Luke. 'Dat is toch geen bewijs voor moord!'

'Waag het verdomme niet te doen alsof het niets betekent,' ging ik tekeer. 'Waag het niet! Het moet iets betekenen.'

'Kate, je moet hiermee ophouden,' zei Luke. Hij pakte allebei mijn handen. 'Kijk nou wat er allemaal gebeurd is sinds je Charlie ging zoeken. Er zijn twee mensen dood. Je hebt iemand mishandeld... en misschien wel vermoord, voor zover ik weet. Je bent de laatste drie jaar mijn kleine zusje geweest en nu vertrouwen we elkaar niet eens meer. Katie, ik weet hoeveel verdriet je hebt, ik weet het. God weet dat ik hem ook mis, maar ik ben gewoon zo bezorgd om jou.' Er kwamen tranen in zijn ogen, waardoor ze nog blauwer werden. Zijn stem brak bijna. 'Dat was Charlie niet op die foto. Dat weet je toch?'

Ik keek hem alleen maar aan. Hij trok aan mijn handen, die tot vuisten gebald in de zijne lagen.

'Alles wat je ontdekt hebt – als het al iets betekent – is dat de maaltijd die Charlie met jou at niet zijn laatste was voordat hij stierf. Misschien hebben ze het rapport wel veranderd omdat ze een mooi afgeronde zaak hadden en geen zin hadden nog verder onderzoek te plegen, wie zal het zeggen. Misschien dacht Graziani gewoon dat het beter zou zijn om vaag te blijven over de maaginhoud, wetend dat jij over elk detail zou zeuren. Jezus, misschien heeft Bianchi gewoon een fout gemaakt. Misschien was ze dronken en zag ze in haar roes verdomme de verkeerde pastavorm. Het is niet belangrijk, Kate! En het is verdomme zeker geen reden voor een kogel in haar achterhoofd!'

'Ik heb haar niet vermoord!' gilde ik recht in zijn gezicht. In mijn frustratie beging ik de fout om mijn handen uit zijn greep te wringen en mijn blote onderarmen te laten zien.

Luke kreeg ze in het oog en bleef er geschokt op neerkijken. Hij greep mijn polsen nog eens, maar dit keer draaide hij ze zodat de onderkant boven kwam en hij de grote roze littekens over beide armen, tot net onder de ellebogen, goed kon zien.

Ik liet hem kijken. Kytell keek van een afstandje hoofdschuddend toe. Het was niets nieuws voor hem; hij had naast mijn ziekenhuisbed gezeten zo lang als ze hem maar wilden laten blijven en me elke dag bezocht op de psychiatrische afdeling waar ik naartoe was gestuurd.

Eindelijk keek Luke me weer aan. 'Wanneer?' was het enige dat hij kon uitbrengen.

'Maanden geleden,' zei ik tegen hem.

'Waarom heb je het me niet verteld?'

'Wat was er te vertellen? Ik wilde weg, bij hem zijn. Het is niet gelukt.'

'Kate,' zei hij, met zijn gezicht dicht bij het mijne. Hij wist dat ik eromheen draaide. '*Waarom heb je het me niet verteld?*'

'Wil je de waarheid?' zei ik. 'Omdat ik niet wilde dat je me in de gaten zou houden. Ik wist dat je bij me in zou willen trekken of mij bij jou in zou willen laten trekken. Ik wilde de vrijheid hebben om het nog eens te proberen als ik de behoefte voelde.'

Hij schudde ongelovig zijn hoofd. 'Hoe... hoe heb je het gedaan?'

'De gebruikelijke methode. Twintig pijnstillers, een fles whisky en een scheermes in het bad.'

Helaas was ik in mijn ellendige toestand vergeten de kraan dicht te draaien. Het bad liep over en Agnetha kwam naar boven om te vertellen dat haar plafond lekte. Toen ik niet opendeed, liet ze zichzelf binnen met de reservesleutel, die we hun gegeven hadden voor het geval we die van ons kwijtraakten.

Ze had me gevonden in een bad vol koud water en bloed en me eruit getrokken. We wachtten op de bank op de ambulance en zij drukte handdoeken tegen de sneden om het bloeden te stelpen terwijl ik steeds het bewustzijn verloor. Intussen zat die arme Hannah beneden in haar rolstoel naar boven te roepen om erachter te komen wat er gebeurd was.

'Mijn arme kind,' had Aggie tegen me gezegd terwijl ze mijn rillende, naakte lichaam in de plaid wikkelde. Ik had onder mijn zware oogleden door het bloed in het dikke, kleurrijke badlaken zien sijpelen dat ze in de holte van mijn ellebogen had gepropt. 'Mijn arme, arme kind.'

Luke deed een stap achteruit en draaide zich om naar de keuken. 'Ik kan gewoon niet geloven dat je dat hebt gedaan,' zei hij. Ik kon zijn gezicht niet zien, alleen de lijn van zijn gebogen schouders. Hij klonk vreemd afwezig. 'Je had met mij moeten praten. Je had eerst met mij moeten praten.'

'Waarom?' zei ik niet onvriendelijk. 'Wat kon jij zeggen dat enig verschil had kunnen maken?'

Hij zuchtte en draaide zich weer naar me om, maar hij keek me nog steeds niet aan. 'Het spijt me,' zei hij.

'Luke?' Ik moest in zijn arm knijpen om hem zover te krijgen dat hij me aankeek. 'Doe niet zo raar. Het spijt mij. Ik weet hoe moeilijk het voor je was geweest als het was gelukt. Maar er is niets dat je anders had kunnen doen, niets dat me ervan had kunnen weerhouden bij hem te willen zijn. Geef jezelf niet de schuld. Ik kon het gewoon niet verdragen om nog één seconde alleen te zijn.'

Luke nam mijn gezicht in zijn handen en zijn ogen straalden als zoeklichten in de mijne om mijn gedachten te lezen. 'Beloof me dat je nooit meer zoiets zult proberen,' fluisterde hij.

Ik glimlachte triest. 'Dat kan ik niet beloven. Maar ik kan wel zeggen dat ik nu andere prioriteiten heb.' Lukes handen gleden van mijn gezicht en ik voelde mijn blik harder worden. 'Ik wil eerst de schuldigen vinden.'

De deurbel ging en we verstijfden allemaal.

'Luke?'

'Ik heb niemand meegebracht,' zei hij.

Kytell ging naar het raam, maar ik stak mijn hand op om hem tegen te houden. 'Laat mij maar.'

Ik ging voorzichtig bij de rand van het gordijn staan en gluurde door de smalle spleet tussen de stof.

'O, verdomme,' zei ik.

'Wie is het?' fluisterde Luke.

Er stonden drie geüniformeerde agenten en twee agenten in burger op de stoep. De kleinste rechercheur, die een lange regenjas droeg, bonsde op de voordeur. 'Politie! Kunt u naar de deur komen, juffrouw Grey!'

'Verdomme,' gromde Kytell.

Ik trok haastig mijn jasje aan om mijn armen te bedekken en rende naar de andere kant van de flat, naar het raam dat uitzicht gaf op de tuin. De brandtrap was levensgevaarlijk en hing van roest aan elkaar, maar we zouden het erop moeten wagen. Toen zag ik de twee agenten in hun strakke zwart-met-witte uniformen in de tuin staan om mijn ontsnappingsroute af te snijden.

'Ga naar Aggie en Hannah,' commandeerde Luke. 'Snel, voordat ze de deur inbeuken.'

'Dat gaat niet,' zei ik. 'Ik kan hen er niet bij betrekken. Gaan jullie maar. Ze hoeven jullie hier niet aan te treffen.' Ik zag hen aarzelen, dus deed ik de deur van de flat open en duwde hen naar buiten. Ze gingen met tegenzin naar het benedenappartement terwijl de politie nog eens aanbelde en daarna op de voordeur klopte. Hannah, die wilde weten wat dat lawaai te betekenen had, deed de deur van hun flat open en sprong bijna uit haar stoel toen ze Luke zag staan, die net aan wilde kloppen.

'Sorry!' zei ik zachtjes tegen haar. 'Mogen ze?' Ik wees op Luke en Kytell.

Ze rolde met haar ogen. 'Oké,' fluisterde ze terug en ze wenkte de twee mannen binnen te komen. Met een laatste blik op mij sloot Ky de deur achter hen. Hij zou alle vijf de politiemannen opzij hebben geveegd om een pad voor me te banen als ik het hem had gevraagd. Ik stond alleen in het gangetje.

Ik deed de voordeur open, stapte naar buiten en deed hem achter me weer dicht. Pas toen keek ik de rechercheur aan die mijn naam had geroepen.

'Ik ben Kate Grey,' zei ik. 'Wat is er aan de hand?'

De rechercheur had het gezicht van een goede politieman die er al heel lang aan gewend is nooit open kaart te spelen. Hij nam me in een paar seconden op en beoordeelde bijna onbewust een paar aspecten; stond ik op het punt weg te rennen? Had ik een verborgen wapen bij me? Was ik gewond of had ik bloed op mijn kleren?

'Juffrouw Grey, ik ben inspecteur Collins.' Hij liet me zijn identiteitskaart zien. 'We zouden graag willen dat u meekwam naar het bureau om een praatje te maken.'

'Sorry,' zei ik, en ik sloeg mijn armen over elkaar. 'Ik heb het vandaag nogal druk. Kan het ook later deze week?'

'Het duurt niet lang,' zei hij. Hij legde een hand onder mijn elleboog en probeerde me de trap af te loodsen naar het trottoir. Ik tilde mijn elleboog uit zijn greep.

'Nee,' zei ik. 'Sorry. Een andere keer, misschien.'

'Juffrouw Grey, geloof me, het is gemakkelijker voor u als u gewoon met ons mee komt.'

'Gemakkelijker voor mij?' Ik lachte. 'Nee, gemakkelijker voor jullie, denk ik. Gemakkelijker voor jullie als ik geen advocaat heb en jullie niet op de tijdslimiet hoeven te letten. Als jullie met me willen praten, moet je me arresteren.'

Inspecteur Collins stak zijn hand weer uit, ditmaal naar mijn arm. Ik sloeg zijn hand hard weg en hij dook in een bliksemsnelle reactie onder mijn arm door, greep mijn rechterelleboog, draaide me om en sloeg me hard tegen de voordeur.

'Kate Grey, ik arresteer je voor het aanvallen van een politiebeambte onder sectie negenentachtig van de Politiewet uit 1996. Je hoeft niets te zeggen, maar het kan je verdediging schaden als je nu iets verzwijgt waar je je later voor het hof op wilt beroepen. Alles wat je zegt mag als bewijs gebruikt worden. Begrijp je je rechten zoals ik die aan je heb uitgelegd?'

'Ja,' zei ik met mijn gezicht tegen het geschilderde hout van de zware deur en mijn arm op mijn rug.

'Ik ga nu je arm loslaten. Draai je niet om. Doe je handen omhoog en leg ze tegen de deur. Voeten uit elkaar.'

Ik deed wat hij zei. Een geüniformeerde agente kwam naar voren en fouilleerde me.

'Geen wapens,' zei ze.

'Kom op, dan, we gaan een praatje maken,' zei Collins, en hij leidde me de trap af en zette me achter in een politiewagen. Hij legde zelfs een hand op mijn hoofd zodat ik die niet stootte tegen de auto en een klacht zou kunnen indienen wegens onnodige wreedheid. Ik was al eerder gearresteerd, op de prille leeftijd van vijftien jaar, en het kwam allemaal weer bij me terug.

Collins ging voorin zitten voor de korte rit naar het politiebureau, maar hij bleef recht voor zich uit kijken en negeerde me bijna. Ik vroeg me af wat ik kon zeggen om hen ervan te overtuigen dat ik onschuldig was, niet alleen aan de moord op Bianchi, maar ook aan mishandeling. Het was moeilijk zolang ik niet wist hoe ze me op het spoor waren gekomen.

Het probleem was dat ik regels ingehamerd had gekregen over arrestaties, en regel nummer één was: 'Doe je mond niet open.' Dus toen inspecteur Collins opmerkte dat ik niet erg verbaasd had geleken om hen te zien, zei ik niets.

'Je zult wel willen weten waarover we met je willen praten,' probeerde hij vervolgens. Hij keek in de achteruitkijkspiegel om mijn reactie te peilen. Ik staarde naar buiten en concentreerde me op de auto's die ons passeerden. 'Goed hoor, blijf maar doen alsof deze hele ervaring je ongelooflijk verveelt,' zei hij, en hij tikte met zijn vingers op het dashboard. 'Maar ik kan je dit wel zeggen, juffrouw Grey: de Britse politie is veel vriendelijker dan de Siciliaanse als het om verhoortechnieken gaat. Ik weet wel tegen wie ik liever praat.'

Ik was er nooit erg goed in geweest om mijn grote mond te houden. 'Goed om te weten,' zei ik met een knikje, en ik glimlachte met gesloten mond. Hij wendde zich af en we legden de rest van de rit in stilte af.

Het was kil in de cel waarin ik zat en het rook er naar pis. In de hoek stond een roestvrijstalen toilet, dat slechts een klein beetje privacy bood van het kijkgaatje in de deur. Er bevond zich een klein raam in de muur, maar dat zat te hoog om naar buiten te kunnen kijken.

Ik zat in kleermakerszit op de betonnen rand aan de muur. Een dunne, met canvas overtrokken matras bood enig comfort. Ik deed het in mijn broek van angst en werd gek van het feit dat ik niet wist hoeveel informatie de politie had. Wie had hen over mij verteld? Iemand die had geweten dat ik Bianchi in haar kantoor had lastiggevallen, of erger nog: iemand die me bij haar huis had gezien? Was het Graziani, wat zou betekenen dat iemand anders bij zijn boerderij was vermoord? Zolang ik niet wist wat ze over me wisten, riskeerde ik betrapt te worden op een leugen als ik iets zei.

Ik stond op en ijsbeerde door de cel toen ik eraan dacht dat ik ergens had gelezen dat mensen die schuldig waren zich meestal ontspanden na hun arrestatie en zelfs gingen slapen, terwijl onschuldige mensen helemaal de kluts kwijtraakten. Ik kon me niet voorstellen waarom je je zou ontspannen bij het vooruitzicht aangeklaagd te worden, maar misschien is het wachten tot het zwaard valt erger dan de slag zelf. Persoonlijk kon ik me niet indenken dat ik niet tot het allerlaatste moment zou proberen mijn lot te ontlopen.

Ik dwong mezelf weer te gaan zitten en me te concentreren. Wat voor bewijs konden ze al hebben? Wat voor bewijs konden ze nog krijgen?

Ze konden bewijs hebben dat ik in Bianchi's huis was geweest. Ik had mijn handschoenen uitgedaan voordat ik haar sloeg en kon per ongeluk vingerafdrukken hebben achtergelaten. Zo ja, dan was ik erbij. Mijn vingerafdrukken stonden al in het systeem en dat zou kunnen verklaren waarom ze me gearresteerd hadden. En nu ze me eenmaal hadden geïdentificeerd, waren er vast nog wel andere sporen, zoals losse haren, die me zouden verraden.

Als ze mijn flat doorzochten, zouden ze het shirt vinden met het bloed van Bianchi erop. Maar die paar druppels bewezen toch niet dat ik haar vermoord had? Dat hing ervan af hoe ze was gestorven. Luke had ons verteld dat Bianchi was doodgeschoten, en nu ik eraan dacht, hoe wist hij dat? Of was 'een kogel in het achterhoofd' eerder een uitdrukking dan de werkelijke manier van executie? Hoe dan ook, als hij gelijk had, zouden ze in ieder geval geen moordwapen met mijn vingerafdrukken in het appartement aantreffen.

Tenzij de man met de ouderwetse bril en zijn vriendjes sluwer zijn dan zelfs jij denkt, dacht ik. Dat zou ideaal zijn – als ik erin werd geluisd voor de moord op Bianchi, zou de waarheid over de dood van Charlie voor altijd veilig zijn.

Ik wilde maar twee dingen doen. Een daarvan was mijn broer hierbuiten houden. De prepaid mobiel die ik in Sicilië had gebruikt om Kytell te bellen lag in de flat, en als de politie hem vond, zouden ze door zijn strafblad meteen weten dat hij erbij betrokken was.

Het andere was uitzoeken wie Charlie had vermoord.

Al het andere kwam op het tweede plan. Lukes vrijheid, mijn vrijheid; alles kon worden opgeofferd om die twee doelen te bereiken. Als duidelijk werd dat de politie genoeg bewijs had om me uit te leveren aan Italië, zou ik bekennen dat ik bij Bianchi had ingebroken en dat ik haar had mishandeld als dat betekende dat ik hun ook kon vertellen wat ik ontdekt had en de kans had om hen over te halen mijn zoektocht naar de waarheid voort te zetten.

Ik hoorde voetstappen in de gang en zette me schrap. De celdeur werd opengedaan en daar stond inspecteur Collins in zijn lichtgrijze pak. Er was iets veranderd sinds ons ritje van nog maar een uur geleden. Zelfs zijn pokerface kon het feit niet verbergen dat iets hem van zijn stuk had gebracht.

'We hebben hier iemand die even met je wil praten,' zei hij.

Als het niet de afdeling Moordzaken was die me wilde ondervragen, betekende dat dat de Italiaanse politie er al bij betrokken was. Ze zaten hier niet een beetje te vissen, ze hadden harde bewijzen tegen me.

'Waar is mijn advocaat?' vroeg ik.

Collins keek op zijn horloge. 'Die is onderweg. Hoor eens, je hoeft niets te zeggen als je dat niet wilt. Luister alleen even wat deze jongens te zeggen hebben.'

'Heb ik een keus?'

Hij keek naar me en hield zijn hoofd een beetje schuin, alsof hij iets uit probeerde te vogelen. Wat stond hij zich af te vragen? 'Nee, dat geloof ik niet,' zei hij.

Ik werd verder niets wijzer van zijn gezicht. Ik rechtte mijn schouders, ging meer rechtop staan en volgde hem de cel uit.

Hij ging me voor langs de balie en de trap op naar de eerste verdieping. We bleven staan voor een deur waarop VERHOORKAMER 5 stond. Collins klopte en deed de deur open zonder op antwoord te wachten.

De kamer lag grotendeels in de schaduw doordat de halfgesloten jaloezieën het grootste deel van het middaglicht buitensloten. Een groot bureau stond met de korte kant tegen een muur, maar er zat niemand achter. In plaats daarvan stonden er vier lege stoelen, waarvan er een scheef stond en iets achteruit was geschoven, alsof ik werd uitgenodigd daar te gaan zitten.

Aan de andere kant van de kamer stond een man met zijn rug naar ons toe naar zijn eigen spiegelbeeld in de grote spiegel te kijken die het grootste deel van een muur besloeg. Ik bekeek hem en probeerde te zien of het Graziani was, maar deze man was langer en slanker. Het was te donker in de kamer om zijn gezicht in de spiegel te kunnen zien, hoe ik ook tuurde. Ik deed een stap naar voren en wachtte tot hij zich naar me zou omdraaien. Ik wilde mijn volgende tegenstander zien.

'Hallo, Kate,' hoorde ik een bekende stem met een Amerikaans accent zeggen. 'Het spijt me dat je op deze manier opgepakt moest worden.'

De man draaide zich eindelijk om en keek me aan, zijn armen verontschuldigend uitgestoken.

'Wat krijgen we nou?' zei ik, en ik deed geschokt een stap achteruit. Ik liep naar de deur, maar die was al achter me dichtgegaan en kon van binnenuit niet zonder code worden geopend.

Inspecteur Collins had me in de steek gelaten; ik was alleen met de man die me in de bar van het Moonlite Hotel in Miami had aangesproken.

Ik draaide me weer om, want ik wilde niet met mijn rug naar die vent toe staan. Hij glimlachte geruststellend en deed zijn opvallende bril af om de glazen schoon te vegen aan zijn das.

'Over de politie hoef je je geen zorgen te maken,' zei hij. 'Ze denken dat je voor ons werkt. In de kamer aan de andere kant van de spiegel zitten een paar van mijn mannen om ervoor te zorgen dat ze dit gesprek niet afluisteren, dus kun je vrijuit spreken.'

Ik keek hem behoedzaam aan en hield afstand.

'Ik kan het je niet kwalijk nemen dat je me niet vertrouwt. We zijn niet bepaald eerlijk tegen je geweest. Hopelijk begrijp je dat een beetje als ik je de achtergrond van deze zaak vertel.' Hij zette de jarenvijftig-bril weer op en haalde een leren mapje voor visitekaartjes uit zijn borstzak. Hij stak het me toe en een moment later griste ik het uit zijn hand.

Er zat een identiteitskaart in. De foto was een paar jaar oud; zijn haar was nu korter en hij was magerder geworden, maar hij had nog steeds dezelfde harde ogen.

'Hoe weet ik dat dit echt is?' vroeg ik toen ik hem de kaart teruggaf.

'Denk je dat wij zonder behoorlijke autorisatie een moordonderzoek kunnen onderbreken?' merkte agent Stanley Daultrey van de FBI op.

'Een beetje buiten je jurisdictie, nietwaar?'

'Een beetje,' gaf hij toe. 'Gelukkig hebben onze landen een heleboel gemeenschappelijke vijanden, dus zijn we eraan gewend een beetje samen te werken.'

'Word ik verdacht van moord?' vroeg ik recht op de man af.

'Nee. We hebben tussenbeide kunnen komen voordat er een EAB werd uitgevaardigd.'

'Een EAB?'

'Een Europees Aanhoudingsbevel. We hebben zowel de Italianen als de Britten verteld dat je undercover hebt gewerkt op Sicilië en dat je in contact bent gekomen met zowel Graziani als Bianchi, maar dat je beslist niet betrokken was bij hun dood.'

Ik lachte. 'Waarom zouden jullie dat verdomme doen?'

'Om dezelfde reden als waarom ik je in Miami af probeerde te schrikken. Een duidelijk vergeefse poging je veiligheid te waarborgen.'

'En wat kan het jullie schelen of ik veilig ben of niet?'

Opeens keek Daultrey plechtig. 'Nou Kate, dat was wat Antoni gewild zou hebben.'

Ik schudde ongelovig mijn hoofd. 'En wie mag Antoni wel zijn?'

De FBI-agent pakte me bij mijn schouder alsof hij me kracht wilde geven.

'Je man, Kate. Antoni was je man.'

HOOFDSTUK ACHTTIEN

Ik schudde mijn hoofd, maar er kwamen geen woorden.

'Ik besef dat dit een schok voor je is,' zei Daultrey. 'Geloof me, Antoni zou niet hebben gewild dat je er op deze manier achter kwam. In feite wilde hij dat je er nooit achter zou komen. Maar nood breekt wet. Je loopt gevaar als we je nog langer in het ongewisse laten.'

Er kwam een kloppend geluid van de spiegel en Daultrey ging dichter bij me staan.

'Dat zijn mijn jongens, die me vertellen dat jullie rechercheurs ons niet zoveel privacy geven als ons was beloofd,' zei hij zachtjes. 'Ik kan je hier niet meer vertellen. Je zult me moeten vertrouwen. Ga met ons mee.' Ik staarde naar hem, naar zijn ogen die de kleur hadden van bevroren modder. Het waren de ogen van iemand die te veel had gezien.

'Ik weet het niet,' zei ik.

Hij knikte, alsof hij niets anders had verwacht. 'We zullen zorgen dat ze je zonder aanklacht laten gaan. Je krijgt je bezittingen terug en rechercheur Collins zal aanbieden je terug te brengen naar je appartement. Neem het aanbod aan als je wilt, ik zal het begrijpen. Maar als je tot de conclusie komt dat je wil weten waarom je man in Sicilië is omgekomen, sla het dan af. Loop dit bureau uit en ga linksaf. Ik wacht twee straten verder.'

Daultrey stak zijn hand uit. Ik schudde hem verbaasd.

'Ik zie wel waarom Antoni voor je gevallen is,' zei hij met een spijtige glimlach. 'Je hebt de laatste week laten zien dat je net zo koppig bent als hij. Minstens.' Hij draaide zich om naar de deur en toetste de code in waardoor het slot openging. Toen wendde hij zich weer tot mij en zijn gezicht was weer doodserieus.

'Kate, als je besluit hier niet mee verder te gaan, moet ik je toch één waarschuwing geven. Luke Broussard is niet wie hij lijkt.'

En met een beslist knikje verliet hij de verhoorkamer. De deur zwaaide achter hem dicht.

Ik ging met een plof op de dichtstbijzijnde stoel zitten.

Wat nu?

Collins nam me mee naar de balie en ze gaven me de sleutels, de portefeuille en de riem terug die ze hadden geconfisqueerd, precies zoals Daultrey had gezegd. Ik voelde de priemende blik van de inspecteur terwijl hij hoogte van me probeerde te krijgen. Ik hoopte maar dat hij geen lastige vragen zou stellen, zoals waarom een Engels meisje voor de FBI werkte, maar volgens mij had Daultrey hem gewaarschuwd en uiteindelijk zei hij alleen: 'Ik zal even kijken of een van mijn agenten vrij is om je terug te brengen naar je flat.'

'Dank u, maar dat is niet nodig,' zei ik tegen hem. Ik had nog niets besloten over Daultrey, maar ik wilde in ieder geval niet langer in het gezelschap van de politie verkeren.

Collins nam me mee naar de receptie van het politiebureau. Ik slaakte een zucht van verlichting toen ik weer neutrale grond betrad.

De zon scheen in mijn ogen. Ik keek links en rechts de weg af. Het licht weerkaatste van de autoruiten. Een paar jongens in T-shirts en met petjes op liepen voorbij en lachten om iets wat een van hen in zijn mobieltje zei. Ze keek naar een meisje dat de andere kant uit liep en wier korte rok haar slanke bruine benen liet uitkomen. De radio van een auto met openstaande raampjes slingerde luchtige r&b de straat in. De drukte van Londen in de zomer had me tot dat moment altijd gegrepen.

Was het waar dat mijn man Antoni heette in plaats van Charlie? Waarom zou hij tegen me hebben gelogen? En waarom zou de FBI me willen beschermen en bereid zijn daarbij zo ver te gaan om me helemaal naar Groot-Brittannië en vervolgens naar Sicilië te volgen? Het leek een hoop manuren voor iemand die niet eens Amerikaans staatsburger was. En als ze zo overtuigd waren van het feit dat ik in gevaar verkeerde, waarom waren ze dan van plan me met rust te laten als ik rechtsaf en naar huis ging?

Ik was al de hele week op de loop voor Daultrey en zijn agenten. Het leek een te grote overgang om ze nu te gaan vertrouwen, om me aan hen over te leveren. Als ik in die auto stapte, wist niemand daar iets van, Kytell niet en zelfs de politie niet. Mijn instinct zei me weg te lopen, en snel ook.

Ik deed een onzekere stap naar rechts en begon naar huis te lopen. Terug naar mijn arme broer, die verzeild was geraakt in god mocht weten wat. Terug naar een man die ik beschouwd had als mijn beste vriend, maar die ik niet langer kon vertrouwen. Terug naar de lege flat, waar me niets anders wachtte dan een laptop met opgeslagen webpagina's over een moord, een mysterie dat ik nu waarschijnlijk nooit zou doorgronden. De littekens op mijn armen begonnen te branden, zoals soms gebeurde als ik mijn pijn moest rationaliseren. Ze wilden dat ik ze weer opensneed, zodat ze hun doel konden vervullen.

Het was niet de bedoeling dat ik hier nog was. Een mens van vlees en bloed was weg en had slechts een schaduw op het trottoir achtergelaten. Wat had het voor zin om naar huis te gaan? Wat probeerde ik te beschermen, te verlengen?

Er flitsten beelden door mijn hoofd van het leven dat voor me lag; de trouwerijen waar ik in mijn eentje naartoe zou gaan, het speelgoed dat ik voor andermans kinderen zou kopen, de eenpersoonskorting op hotelkamers, de Valentijnsdagen zonder kaarten of bloemen, Kerstmis bij andere mensen thuis, het pijnlijke van een prachtige hemel zonder iemand om erop te wijzen.

Ik zag mezelf als een oude vrouw in een tuin zitten, kijkend naar een herfstblad dat over het gras danste. Mijn haar was wit, mijn handen knoestig en gerimpeld. Ik droeg nog steeds de trouwring die Charlie veertig jaar eerder aan mijn vinger had geschoven.

'Kijk uit!' zei een man tegen wie ik bijna op liep toen ik me op mijn hakken omdraaide en de andere kant uit begon te lopen. De stoeptegels werden een waas onder mijn voeten toen ik begon te rennen. Twee straten na het politiebureau reed een donkere auto met getinte ramen weg van de stoeprand en remde. Het achterportier zwaaide open en daar zat Daultrey, die hem openhield.

Ik gleed op de achterbank en trok het portier dicht. We snelden weg.

Ze namen me mee naar een kantoorgebouw van twintig verdiepingen in de Docklands. We gingen met de lift naar de achttiende verdieping, samen met twee mannen die eruitzagen als effectenmakelaars en naar het dak leken te gaan voor een rookpauze.

'Ja, je zou de volgende keer eens mee moeten gaan,' zei de een tegen de ander terwijl hij zijn pakje sigaretten en zijn Zippo-aansteker voor de dag haalde, alsof hij klaar moest zijn om er een op te steken zodra hij buiten was. 'Het is er gewoon te gek. Echt.'

'We komen zeker,' zei stadstype nummer twee, van wie de blik over de hakken van mijn laarzen ging alsof hij aan een enorme schoenenfetisj leed.

'Achttiende verdieping,' zei de bekakte stem via de luidsprekers van de lift. 'Deuren gaan open.'

Ons vreemde drietal – de FBI-agenten in hun pak met mij ertussen in mijn spijkerbroek – liep door de gang langs de andere kantoren, de bedrijfsnamen op de glazen muren die ze van elkaar scheidden geëtst. De kantoorruimte die de FBI gebruikte was helemaal aan het eind. BROMPTON HOLDINGS stond er op de glazen muur. Een jonge vrouw in een mooie blouse zat achter de receptie. Ze knikte tegen Daultrey, maar keek mij niet eens aan. We liepen haar voorbij naar een ruimte die buiten het zicht van de gang lag.

De kamer was leeg, op een groot bureau en vier stoelen na, net als de verhoorkamer in het politiebureau. Zelfs de jaloezieën hielden ook hier de middagzon buiten. Daultrey deed een lamp aan waarvan het gele licht een kring wierp op het bureau. 'Zo kunnen we niet gezien worden door de ramen,' legde hij uit toen hij mijn gezicht zag. 'Het is maar een voorzorgsmaatregel. Gewoonte, voornamelijk.' Hij trok een stoel voor me naar achteren en ging tegenover me zitten.

Er kwam een blonde vrouw binnen in een donker pak en op hoge hakken. Ik herkende de agent die ik in de bus op het vliegveld had gezien toen Luke en ik terugkwamen uit Miami.

'Dit is agent Angela Taylor,' zei Daultrey toen ze hem een map gaf.

Ze knikte naar me, ging naast Daultrey zitten en sloeg haar benen over elkaar. Ik knikte terug.

Daultrey wilde de map opendoen, maar wachtte toch nog even.

'Ik besef dat dit geen aangename ervaring voor je wordt,' zei hij. 'Dat spijt me. Het is niet iets wat gemakkelijk mooier gemaakt kan worden dan het is en een deel ervan zal moeilijk voor je zijn om te horen. Weet je zeker dat je dit wilt?'

'Ja,' zei ik met droge mond. 'Ik moet alles weten.'

Hij keek neer op de tafel. 'Het spijt me,' zei hij. 'Om verschillende wettelijke en... andere redenen kan ik je niet álles vertellen wat we weten. Sommige dingen moeten via de juiste kanalen worden afgehandeld. Maar je krijgt alles te horen wat we mogen vertellen en misschien nog een paar dingen waarvoor ik in Washington op mijn vingers getikt zou worden.' Op dat punt wierp hij een blik op agent Taylor en zij knikte, maar met een uitdrukking in haar ogen alsof ze wilde zeggen: 'Je graaft je eigen graf.'

Ik zat vastgenageld in mijn stoel toen hij de map opendeed en me een foto gaf van een glimlachende Charlie in een donkerblauw pak en met de Amerikaanse vlag achter zich. Hij hield een penning omhoog. Zijn haar was kort en hij was gladgeschoren. Hij leek een jaar of vijfentwintig.

'Hij was de beste van zijn klas op de Academy,' zei Daultrey.

'Was hij een agent?' zei ik verbaasd.

Daultrey knikte. 'Hij werd vers van de Academy naar het veldkantoor van New York gestuurd en was daar aanvankelijk bezig met vermiste personen, maar hij bleek al snel talent te hebben voor undercoverwerk. Dat heeft hij twee jaar gedaan voordat hij een paar karweitjes mocht doen voor de maffia. Hij won geleidelijk hun vertrouwen, vooral dat van Federico Calabresi, een vrij laaggeplaatste crimineel die zich voornamelijk bezighield met softdrugs en prostitutie. Maar Calabresi wilde voor hem instaan, en zo legde hij een paar jaar later de eed af en werd hij lid van de maffia.'

Daultrey boog zich over de tafel en keek van de map naar mijn gezicht. 'Je moet begrijpen, Kate, dat dat een enorme prestatie was. Het is ongelooflijk moeilijk om in de maffia te infiltreren. Ze vertrouwen over het algemeen alleen mensen uit hun eigen, al bestaande gemeenschap. Antoni was echt een soort legende voor de mensen in het Bureau die wisten wat hij deed.'

'Ik begrijp het niet,' zei ik. 'Ik dacht dat je twee mensen moest vermoorden of zo voordat je lid kon worden.'

'Weet je veel over de maffia?' zei Daultrey, alsof het gemakkelijker voor hem zou zijn als dat zo was.

'Niet echt,' zei ik, want ik wilde de zaken eenvoudig houden. 'Ik heb naar *The Sopranos* gekeken.'

'Aha,' zei hij. 'Nou, je hebt gelijk, hij moest zichzelf bewijzen om in hun gelederen te worden opgenomen. Toen wij eenmaal wisten wie het doelwit van de geplande aanslag zou zijn, hebben we die vent verteld dat hij vermoord zou worden en hem naar Bermuda gestuurd met een nieuwe naam en een nieuw paspoort om een nieuw leven te gaan leiden. We gaven Antoni iets wat hij kon gebruiken als bewijs dat hij hem had vermoord: een geposeerde foto van het zogenaamde lijk, wat sieraden en de vinger van een arme schooier die zou worden begraven in Potters Field.

In die drie jaar was hij diep undercover en zag ik hem misschien maar eens per maand. Ik weet dat het heel moeilijk voor hem was. Hij bracht bijna zijn hele leven door in het gezelschap van mannen die hij voortdurend verried en was altijd bang ontmaskerd te worden. Hij had lef, die man van je. Ik zou zelfs willen zeggen dat hij de dapperste man was die ik ooit heb ontmoet.'

Daultrey moest zijn keel schrapen. Ik staarde naar de foto van Charlie in zijn uniform. Waarom had hij zich niet in staat gevoeld me dit te vertellen? Als je Daultrey moest geloven, was mijn man een held geweest.

'Wat ging er mis?' vroeg ik.

'Hij werd zelf verraden. Dat ging er mis.' Opeens leek Daultrey heel erg boos. 'Ik weet niet door wie, maar iemand binnen de FBI moet zijn mond hebben opengedaan, want de waarheid over Antoni werd bekend. Er werd een poging gedaan hem te vermoorden. Hij wist te ontsnappen, maar Federico Calabresi was minder gelukkig.'

'Ze hebben hem vermoord,' zei ik.

Daultrey knikte. 'Als straf voor zijn gebrekkige beoordelingsvermogen.'

Misschien was dat de reden waarom Charlie zijn verleden voor me verborgen had gehouden. Als hij echt op Calabresi gesteld was geweest, moest hij zich schuldig hebben gevoeld over zijn lot.

'Antoni wilde agent blijven nadat hij getuigd had, maar dat was gewoon niet mogelijk. Hij kreeg een nieuwe identiteit, die van Charles Benson, en ging ergens anders wonen. Hij weigerde zich te laten opereren om zijn uiterlijk te veranderen, want hij vond dat hij die schoften al genoeg had gegeven door zijn identiteit te wijzigen. Ik denk dat hij wilde dat de mensen hem weer Antoni zouden noemen nadat hij zo lang door het leven was gegaan als Guiseppe Carlo. Het was heel moeilijk voor hem om vrij te zijn van de maffia maar nog steeds een naam te moeten gebruiken die niet de zijne was.'

'Guiseppe Carlo?' fluisterde ik. Het klonk zo vreemd uit mijn mond.

'Ken je die naam?' vroeg Daultrey.

'Nee, alleen is er iets wat opeens logisch lijkt. Vorig jaar op Sicilië noemde iemand hem Carlo in plaats van Charlie en daar reageerde hij heel heftig op. Nu weet ik waarom.'

Daultrey knikte en ging verder. 'Antoni had op de universiteit architectuur gedaan als bijvak en met een paar valse referenties vond hij al snel een baan bij een kleine architectenfirma in San Franciso. Hij woonde daar al bijna elf maanden toen hij tegen mijn advies in besloot om met een oude jeugdvriend vakantie te gaan vieren in Las Vegas. En daar ontmoette hij jou.'

'En daar ontmoette hij mij,' herhaalde ik. 'En toen hij met me trouwde, was dat zeker niet tegen je advies in?'

Ik moet hem nageven dat hij lichtelijk beschaamd keek. 'Hij vroeg mij niet om advies, Kate, maar nee, je hebt gelijk. Ik zou hem sterk hebben aanbevolen de gelegenheid aan te grijpen om naar Groot-Brittannië te verhuizen.'

'Dus ik was niet meer voor hem dan een nieuwe identiteit?' zei ik, en ik kreeg een vieze smaak in mijn mond. 'Een manier om zich te verbergen voor de maffia?'

'Nee,' zei Daultrey, en hij keek me streng aan. 'Dat mag je zelfs niet denken. Ik kan niet geloven dat Antoni's gevoelens voor jou minder dan honderd procent oprecht waren.'

'Was hij daarom zo snel bereid naar Engeland te komen?' zei ik. 'Was het hele verhaal over zijn ouders niet meer dan een leugen?'

'Antoni's ouders zijn lang geleden al gestorven,' gaf Daultrey toe. 'Maar hoor eens, je kunt hem toch niet kwalijk nemen dat hij met alle liefde hierheen kwam? Hij had al zijn vrienden en zijn broer al achtergelaten toen hij een andere identiteit aannam. Hij had niets te verliezen.'

Daar had je het. Twee woorden die steeds groter werden in de kamer, een onzichtbare reus waar alleen ik me bewust van leek te zijn.

'Zijn broer?' herhaalde ik.

Daultrey en agent Taylor keken elkaar even aan. Daultrey zocht in de map en gaf me een tweede foto.

'Je zult hem misschien herkennen. Joe Cantelli. Antoni's tweelingbroer.'

Het was Charlie, maar ook weer niet. De man op de foto zag eruit als een voor 95 procent getrouwe kopie. Hij had dezelfde haarkleur, maar het was korter en hij had geen scheiding. Charlies voorste ondertanden waren iets over elkaar gegroeid, maar die van deze man stonden recht. En het verschil zat hem ook in de houding van de man, de manier waarop hij stond. Zijn schouders waren wat meer gebogen, de spieren spanden onder zijn T-shirt en zijn glimlach was anders. Het was alsof ik een foto bekeek van een begaafde imitator die deed alsof hij Charlie was.

'Het moet een enorme schok voor je zijn geweest om Joe te zien op de foto die de Carvers hadden genomen,' zei Daultrey. 'Het was een kans van een op de miljoen dat je ooit achter het bestaan van Joe zou komen en om eerlijk te zijn, wilde ik dat het niet was gebeurd. Je zou niet in gevaar zijn als de Carvers die avond gewoon een ander restaurant hadden gekozen.'

Mijn stem trilde toen ik zei: 'Het spijt mij niet dat ze hem voor me gevonden hebben. Charlie had een broer, hij had familie. Hoe konden jullie dat voor me verborgen houden?'

'Hoe we dat konden?' lachte Daultrey zonder enige humor. 'Denk je dat deze mensen ook maar een moment zouden aarzelen om je om zeep te brengen als ze dachten dat je een bedreiging voor hen was? De enige reden dat ze jou niet ook vermoord hebben, was dat een dubbele verdrinking veel verdachter had geleken.'

'Dus zij hebben hem vermoord. Zij zijn verantwoordelijk.'

'Het spijt me, Kate. We hebben geprobeerd hem te beschermen, maar hij vertrouwde de verkeerde mensen.'

'Hoe bedoel je?' vroeg ik.

'Hoe denk je dat ze jullie gevonden hebben? En hoe denk je dat ze wisten dat jij in een ongeluk zou geloven? Wie ken je die met zekerheid kon zeggen of je de geheimen van je man kende of volkomen onwetend was met betrekking tot zijn verleden?'

Ik schudde mijn hoofd, maar ik wist meteen over wie Daultrey het had. 'Nee. Dat zou hij niet doen.'

'Wie heeft jullie ontmoeting met de Crestenza's geregeld op Sicilië?' hield Daultrey vol.

'Nee,' zei ik. 'Toen we erheen vlogen, heeft hij me verteld dat hij ze niet kende.'

'Denk eens goed na, Kate. Wie heeft die ontmoeting geregeld? Heeft Antoni je erover verteld voordat jullie naar Sicilië gingen?'

Ik fronste. 'We hoorden van hen toen we er al waren.' En toen wist ik het weer. 'Hij zei dat Luke hem had laten weten dat ze daar ook in de buurt waren.' Toch kon ik me duidelijk herinneren dat ik Luke had gevraagd of hij de Crestenza's ook kende, die avond toen we Jack Daniels hadden zitten drinken aan zee, en dat Luke zijn hoofd had geschud. 'Wil je zeggen dat de Crestenza's betrokken waren bij de dood van Charlie? Dat kan helemaal niet! Iedereen kon zien hoeveel ze van hem hielden.'

Daultrey haalde zijn schouders op. 'Je hebt gelijk, dat deden ze ook. Ze hebben hem praktisch opgevoed nadat zijn ouders waren gestorven. De fout die ze gemaakt hebben – en Antoni ook – was dat ze erop vertrouwden dat Luke een veilige plaats voor hun ontmoeting zou kiezen.'

'Zijn ze gevolgd?' vroeg ik.

'Nee. De zogenaamde veilige plek waar ze naartoe werden gestuurd, is eigendom van Cesare Amato, een *capo* in la Cosa Nostra. De oude wereld heeft nog steeds banden met de nieuwe. Toen hij zeker wist dat Antoni de man was die onder de naam Giuseppe Carlo hun familie in New York had geïnfiltreerd, bereidden ze alles voor en wachtten ze tot het juiste moment zich zou voordoen. Ze hoefden niet lang te wachten.'

'Dat slaat nergens op,' protesteerde ik. 'Als Luke Charlie wilde verraden, had hij dat op elk moment van de laatste twee jaar kunnen doen. Waarom zou hij zo lang wachten om hem erbij te lappen? En waarom moest het op een ongeluk lijken? Hun normale techniek is toch zeker om gewoon een magazijn op iemand leeg te schieten?'

Daultrey fronste. 'Je hebt wel opgelet toen je *The Sopranos* zat te kijken,' zei hij. 'Maar goed, je hebt gelijk, dat is over het algemeen hun voorkeursmethode. Maar de man die je echtgenoot heeft laten vermoorden, wilde niet dat iemand wist dat hij geëxecuteerd was. Dat was het hele punt. Als iemand van de maffia een agent doodt, komt elke wetshandhaver in het hele land huilen om Italiaans bloed. Om die reden hebben de families in het oosten een regel: als je een agent om zeep brengt, breng je jezelf om zeep. Ze willen de politiedruk niet. Dat is ook de reden waarom ze het niet hier in Groot-Brittannië konden doen. Je kunt niemand vermoorden zonder eerst toestemming te hebben van je tegenhanger in Londen. Nee, ze moesten het onder de pet houden. Het was veel gemakkelijker om op Sicilië met Antoni af te rekenen. De Sicilianen delen de aarzeling van hun Amerikaanse broeders om leden van wethandhavende instanties te vermoorden niet en hij wist dat hij mensen kon afkopen als er gaten in zijn plan bleken te zitten.'

'Bianchi,' zei ik. 'En Graziani.'

Daultrey knikte. 'Graziani blijkt al heel lang op hun loonlijst te staan. Van Bianchi weten we het niet zeker, maar als je haar huis en haar auto bekijkt, kreeg ze in ieder geval ergens extra voor betaald.'

'Maar waarom hebben jullie ze niet beschermd?' vroeg ik.

'Beschermd?' zei hij. 'Wij hadden geen idee dat ze erbij betrokken waren, tot ze dood waren, tenminste.'

'Maar volgden jullie ons dan niet?'

Daultrey schudde zijn hoofd. 'Die slimme wisseltruc van jou met de Carvers heeft gewerkt, Kate. Tegen de tijd dat wij beseften dat je weg was, was het al te laat.'

Toen moest ik lachen. 'Je hebt de politie gezegd dat ik onschuldig was. Hoe weet je dat ik ze niet allebei heb vermoord?'

'Omdat ze in maffiastijl zijn geëxecuteerd,' zei Daultrey, en zijn blik werd donker. 'En om heel eerlijk te zijn, Kate, leek je me niet het type.'

Er flitste een beeld door mijn hoofd van Bianchi zoals ik haar in het huis had achtergelaten, met haar handen op haar rug en haar voeten nog vastgebonden aan de poten van de bank. Een schietschijf voor de mannen die na me kwamen.

'Ik geloof dat ik misselijk word,' zei ik, en ik sloeg mijn hand voor mijn mond.

'Nee,' zei Daultrey, die een flesje water naar me toe schoof. 'Dat gebeurt niet.'

Ik nam een slok water en toen nog een. Ik voelde een zweetdruppel over mijn voorhoofd lopen. 'Graziani's kinderen,' zei ik. 'Zijn vrouw.'

'Nee,' verzekerde Daultrey me. 'Alleen hij.'

'Bij zijn huis?'

'Ze hebben hem meegenomen naar het bos achter zijn huis.'

'Was het Luke?' vroeg ik. 'Luke en Cesare?'

Hij schudde zijn hoofd. 'Dat weten we niet. Maar ze beantwoorden aan de beschrijving van de vrouw.'

'Ze waren er wel,' vertelde ik. 'Wij gingen erheen voor Graziani en toen waren zij er al. Ze wilden voorkomen dat ik met hem praatte. Cesare had een revolver.'

'Wat is er gebeurd?'

'Graziani kwam naar buiten met een hagelgeweer. Hij wilde weten wat we allemaal op zijn terrein uitvoerden. Ik beschuldigde hem ervan dat hij de moord op Charlie in de doofpot had gestopt en... nou ja, laten we maar zeggen dat ze me dwongen te vertrekken. We gingen terug naar het hotel...' Ik wilde Kytell niet bij name noemen; als ze mijn broer nog niet geïdentificeerd hadden, ging ik hen daar niet bij helpen. '... En jullie weten wat er daarna gebeurde.'

'Ze moeten Graziani hebben vermoord en daarna naar Bianchi zijn gegaan,' peinsde Daultrey. 'Als ze wisten dat je ze allebei doorhad, konden ze niet het risico lopen dat ze kroongetuige zouden worden.'

Ik dacht aan Lukes gedrag van de laatste week, zijn pogingen me ervan te overtuigen dat ik gek was, dat ik spijkers op laag water zocht, en het feit dat hij pas met me mee was gegaan naar Miami toen hij doorhad dat hij me niet tegen kon houden.

'Hij wilde niet dat ik naar Miami ging,' zei ik. 'Hij wilde niet dat ik Joe Cantelli zou vinden.'

'Nee,' zei Daultrey. 'Want als je Joe zou vinden, zou dat betekenen dat je zou ontdekken dat Charlie niet was wie hij had gezegd dat hij was.'

'Dus die man met wie we in Miami gingen praten, Bruno Luna,' zei ik, terwijl mijn hersenen met alle kleine stukjes een mozaïek begonnen op te bouwen. 'Kende die Charlie eigenlijk? Als Joe bij hem gelogeerd had, bedoel ik.'

'Het zou kunnen,' moest Daultrey erkennen. 'Antoni heeft het nooit over hem gehad, maar hij kan hem op een gegeven moment ontmoet hebben. We zijn er vrij zeker van dat Luna en je vriend Luke elkaar kenden.'

Ik herinnerde me dat we koffie hadden gedronken in dat Cubaanse café en dat Luke had zitten telefoneren toen ik uit het toilet kam. Had hij Bruno Luna gebeld om hem te waarschuwen dat we eraan kwamen?

Als ik Luke was geweest en had willen voorkomen dat ik de waarheid te weten kwam, was ik er eerder die ochtend alleen op uitgegaan en had ik de ober van El Cangrejo Dorado betaald om zijn mond te houden. En toen de kelner onverwachts binnenkwam en alles verpestte door ons de naam van Alejandro te geven, zou ik hebben voorgesteld om even te pauzeren – voor de lunch in een plaatselijk café, misschien – om de gelegenheid te hebben Bruno Luna te bellen en een noodplan te verzinnen.

'Verdomme!' vloekte ik. 'Claudette, de dienstmeid van Bruno Luna. Ze nam me terzijde en vertelde me dat ze informatie had over Joe. Ik ging naar haar *botánica* en ze bleek helemaal niets te weten, maar toch denk ik niet dat Luna er gelukkig mee geweest kan zijn.' Had Luke haar werkgever verteld dat we elkaar ontmoet hadden?

Blijkbaar wel. De volgende foto die Daultrey me liet zien, was er een van Claudette met een ziekenhuisgordijn op de achtergrond; haar ogen zaten dicht en haar lippen waren kapot. 'Ze dient geen aanklacht in,' zei hij. 'Ze wil alleen zeggen dat ze een ongeluk heeft gehad op haar werk en van de trap is gevallen.'

Ik kon niet lang naar de foto kijken. 'Ze is tenminste niet dood,' zei Daultrey. 'Het komt wel goed met haar.'

'Charlies broer heeft aardige vrienden,' zei ik.

Daultrey nam de foto van me over en deed hem weer in de map. 'Ze zijn opgegroeid in een achterbuurt,' zei hij. 'Antoni vond het niets en ging de ene weg. Joe vond het fantastisch en nam de andere weg.'

'Maar ik dacht dat hij aannemer was,' zei ik. 'Wil je zeggen dat hij een crimineel is?'

'Nee, helemaal niet,' zei Daultrey. 'Als hij in de onderwereld had gezeten, had zijn broer nooit undercover kunnen gaan. Joe heeft een strafblad, maar er staan alleen lichte vergrijpen op. Hij heeft wat je noemt een slechte jeugd gehad, meer niet. Zijn zaak loopt goed en behalve een paar verdachte belastingaangiften is die volkomen legaal. Maar hij is nog steeds bevriend met mensen uit zijn oude buurt en sommigen daarvan verdienen hun geld met minder legale middelen.'

'Zoals Luke,' zei ik recht voor z'n raap.

'Luca De Santis heeft drie jaar in de gevangenis van Nevada gezeten voor intentie tot drugshandel. Vandaar mijn besliste aarzeling toen Antoni met hem op vakantie wilde. Maar hij leek op het rechte pad te zijn gebleven toen hij vrij kwam, dat moet ik hem nageven, en hij en Antoni waren samen opgegroeid. Ik vertrouwde op Antoni's oordeel. Dat was een vergissing.'

'De Santis?' zei ik, bijna lachend. 'Hij heeft mij verteld dat hij Broussard heette. Charlie heeft me verteld dat hij Broussard heette.'

'Hij heeft zijn naam veranderd toen hij naar Engeland verhuisde. Maar toen je hem in Las Vegas voor het eerst ontmoette, heette hij nog De Santis.' Ik dacht eraan terug en besefte dat ik Lukes achternaam pas had gehoord toen Charlie bij mij in Londen was komen wonen.

'Jezus christus,' zei ik. Ik zette het flesje water neer en wilde dat er whisky in zat. Alles wat ik dacht te weten over mijn leven viel om me heen aan diggelen. Het was alsof je erachter komt dat je bakstenen huis eigenlijk maar een filmset is van karton met cellofaan voor de ramen.

'Ik weet dat het moeilijk is om dit allemaal te bevatten,' zei Daultrey. 'Maar...'

'Weet je wie het bevel gegeven heeft?' vroeg ik.

Hij leunde achterover. 'Ik heb eerder gezegd dat er een paar dingen waren die we je niet konden vertellen...'

'Is dat omdat je ze niet weet, of omdat je ze me niet mag vertellen?'

Agent Angela Taylor sloeg slecht op haar gemak haar ogen neer, maar Daultrey bleef me aankijken en had er geen enkele moeite mee me informatie te onthouden waar hij in mijn positie een moord voor had willen doen.

'Godverdomme, ik heb het recht om te weten wie mijn man heeft vermoord!' gilde ik. Ik vloekte zachtjes, draaide van mijn stoel en beende door de kamer.

'Je zult ons moeten vertrouwen, Kate. We zijn ermee bezig, maar het kost tijd. Je hebt mijn woord dat de verantwoordelijke gepakt, aangeklaagd en veroordeeld zal worden. Ik zorg ervoor dat hij de rest van zijn dagen in de gevangenis slijt.'

'Dat is niet goed genoeg,' zei ik. 'Hebben jullie geen doodstraf in de staat New York?'

Agent Taylor keek op naar haar baas. Hij keek niet terug. 'Jawel,' zei hij.

'Hoor eens, ik ben niet stom,' zei ik tegen hem. 'Het bevel kan alleen zijn gekomen van het hoofd van de familie en zijn naam kun je verdomme waarschijnlijk in Wikipedia opzoeken.'

Daultrey haalde zijn schouders op. 'Nou, misschien moet je het zo maar doen. Als je dan besluit iets stoms te doen, krijg ik tenminste niet de schuld en behoud ik mijn pensioen.'

Ik kon geen kant op, en dat wist hij. Ik zou de zachtaardige en voorzichtige methode moeten gebruiken om te krijgen wat ik wilde.

Ik ging weer zitten. 'Wat doen we nu dan?'

Hij schoof de map opzij. 'Nou, ik ben bang dat je ernstig gevaar loopt. In het ergste geval sta je nu op een hitlist. Ik denk dat De Santis een zwakke plek voor je heeft, maar hij heeft grote gokschulden en als hij de keus krijgt tussen jou opgeven en zelf het leven verliezen, zal hij tot hetzelfde besluit komen als bij Antoni. Hij weet waar je woont, hij kent je vrienden, hij kent je gewoonten. Je kunt nergens heen waar hij je zou kunnen vinden.'

'Lopen mijn vrienden en familie gevaar?'

Daultrey hield zijn hoofd een beetje scheef. 'We houden de Carvers in de gaten, maar ik denk dat je andere vrienden niets weten dat hen in gevaar zou kunnen brengen. Wat familie betreft, ik wist niet dat je die had.' Zijn donkere ogen keken me vast aan. 'Eigenlijk ben je een beetje een raadsel, Kate Grey.'

'Ik heb lang geleden ruzie gemaakt met mijn ouders,' gaf ik toe. Ik keek naar het etiket op de waterfles en pulkte aan de randen. 'Luke heeft ze nooit ontmoet. Maar mijn broer... Luke kent hem. Ik moet hem bellen.'

'We kunnen hem beschermen,' verzekerde Daultrey me, en zijn blik verloor zijn intensiteit. 'Je hoeft me alleen te vertellen waar hij zich bevindt.'

'Hij staat zijn mannetje,' zei ik. 'En hij vertrouwt Luke toch al niet. Maar ik zou hem toch graag willen waarschuwen.'

Daultrey knikte. 'Natuurlijk.'

Kytell, Samantha, David, allemaal in gevaar. Claudette, gewond. Bianchi en Graziani, dood. Allemaal door mij.

'Ik moet wat frisse lucht hebben,' zei ik. Ik duwde mijn stoel naar achteren en stond op. 'Ik neem aan dat ik in dit gebouw veilig ben?'

Daultrey maakte een gebaar en kwam overeind alsof het niet netjes was om te blijven zitten als een dame stond. Ik ging de kamer uit en liep zonder een woord langs de receptioniste. De gang was leeg, maar bij de liften stonden kantoormensen te wachten, die blijkbaar eindelijk klaar waren en naar huis gingen of misschien naar een pub in de buurt. Ik wist niet eens meer wat voor dag het was.

Alle liften gingen naar beneden. Ik gaf het op en duwde de deuren van de nooduitgang open, die naar het trappenhuis leidden. De lichtgevende strips op de koude betonnen treden leken onnodig fel in mijn vermoeide ogen, maar ik hoefde maar twee trappen omhoog en toen kon ik genieten van de roze avondhemel.

Een zomerbriesje streelde mijn gezicht en ging door mijn haar. Ik wilde de warme lucht op mijn blote huid voelen, dus trok ik mijn jasje uit en stond ik daar in mijn T-shirt met korte mouwen, met de littekens op mijn armen naar de oranje zon gekeerd.

De stad strekte zich voor me uit en de gebouwen staken omhoog in de stratosfeer, soms afgetekend tegen de met goud doorschoten wolken, terwijl andere de ondergaande zon weerspiegelden in duizenden glinsterende ramen. In de verte zag ik het enorme rad van de London Eye langzaam ronddraaien. Zelfs hierboven kon je het getoeter horen van de auto's en het flauwe gejank van een ambulancesirene.

Ik liep door het krakende grind en tussen de peuken door naar de rand van het gebouw, waar het dak werd begrensd door een één meter twintig hoge afzetting van staal en gehard glas. Toen ik eroverheen keek naar de grond ver onder me leek mijn maag even weg te zakken, net als boven op dat bungeeplatform in Vegas. *Nou, je hebt het eerder gedaan,* bedacht ik. *Het enige verschil is dat er deze keer geen elastiek aan je enkels zit.* Ik vroeg me af of Charlie aan het eind van deze sprong ook op me zou staan wachten.

Ik stond met mijn handen op de afzetting te bedenken hoe gemakkelijk het zou zijn om mijn rechterbeen eroverheen te slaan en mezelf omhoog te trekken toen ik Daultrey hoorde.

'Je ziet eruit alsof je een sigaret nodig hebt,' zei hij. Ik aarzelde, mijn rug naar hem toe, wetend dat ik er nog steeds overheen kon klimmen voordat hij bij me was. Mijn ellebogen en armen bleven gespannen, klaar om me omhoog te hijsen.

'Ik kan je helpen hem te vermoorden.'

Langzaam ontspanden mijn armen en benen en mijn handen lieten de afzetting los. Ik draaide me naar hem om. Hij had zijn colbert uitgetrokken en zijn overhemdsmouwen opgerold en rookte een sigaret. Zijn witte shirt en bruine gezicht baadden in het licht van de ondergaande zon, die twinkelde in de glazen van zijn bril.

Hij stak me het open pakje sigaretten toe en na een korte aarzeling deed ik een stap naar voren en pakte er een uit. Hij deed het pakje weer in zijn borstzak en knipte zijn aansteker open. Ik boog me naar hem toe, hield mijn handen om het dansende vlammetje en zoog aan de sigaret tot de tabak aan de andere kant opgloeide in dezelfde kleur als de zon.

Ik stapte achteruit en we keken elkaar stil rokend aan. Niemand was hem gevolgd; er was niemand behalve wij tweeën.

'Zijn naam is Luigi Sorrentino,' zei Daultrey. 'Tweeënvijftig jaar oud, woont in Manhattan, rijdt een BMW en een Ferrari. Eén ex-vrouw, geen kinderen. We hebben zijn agenda voor de komende vier dagen. Op maandag vertrekt hij uit New York voor een paar dagen vakantie. Je zult zeker waardering opbrengen voor de ironie als ik je vertel dat zijn bestemming Las Vegas is. Hij heeft kaartjes voor een show op woensdag. Voor die avond heeft hij een escorte besteld. Ik kan jou haar plaats laten innemen. Dan kun je dicht genoeg bij hem komen om hem te vermoorden.'

Ik keek hem alleen maar aan en probeerde te beoordelen wat hij nu eigenlijk wilde. 'Waarom? Waarom zou je dat doen?'

Zijn ogen waren donker en doodserieus. 'Ik zou hem zelf wel willen vermoorden, maar ik heb een gezin. Een vrouw, twee meisjes. Als het alleen om mezelf ging, zou ik hem om zeep helpen zonder er een seconde bij na te denken, maar ik zet mijn gezin niet op het spel.'

'Betekende Charlie zoveel voor je?'

'Hij was de beste agent die ik ooit heb gehad. Als je zo nauw met iemand samenwerkt, als die iemand zijn leven in je handen legt... nou, dan krijg je vanzelf een band. En ik ben tekortgeschoten, Kate.' Hij nam een haal van zijn sigaret, en toen hij weer sprak kwamen de woorden er zacht en grijs uit en vervlogen in de lucht. 'Ik ben tekortgeschoten.'

'Weten ze dat je dit gesprek met me hebt?' vroeg ik met een knikje naar de deur, doelend op de andere agenten.

'Nee. Ik zal tegen ze zeggen dat je naar Amerika komt omdat we je daar beter kunnen beschermen. Op het juiste tijdstip ga je ervandoor. We zullen je aan het eind van de nacht vinden in een armetierige bar, stomdronken. De barkeeper en twee vaste klanten zullen getuigen dat je hen de hele nacht gezelschap hebt gehouden.'

'Wat, krijgt je team geen argwaan als ze Sorrentino een paar dagen later dood aantreffen?'

Daultrey haalde zijn schouders op. 'Niet tegen mij, nee. Tegen jou? Waarschijnlijk wel. Maar niemand in de FBI zal proberen een zaak op te bouwen tegen de weduwe van Antoni Cantelli voor de moord op zijn moordenaar.'

'Zelfs als de FBI me vrijuit laat gaan, zullen de vrienden van Sorrentino wel niet zo begrijpend zijn.'

'Je gaat toch al het getuigenbeschermingsprogramma in, Kate. Ik geef je alleen de gelegenheid de rekening te voldoen voordat je verdwijnt.'

'Het getuigenbeschermingsprogramma?'

'Kom op, Kate, je bent niet dom. We kunnen je niet voor altijd beschermen. Je zult een nieuwe identiteit moeten aannemen en ergens heen moeten gaan waar De Santis je nooit zal zoeken.'

Ik keek verontrust van hem weg. Ver beneden ons op de Theems doorsneed een klipper het troebele water en liet wit schuim achter op zijn hekgolf.

Vertrouwde ik Daultrey? Op dat moment was Kytell de enige die ik vertrouwde. Maar de FBI-agent gaf me mogelijkheden die ik alleen niet zou hebben. Ik was niet van plan Sorrentino te vermoorden zonder me er eerst van te verzekeren dat hij inderdaad Charlies moordenaar was, maar dat hoefde Daultrey niet te weten, net zoals hij niet hoefde te weten dat ik helemaal niet van plan was het getuigenbeschermingsprogramma in te gaan. Hij kon ervoor zorgen dat ik alleen en met een geladen pistool in mijn hand in één kamer met Sorrentino kwam; dat zou ik zelf nooit voor elkaar krijgen. En hij kon ook nog iets anders voor me regelen.

Ik bracht de sigaret naar mijn lippen en voelde iets door mijn lichaam zingen dat me wakker en alert en sterk maakte en dat niet alleen te danken was aan de nicotine.

'Ik wil Joe Cantelli ontmoeten,' zei ik, terwijl de rook uit mijn mond stroomde.

Daultrey leek van zijn stuk gebracht. 'Dat zal niet zo gemakkelijk worden.'

'Dat besef ik. Maar ik ga niet mee tenzij je me belooft dat je een ontmoeting regelt. Las Vegas is maar een paar uur van waar hij woont; het is niet alsof ik hem vraag helemaal naar Londen te komen. Ik moet hem gewoon zien. Eén keer maar. Want zodra ik in het beschermingsprogramma zit, is het afgelopen en zal het nooit meer kunnen. En hij is Charlies broer, Stanley. Kom op, dat kun je me niet weigeren.'

'Oké,' zei hij. 'We zullen contact met hem opnemen, dat beloof ik.'

'Dat is niet goed genoeg.' Ik schudde mijn hoofd. 'Als jij Charlies moordenaar net zo graag dood wil zien als ik, zul je dit voor elkaar moeten krijgen. Ik ga niet achter Sorrentino aan tot Joe erin heeft toegestemd met me te praten.'

'Oké,' zei hij. Hij liet zijn sigaret vallen en trapte hem uit. 'Maar Kate, je zult moeten ophouden hem Charlie te noemen.' En net als in die bar in Miami, wat wel een eeuwigheid geleden leek, vertrok zijn mond toen hij de naam zei. Hij keek me aan en hij was boos. 'Zijn naam was Antoni. Ik zou het waarderen als je hem in ieder geval de eer betoonde om zijn echte naam te gebruiken.'

Ik gooide mijn nog brandende sigaret op het grind. 'Loop naar de hel, Daultrey,' zei ik. 'Ik ben onder die naam met hem getrouwd en heb hem ook onder die naam begraven.' Ik liep hem voorbij naar de deur, trok mijn jasje aan en bedekte de littekens die hij gezien moest hebben, maar waar hij niets over gezegd had. Net voordat ik naar binnen stapte, draaide ik me nog even naar hem om.

'Bedankt dat je me Sorrentino geeft,' zei ik. 'Maar denk niet dat je Charlie beter kende omdat je hem langer kende dan ik. Ik heb het de laatste twaalf maanden zonder de andere helft van mijn ziel moeten stellen, Daultrey. En jij biedt niet aan om de schoft die hem van me heeft weggenomen de keel af te snijden, dus neem me niet kwalijk, maar ik noem hem verdomme zoals ik wil.'

Hij greep me bij de arm en ik moest me bedwingen om hem niet in het gezicht te stompen.

'Je bent een vechter, Kate,' zei hij. 'En dat is goed. Je zult die woede nodig hebben. Maar in het bijzijn van de andere agenten zul je vriendelijk moeten blijven. Voor zover de FBI weet, ben je een liefhebbende vrouw die geen idee had in wat voor wespennest ze terechtkwam. Nu ze het weet, is ze doodsbang en wil ze niets liever dan een nieuwe identiteit in een aardig klein stadje, ver van de akelige mannen die haar man iets hebben aangedaan. Begrepen?'

Ik trok mijn arm los. 'Ja, ik heb het begrepen.'

Ik duwde de deur open en rende de betonnen trap af.

'Kate,' zei hij, en nog eens toen ik boven aan de tweede trap stond: 'Kate.' Ik bleef staan en keek naar hem op. Hij stond in de deuropening. Het licht vervlakte zijn gezicht en de dikke, diepe wolken van de stoffige hemel boven Londen strekten zich achter hem uit. 'Ik sta aan jou kant,' zei hij, en hij klonk alsof hij op het punt stond te gaan huilen.

'Dat weet ik, Stanley,' loog ik.

HOOFDSTUK NEGENTIEN

Daultrey en ik zaten achter in een zwarte auto in de straat waar ik woonde te wachten tot de andere agenten de flat gecontroleerd hadden.

'Zoals ik al zei, in het ergste geval sta je op een hitlist,' had Daultrey gezegd toen we terugkeerden naar de vergaderkamer, waar we in het bijzijn van de andere agenten deden of alles in orde was en we niet net een moord hadden beraamd. Zijn overgang naar de stijve agent in het pak was zorgelijk indrukwekkend geweest. 'In het beste geval zullen ze proberen de moord op Graziani en Bianchi in jouw schoenen te schuiven. En dat betekent dat de Britse politie zo snel mogelijk je flat zal moeten doorzoeken, voordat de maffia de kans heeft daar iets neer te leggen. Is er iets wat je eerst wilt ophalen?'

'Ja,' had ik gezegd, en ik had niet alleen aan het shirt met het bloed van Bianchi erop gedacht, maar ook aan de telefoon met het nummer van mijn broers mobiel erin. Ik wilde onder geen beding het risico lopen iemand naar Kytell te leiden. 'En ik moet ook wat kleren inpakken.'

We waren er in de auto heen gereden, en Daultrey had me voorgesteld aan een kale zwarte man met een nette snor. 'Agent Walter Wilson,' had hij gezegd. Wilson had zijn mondhoeken omhooggetrokken en een glimlach nagebootst. 'En de man achter het stuur is agent Marshall Jerkins.' Jerkins had kort blond haar en een vierkant hoofd. We hadden elkaar via de achteruitkijkspiegel aangekeken. Hij was de man van het vliegveld, degene die ik gedwongen had me te vertellen hoe laat het was.

Agent Taylor klopte op het autoraampje.

'Alles is veilig,' zei ze.

Ik glipte het huis in, want ik wilde niet dat mijn benedenburen wisten dat ik terug was. God mocht weten wat Kytell en Luke tegen hen hadden gezegd. Ik herinnerde me dat Kytell had geprobeerd me te waarschuwen voor Luke en ik was enorm opgelucht dat ik me er geen zorgen over hoefde te maken dat Kytell de verkeerde zou vertrouwen.

De flat leek nog net zoals ik hem had achtergelaten. Ik gooide wat kleren in mijn tas, die ik inmiddels bijna niet meer kon zien. Toen ik dacht aan Daultreys plannen om me in de buurt van Sorrentino te krijgen, stopte ik mijn meest sexy jurk erbij. Het shirt met de bloedvlekken en de prepaid mobiel die ik mee naar Sicilië had genomen, gingen in een plastic zak die ik in een zijvak met rits duwde.

Ik keek nog één keer om me heen en vroeg me af of ik de flat ooit nog zou zien. Het wemelde er van de herinneringen aan de man van wie ik hield, maar zijn afwezigheid was hier tastbaarder dan waar dan ook. Aan de muur hing een kalender met dagen die hij nooit zou meemaken. In een tv-gids op de salontafel stonden programma's die hij nooit zou kijken. Ik keek om me heen en zag zijn geest koken in de keuken, aan tafel kaarten met Luke, knus naast me op de bank zitten met de lampen uit terwijl we naar een slechte horrorfilm keken. Het leek alsof ik hem verliet als ik hier wegging.

Ik pakte een ingelijste foto van ons van de plank, maakte de clipjes los en haalde de foto uit de lijst. We zaten met druipende haren in wetsuits op de rand van een boot te lachen. We hadden net met tijgerhaaien gezwommen en lachten omdat je dat soms doet als je doodsbang bent geweest maar het hebt overleefd. De haaien hadden belangstelling voor ons gehad, maar niet als vleeseters. Toch was ik blij geweest dat ik geen vis was.

Charlies ogen hadden dezelfde kleur als het zeewater dat achter ons sprankelde.

Ik duwde de foto in mijn achterzak, zei ons gezamenlijke huis stilletjes gedag en trok de deur achter me dicht.

Ik liet me naar het centrum van Londen brengen, terug naar de Theems. Ik was niet van plan het bewijs los in een kanaal te gooien en hun de kans te geven ernaar te zoeken nadat ik was vertrokken. Het shirt had ik om een halve baksteen gewikkeld die ik ergens had zien liggen en daarna in de plastic zak gestopt, die ik stevig had dichtgebonden. Ik duwde alle lucht uit de zak en gooide hem zo ver ik kon in het jadekleurige water.

'Ook een manier om van je afval af te komen,' zei een boze voorbijganger.

Ik wendde me af, pakte de mobiel en toetste het nummer van Kytell in. Terwijl de telefoon rinkelde, hield ik Daultrey en de andere agenten in het oog, die zes meter verderop op me zaten te wachten in hun mooie zwarte auto's.

'Kate?' zei Kytell. 'Is alles goed met je? Wat is er gebeurd?'

'Jezus Ky, ik heb je een heleboel te vertellen, maar dit is niet het juiste moment. Luister goed, ik heb een spoor naar de man die Charlie vermoord zou kunnen hebben. Als er iets met mij gebeurt, moet je me beloven dat jij die klootzak vindt en met hem afrekent.'

Kytell werd gek. De telefoon vibreerde letterlijk in mijn hand en ik moest hem een eind van mijn oor houden om te voorkomen dat mijn trommelvlies zou scheuren.

'Ky! Ky! Hou op met vloeken.'

'Kate, je bent gek. Laten we ergens afspreken en erover praten. Als je die vent wil vermoorden, zweer ik je dat ik daarvoor zal zorgen, maar je moet niet zelf achter hem aan gaan! Wat haal je je verdomme in je hoofd? Echt Kate, doe geen overhaaste dingen. Beheers je. Ik schakel wat mensen in die me nog wat verschuldigd zijn en dan kunnen we dit op de juiste manier aanpakken.'

'Nee. Er is maar heel weinig tijd om de kans aan te grijpen. Beloof me alleen dat je ervoor zorgt dat je de waarheid over Charlie achterhaalt en dat hij gewroken wordt als je vrijdag nog niets van me gehoord hebt.'

'Dat beloof ik,' zei mijn broer. 'Vertel me de naam van de man die volgens jou verantwoordelijk is.'

'Nee,' zei ik. 'Want ik weet dat hij bij mijn aankomst in Amerika al dood zal zijn als ik dat doe. Ik moet hem in de ogen kunnen kijken en heel zeker weten dat hij Charlie vermoord heeft voordat ik toesta dat er iets met hem gebeurt. Ik laat je zijn naam weten vlak voordat ik op hem af ga, voor het geval... nou, voor het geval er iets met me gebeurt.' Ik haalde diep adem. 'Ik moet deze telefoon nu weggooien. Ik kan het risico niet nemen dat ze hem zullen gebruiken om te bewijzen dat jij op Sicilië was.'

'Nee, wacht, niet doen...'

'Ik hou van je, Ky,' zei ik, en ik verbrak de verbinding. Toen haalde ik de simkaart uit het toestel en stampte hem onder mijn hak kapot. Agent Jerkins en agent Taylor stapten uit de sedan, allebei met een zonnebril op, en bekeken met hun nietszeggende blikken de omgeving. Taylor keek naar mij en wees op haar horloge. Ik knikte, pakte de kapotte simkaart en gooide die en de lege telefoon in de rivier.

DEEL III:

LAS VEGAS

HOOFDSTUK TWINTIG

Las Vegas nam de beste plekken op de wereld en herschiep die met een luxe vernislaagje erover. Daar was het Vrijheidsbeeld met het rode spoor van een achtbaan eromheen, die de wacht hield over een kleinere versie van Brooklyn Bridge. En hier stond de glanzend vergulde Eiffeltoren naast een sprankelende luchtballon in donkerblauw en felrood. Daar was het Dogenpaleis op het Piazza San Marco, compleet met gondeliers in gestreepte T-shirts, die een serenade brachten aan hun passagiers terwijl ze hen door de turquoise kanalen in Hotel Venetian boomden. Daar was de glanzend zwarte piramide van het Luxor, bewaakt door een volmaakte Sfinx waar nooit stukken vanaf zouden vallen.

Hier was Kate Grey, belust op wraak.

De andere agenten zeiden niets waar ik bij was, maar soms zag ik hen blikken wisselen achter de rug van Stanley Daultrey. Hij vertelde me wat hij tegen ze gezegd had: dat we een paar dagen moesten wachten voor alles geregeld was voor mijn nieuwe leven en dat hij had toegegeven aan mijn verzoek om voor de laatste keer terug te gaan naar de plek waar ik mijn man en hun strijdmakker had ontmoet. Ik had het gevoel dat Daultrey op hun schuldgevoelens had gewerkt. De laatste wens van een vrouw wier man was gestorven voor zijn land, en zo. Het kon mij niet echt schelen of ze hem geloofden of niet, zolang ze me maar niet hinderden in mijn poging Sorrentino te vinden.

Daultrey had kamers voor ons geboekt in het Regal Hotel en Casino, dat als thema het Engeland uit de tijd van de Tudors had. Ik denk dat hij dacht dat ik me er thuis zou voelen. We werden ingecheckt door een vrouw in een fabrieksversie van de favoriete jurk van Anna Boleyn en naar onze kamer gebracht door een arme knul in een narrenpak.

Onze kamers hadden net als de rest van het hotel eiken betimmering. De banken en stoelen waren gemaakt van donkerrood en groen leer met knopen erin en uiteraard stonden er hemelbedden. De olieverfschilderijen in hun sierlijke lijsten waren op de muren vastgezet. Naast de kroonluchter midden in elke suite straalden lampen van gekleurd glas licht uit.

'Mooi,' zei ik zachtjes tegen Daultrey. 'Ik wist niet dat de FBI zo'n groot budget had voor accommodatie.'

'O, de hotels in deze stad willen altijd graag hun waardering voor ons werk laten blijken door ons een aanzienlijke korting te geven,' zei hij zonder een spoor van ironie.

Elke suite had twee slaapkamers en één woonkamer. Als de enige vrouw in het team kreeg agent Taylor de andere slaapkamer in mijn suite. Daultrey en Wilson zaten in de suite aan onze rechterkant en links zaten Jerkins en een andere agent.

We brachten de dinsdagavond door aan de goktafels. Of liever, ik bracht hem door aan de goktafels, waar ik chips met het stempel van de gouden kroon van het Regal verzamelde en verloor terwijl de agenten om me heen bleven staan en de boel in de gaten hielden. Toen ik aan het eind van de avond terug was in mijn slaapkamer, ging ik aan de anachronistische computer met gratis internet zitten en googelde Luigi Sorrentino. Er waren een paar krantenartikelen over hem, één met een foto. Ik keek naar de man die blijkbaar bevel had gegeven voor Charlies dood. Hij was een grote, kalende man met donkere varkensoogjes en een gemeen gezicht. Later in bed staarde ik naar de donkere hemel boven me en zag dat gezicht op het brokaat. Ik droomde over hem, dat ik hem nazat op trappen, om hoeken en door deuropeningen. Aan het eind zat hij mij achterna.

De volgende dag stond ik strak van de spanning. Ik kon niet eten omdat mijn maag vol vlinders zat, dus dronk ik alleen de ene kop koffie na de andere. Eén kostbaar moment waren Daultrey en ik alleen.

'Gaat het door?' vroeg ik, en hij knikte.

'Ga om halfnegen naar je kamer,' zei hij. 'Dan kom ik langs met de informatie.'

'Niet zo snel,' zei ik. 'Wanneer zie ik Joe?'

Daultreys blik schoot weg langs de muren. 'Kate, ik weet niet of dat zo'n goed idee is.'

'Je hebt het beloofd.' Ik voelde dat ik bloosde. 'Stanley, ik moet hem zien.'

Daultrey schudde zijn hoofd. 'Ik heb de zaak aangezwengeld, maar ik geloof dat zijn vrouw, Marisa, het niet zo ziet zitten dat jullie elkaar ontmoeten. Ze heeft gehoord hoe je in Miami achter hem aan hebt gezeten en ze voelt zich bedreigd.'

'Wat, denkt ze soms dat ik haar man van haar af zal proberen te pakken?' lachte ik.

'Nou, je was verliefd op iemand die precies op hem leek,' merkte Daultrey op.

'Nee,' zei ik. 'Geloof mij maar, haar huwelijk loopt geen gevaar. Ik wil alleen mijn zwager ontmoeten.'

'Goed, ik zal zien wat ik kan doen.'

'Nee, Stanley.' Mijn woorden waren zo hard als een diamant. 'Je regelt het. Ik ga niet achter Sorrentino aan zolang jij dit niet geregeld hebt.'

Op dat moment kwam Jerkins de kamer binnen en moest ik weer doen alsof ik de krant las.

Ik moest uren zien door te brengen. Terug in mijn kamer ging ik op het bed naar de muur liggen kijken en probeerde hard niet aan Charlie en aan alle leugens die hij me verteld had te denken. Ik wist dat mijn Charlie en Daultreys Antoni dezelfde persoon waren, dat de man die Daultrey had gekend alleen in naam en beroep verschilde van de man die ik kende. Het was nog steeds Charlie. En ik wist zelfs waarom hij me nooit de waarheid had verteld. Ik kende die vreemde emotionele mix van schuldgevoelens en beschermingsdrang. En toch had ik me sinds Charlies dood niet zo triest gevoeld. Ik had het gevoel dat ik hem weer was kwijtgeraakt.

Ik vroeg me af wat ik zou voelen als ik Sorrentino zag. In tegenstelling tot wat ik tegen Daultrey had gezegd, was ik niet van plan hem te vermoorden zonder eerst een paar vragen te stellen. Als het onverstandig van me was geweest mijn eigen man te vertrouwen, was ik zeker niet van plan Daultrey op zijn woord te geloven.

En stel dat mijn gesprek met hem me ervan overtuigde dat hij inderdaad verantwoordelijk was voor Charlies dood? Wat dan? Ik dacht aan de razernij die ik had gevoeld toen ik Bianchi mishandelde, de woede die me op Graziani af had doen stormen, ondanks het geweer in zijn handen. Zou het echt zo moeilijk zijn om hem van het leven te beroven? Zou de daad me de rest van mijn leven achtervolgen, of zou zijn dood het enige zijn waardoor ik 's nachts weer kon slapen?

We aten vroeg op de kamer. 'Ga je vanavond weer gokken?' vroeg Jerkins.

'Nee, ik ben kapot,' zei ik. 'Ik denk dat ik vroeg naar bed ga.'

Taylor keek op haar horloge. 'Weet je het zeker?'

'Ja, ik ga in bad en dan ga ik misschien nog even liggen lezen.' Geen van hen keek erg teleurgesteld; als ik niet in de kamer was, hadden zij de volledige beschikking over de afstandsbediening en konden ze over het werk praten dat ik het hoorde.

In mijn kamer trok ik mijn kleren uit, deed de badjas van het hotel aan en waste mijn gezicht met een van de stukjes zeep. Toen ging ik met nerveus wiebelende voeten op het bed op Daultrey zitten wachten.

Om kwart voor negen hoorde ik hem de suite in komen en iets tegen zijn agenten zeggen.

'Ze is al naar bed,' zei Taylor, maar Daultrey negeerde haar en klopte op de deur.

'Binnen.' Ik probeerde slaperig te klinken.

Daultrey stapte de kamer in met een grote envelop onder zijn arm en deed de deur snel achter zich dicht. Hij zag er net zo gespannen uit als ik me voelde.

'Laat het bad vollopen,' fluisterde hij. We gingen de badkamer in en ik draaide de grote gouden kranen van het bad open, zodat het water donderend in de kuip liep. Het lawaai verdoezelde onze stemmen.

Daultrey had geen jasje aan en zijn overhemdmouwen waren tot de ellebogen opgerold. Zijn onderarmen waren bruin en sterk. Hij ging met een hand door zijn haar en zette zijn handen toen in zijn zij.

'Doe je nog steeds mee?' zei hij.

'Nou en of,' zei ik, hoewel ik in alle eerlijkheid doodsbang werd van de gedachte me in zo'n kwetsbare positie te begeven. 'En jij?'

Hij negeerde de vraag. 'Sorrentino logeert in het Babylonian. Hij verwacht je om halftien in een bar in dat hotel die de Sultan's Elephant heet. Hij denkt dat je Alexandra heet.

Sorrentino heeft kaartjes voor zo'n show die aan het Cirque du Soleil doet denken. Als alles volgens plan verloopt, neemt hij je daarna mee naar zijn suite in het Babylonian. De jongens die bij hem zijn kennen zijn gewoontes, dus ze geven jullie wat privacy. Zorg ervoor dat je hem vraagt een douche te nemen; alle meisjes van de escortdienst staan erop, dus hij krijgt argwaan als jij dat niet doet. En het geeft je de kans je voor te bereiden. Als je klaar met hem bent, ga je zo snel mogelijk weg via een van de achteruitgangen. Zoek een steegje buiten het zicht van de beveiligingscamera's en doe een ander stel kleren aan, iets praktisch en donkers. Neem een taxi naar Monterey's Bar. Als de taxichauffeur hem niet kent, zeg je dat het aan de weg naar Eno is. Als je daar bent, ga je niet meteen de bar in. Je loopt anderhalve kilometer de woestijn in, graaft een gat en doet de kleren erin die je bij Sorrentino hebt gedragen. Verbrand ze als je kunt. Ga dan terug naar de bar en zet het op een zuipen tot wij je komen halen.'

'Eenvoudiger kan niet,' zei ik.

'Laten we het hopen.' Hij trok een gezicht. 'Heb je geschikte kleren?'

'Ja, ik heb een jurk meegenomen.'

'Mooi.' Hij deed de envelop open en trok er een lange, blonde pruik uit.

'Dat kun je niet menen.'

'Zeker weten van wel. Weet je hoeveel mensen je in de loop van de avond met Sorrentino zullen zien, om het nog maar niet te hebben over de beveiligingscamera's in de gangen van het Babylonian? Als je het hotel binnenkomt, ga je naar het casino, zoekt de toiletten, zet de pruik op en doet je jas uit voordat je naar de bar gaat. Begrepen?'

'Begrepen. Maar waar moet ik hem mee vermoorden? Met mijn sprankelende conversatie?'

Daultrey keek me even aan en haalde toen een paar chirurgenhandschoenen en een revolver uit de envelop. Ik nam het wapen van hem aan, zwaaide de cilinder open en keek of er kogels in elke kamer zaten voordat ik hem weer op zijn plek liet vallen. Ik voelde me meteen minder kwetsbaar.

'Het is een .38 special,' zei Daultrey met een vreemde uitdrukking op zijn gezicht. 'Maar misschien hoef ik je dat niet te vertellen. Voor iemand die in een land woont waar wapens verboden zijn, weet je er wel goed raad mee.'

Ik haalde mijn schouders op. 'Dat komt door al die Amerikaanse politieseries op de tv.'

'Nou, het is een heel betrouwbaar wapen. Maar denk eraan dat je geen onbeperkt aantal kogels hebt. Gebruik ze goed.'

Ik keek op mijn horloge. 'En hoe kom ik hier weg zonder dat Angela me ziet?'

'Laat dat maar aan mij over,' zei hij. 'Nog vragen, of weet je het zo wel?'

'Maar één,' zei ik. 'Wanneer zie ik Joe?'

Daultreys bril besloeg door de stoom van het hete badwater. Hij zette hem af. Hij zag er zonder bril heel anders uit, menselijker, zachter. 'Joe komt overmorgen hierheen,' zei hij. 'Hij wil je graag ontmoeten. Maar hij brengt Marisa en de kinderen mee. Ik geloof dat dat Marisa's idee is, maar Joe zegt dat het veiliger voor hem is, en waarschijnlijk ook voor jou, als hij iedereen vertelt dat ze een paar dagen op vakantie gaan in Vegas.'

Ik deed even mijn ogen dicht. 'Dank je, Stanley.' Mijn laatste verbinding met Charlie, en ik zou hem heel binnenkort zien.

Toen Daultrey de kamer uit was, trok ik mijn laag uitgesneden rode jurk aan, deed de oorbellen met robijnen en diamanten in die Charlie voor me had gekocht toen we een jaar getrouwd waren en maakte mijn gezicht op. Ik zette de eyeliner en de mascara zwaar aan en smeerde een paar lagen rode lipstick op mijn lippen. Met de hoge hakken en de blonde pruik zag ik eruit alsof ik een baan wilde als lookalike van Lana Turner, wat nogal passend leek gezien haar voorkeur voor maffiajongens als Johnny Stompanato.

Ik stopte de pruik voorzichtig in mijn tas, samen met een spijkerbroek, een zwart shirt, een paar slippers en een pakje tissues om make-up te verwijderen. En de Smith & Wesson revolver.

Aan de andere kant van de deur hoorde ik Daultrey met Taylor praten. Ik legde mijn oor tegen het hout en hoorde hem tegen haar zeggen: 'Ga nou maar, je zit hier al de hele dag. Ga wat lol maken.'

'Weet u het zeker, meneer?' vroeg ze, en hij zei: 'Ja, vooruit maar.' Vijf minuten later klopte hij op mijn deur. Ik kwam naar buiten met een lange zwarte zomerjas over mijn jurk.

'Het Babylonian is aan de andere kant van de Strip,' zei hij. 'Je hebt tijd genoeg om te lopen. Neem voor alle zekerheid geen taxi. En hoor eens, zorg ervoor dat je niet alleen met hem bent voordat je er klaar voor bent en je die revolver in je hand hebt. Begrepen?'

'Oké,' zei ik. 'Hoor eens, Stanley... Dank je.'

Daultrey kneep in mijn arm. 'Nee, ik moet jou bedanken, meid. Succes, goed? Wees voorzichtig.' Hij boog naar voren en gaf me een onhandige kus op mijn hoofd.

HOOFDSTUK EENENTWINTIG

In Las Vegas was het net alsof je de wereld door een caleidoscoop zag; een voortdurend veranderend patroon van licht en glanzende kleuren. De hele stad gloeide in blauw, rood en goud. Daardoor was het alsof er elektriciteit in de lucht zat, die de ogen van de toeristen die over de Strip liepen deed vlammen.

Ik stapte van het kille hotel de nacht van Nevada in en het was alsof ik een blok warmte binnenstapte. Ik kwam terecht in het gedrang van een groep met hotpants en donzige roze Stetsons getooide meiden die een vrijgezellenavond vierden en ging opzij om hen te laten passeren. Ik nam meteen de gelegenheid te baat om om me heen te kijken. Een metertje verderop stond een vrouw met rood geverfd haar en te veel eyeliner in de etalage van een winkel met drank en souvenirs te kijken. Aan de overkant schudde een man in een scherp zwart pak een sigaret uit een pakje Craven A's en stak met een snelle draaiing van zijn pols zijn aansteker aan. Hij ving mijn blik en glimlachte naar me, wat mij zei dat hij me niet in de gaten hield. Behalve deze twee treuzelaars trok de menigte gestaag langs, een stroom van mannen en vrouwen die helemaal in de ban waren van het lawaai, de glitters en de gedachte om tegen de dageraad hun geld verdubbeld te kunnen hebben.

Er struikelde een stel lachende studenten voorbij, waarvan de een het hoofd van de ander onder zijn arm had. Hij droeg een T-shirt met de leus WAT IN VEGAS GEBEURT, BLIJFT IN VEGAS.

Toen ik op weg ging voor mijn afspraak met Sorrentino, probeerde ik een ander persoon te worden. In plaats van gewoon te lopen, ging ik zo paraderen dat mijn heupen bij elke pas wiegden. De hoge hakken maakten me langer en de push-upbeha maakte mijn borsten groter.

Van buiten leek het Babylonian net een paleis in de woestijn; witte muren, palmbomen en koperen hanglampen. Bij een siervijver vol rozenblaadjes en gorgelend water stond een ruim drie meter hoge olifant, gehouwen uit duifkleurig marmer. Ik passeerde de portiers in hun Arabische gewaden en ging naar de toiletten.

Toen ik in het toilethokje in het casino van het Babylonian mijn haar strak naar achteren had gebonden en de blonde pruik had opgezet, was de transformatie compleet. Dag Londense Kate Grey, hallo Alexandra het escortmeisje. Ik slikte moeizaam en liep de toiletten uit.

De Sultan's Elephant Bar was ingericht met goud geschilderde besneden tafels en een felgekleurde bank met zijden kussen. Ik keek in de zwak verlichte ruimte uit naar Sorrentino en probeerde hem te herkennen in de rozige gloed van de lampen.

Daar. Aan het uiteinde van de bar, waar hij de hele ruimte in het oog kon houden en zijn rug gedekt was. Er was een andere man bij hem, een slungelige kerel in een donker pak, die me eerder zag komen dan Sorrentino en die zich naar hem toe boog om fluisterend in het oor van zijn baas mijn komst aan te kondigen.

Ik liep naar hen toe, enorm slecht op mijn gemak in de strakke rode jurk, en Sorrentino stond op. Hij was lang, minstens één meter negentig, en gebouwd als een os. Hij droeg een crèmekleurig pak en een marineblauwe das en zijn wijkende haar was met gel naar achteren geplakt.

Zijn zwarte oogjes bekeken me van top tot teen en bleven even hangen bij mijn decolleté en mijn benen.

'Jij moet Alexandra zijn.' Hij nam mijn hand en kuste die. 'Aangenaam kennis te maken. Noem me maar Luigi.'

'Luigi,' herhaalde ik, hopend dat mijn stem niet verried hoe zenuwachtig ik was. 'Hoe is het met je?'

Hij wendde zich tot zijn partner, die was blijven zitten, een haal van zijn sigaret nam en me door de rook heen zorgvuldig bestudeerde. 'Dit is een vriend van mij, John. Hij ging net weg.'

John had dikke wenkbrauwen, een huid vol putten en een mond met een ingebouwde kronkel erin. Hij zag er net zo uit als elke andere crimineel, tot je hem aankeek en de intelligentie zag in zijn ogen, die je taxeerden alsof hij met een zoeklicht in je hersenen scheen. Ik kreeg meteen kippenvel en mijn instinct vertelde me dat deze man onmiddellijk gezien had wie ik werkelijk was.

Mijn instinct moet het verkeerd hebben gehad; in plaats van me te ontmaskeren, drukte John zijn sigaret uit en stond op. Er verscheen een bundel bankbiljetten in zijn hand. Hij trok een paar biljetten onder het elastiek uit dat ze bij elkaar hield en gooide ze op de tafel. 'Ik zie je straks nog wel, Lu.' Hij schudde Sorrentino de hand. Zonder ook maar iets tegen mij te zeggen, vertrok hij.

'Ga alsjeblieft zitten,' zei Sorrentino, en hij wees naar de lege plek naast hem op de bank. 'Wat wil je drinken?'

Als bij toverslag stond er een serveerster naast hem in een harembroek en een zijden topje dat haar volmaakte buik liet zien. In haar navel zat een grote imitatiesmaragd.

Absint zou lekker zijn, of anders een driedubbele whisky. Ik probeerde te bedenken wat een eersteklas hoer zou nemen. 'Hebt u ook witte bourgogne?' vroeg ik.

'Mâcon, St.-Véran, Jobard, Louis Jadot,' ratelde ze.

'Jobard zou heerlijk zijn, dank je.'

'Natuurlijk mevrouw,' zei de serveerster. 'En voor u, meneer?'

'Jim Beam,' zei hij tegen haar. 'Dubbel, zonder ijs.'

Toen we alleen waren, ging hij naast me zitten. Ik moest vechten tegen de aandrang om terug te deinzen toen zijn bovenbeen langs het mijne streek. Ik vond het vreselijk om zo dicht bij hem te zijn. Hij rook naar al te sterke aftershave en mintsnoepjes.

Sorrentino draaide zich naar me toe en legde een arm over de rug van de bank. 'Dus, Alexandra,' zei hij. 'Dat is een prachtige naam. Prachtig accent ook. Waar kom je vandaan, Groot-Brittannië?'

'Engeland,' knikte ik.

'Londen?' Luke had eens gezegd dat niet-Europeanen dachten dat alle Engelsen in Londen woonden. Het zal wel een goede gok zijn.

'Nee, ik kom uit een klein plaatsje in Norfolk,' loog ik.

'*No fuck*?' herhaalde hij lachend. 'Dat klinkt niet als een plaats waar een meisje als jij vandaan kan komen, als je begrijpt wat ik bedoel.'

Ik glimlachte gedwongen. 'En, waar kom jij vandaan?'

'Ik kom uit New York,' zei hij. 'Oorspronkelijk uit Brooklyn, voor het geval je dat niet aan mijn accent hebt kunnen horen, maar tegenwoordig woon ik in Manhattan. Ik heb een prachtig appartement met uitzicht op Central Park.'

'Klinkt fantastisch,' zei ik. 'En wat doe je in Las Vegas? Ben je hier voor zaken of voor je plezier?'

'Een beetje van allebei, hoop ik.' Hij grijnsde en kneep met zijn dikke hand in mijn knie. Gelukkig arriveerde de serveerster op dat moment met onze drankjes.

'Een glas Jobard voor de dame,' zei ze, terwijl ze onderzetters neerlegde en het glas gekoelde witte wijn voor me neerzette. Ik stak een licht trillende linkerhand naar het glas uit, en terwijl ze zei: 'En een Jim Beam zonder ijs voor meneer,' ving mijn trouwring het licht.

Ik wierp een zijdelingse blik op Sorrentino en pakte snel het glas op, zodat hij de ring niet zou zien. Hij was bezig de rekening op zijn kamer te zetten en te tekenen en leek het niet gemerkt te hebben. Ik legde mijn andere hand ook om het glas en schoof de platina ring aan een van de vingers van mijn rechterhand.

Heel wat escortedames waren getrouwde vrouwen, wat hij ongetwijfeld wist, maar ik was er ook vrij zeker van dat Sorrentino een expert was op het gebied van dure callgirls en hij zou argwaan kunnen krijgen als een van hen zo slordig was te vergeten haar trouwring af te doen voordat ze naar een klant ging.

Ik nam een slokje van de wijn. 'Lekker?' vroeg hij.

'Ja,' zei ik. 'Dank je.'

'Heb je honger? Wil je misschien iets eten voor de show? We hebben nog wel wat tijd.'

'Dank je, ik heb al iets gehad. Maar ga alsjeblieft je gang als jij honger hebt.'

'Dat zit wel goed,' zei Sorrentino met een handgebaar. Hij had zelf ook een ring om, een grote diamant in een gouden zetting aan zijn pink. 'Maar misschien heb ik later wel iets voor je te eten, als je begrijpt wat ik bedoel.' Hij bewoog een wenkbrauw en ik moest moeite doen niet te kokhalzen. Hij had een vreemde glimlach; zijn bovenlip krulde om, zodat zijn kleine witte tanden zichtbaar werden.

'Weet je, toen ze me vertelden dat Donna niet beschikbaar was, was ik een beetje teleurgesteld, om eerlijk te zijn,' ging hij verder. 'Maar jij bent fantastisch. Waarom heb ik niet eerder het genoegen gehad?'

'Nou...' Ik dacht snel na. 'Ik sta niet in de boeken van het bureau. Als een meisje ziek is en het bureau niemand anders heeft, is het de verantwoordelijkheid van het meisje zelf om voor vervanging te zorgen.'

'Echt?' De blik van Sorrentino ging langs mijn hals en over elke borst. 'Wil je zeggen dat dit nieuw voor je is?'

Wat moest ik daarop zeggen? Hij werd duidelijk opgewonden van het idee om me in te wijden, maar het was niet veilig om hem het idee te geven dat ik al te naïef was.

'Ik heb het al een paar keer gedaan,' zei ik.

Hij streelde mijn oor met de hand die op de rugleuning van de bank lag en tilde mijn oorbel op, zodat hij glinsterde in het licht. 'En wie heeft deze prachtige oorbellen voor je gekocht?' vroeg hij zachtjes. 'Een van je "afspraakjes"?'

'Nee, ze waren een cadeau van mijn moeder en vader,' zei ik. 'Voor mijn eenentwintigste verjaardag. Erfstuk.'

'Je familie heeft een goede smaak.' Hij haalde zijn hand van mijn oor en legde hem weer op de rugleuning.

'Dank je.' Ik nam nerveus een slokje van mijn wijn. 'En jij?'

'Wat is er met mij?'

'Heb jij nog familie?' In mijn oren klonk het alsof ik gevraagd had naar 'Familie' met een hoofdletter f.

'Mijn moeder leeft nog,' zei hij. 'Maar als je een familielid met smaak zoekt, moet je niet mijn ma hebben. Ze verzamelt van die beeldjes, weet je, die gevallen die eruitzien als baby's. Enge dingen. Ik heb ook nog een jonger zusje. Maar geen kinderen, niet dat ik weet tenminste.'

'Zou je graag kinderen willen hebben?' Ik nam een nogal grote slok wijn.

Hij haalde zijn schouders op en hief zijn glas. 'Ja, hoor. Het was mijn ex die ze niet wilde. Ze was bang dat ze haar figuur zouden bederven. Maar ik geloof dat mijn huidige vriendin er wel voor in is, dus als alles goed gaat, zouden er een paar kleine Luigi's kunnen rondrennen voordat ik te oud ben om ervan te genieten.' Hij sloeg een grote slok whisky achterover. Ik merkte dat hij zich er ongemakkelijk bij voelde om met mij over kinderen te praten; het is moeilijk een vrouw puur als lustobject te zien als je met haar gesproken hebt over het moederschap, en om eerlijk te zijn wilde ik niets horen over de hoop en de verwachtingen van een man van wie ik wist dat hij ze nooit zou zien uitkomen.

'Ik heb persoonlijk geen greintje moedergevoel,' verzekerde ik hem. De wijn hielp me gelukkig een beetje te ontspannen en ik voelde hoe ik meer in mijn rol kwam. 'Ik zou het gewoon niet kunnen. Je kunt dan niet meer op vrijdagmiddag besluiten het weekend in Parijs door te brengen of spontaan seks hebben op het kleed in de eetkamer, uit angst dat ze toevallig binnen zouden kunnen komen.'

'De laatste keer dat ik seks had op de vloer, kreeg ik rode plekken op mijn knieën vanwege het tapijt.' Sorrentino's grijns was weer helemaal terug. 'Echt waar, Alexandra, ze waren vuurrood en op een ervan zat zelfs een schaafplek. Ik heb een week lang geprobeerd ze bedekt te houden waar mijn vriendin bij was, maar toen kwam ze een keer binnen terwijl ik onder de douche stond en ik hoorde haar gillen: "Luigi, vuile schoft dat je bent, heb je met een ander liggen foezelen?" Ze hield gewoon niet meer op.'

'Dus zij was niet degene met rode plekken op haar rug?' Ik knipoogde naar hem.

'Nee,' zei hij. 'Nee, zij niet. Ik vertelde haar dat een van de jongens een contactlens had laten vallen en dat we die hadden liggen zoeken, dat het meer niet te betekenen had. "Wat, heb je je broek uitgetrokken voordat je begon met zoeken?" zei ze. Ze is niet stom, dat moet ik haar nageven.'

'Heeft ze je vergeven?' vroeg ik.

Hij maakte een wuivend gebaar. 'Ze weet wie het brood op de plank brengt. Bepaalde dingen moet ze door de vingers zien voor de lieve vrede.' Luigi zweeg, keek me aan en glimlachte. 'Weet je, ik mag jou wel,' zei hij. 'Je bent iemand waar je gemakkelijk mee kunt praten. Iemand die geen oordeel velt.'

'Je bent zelf ook heel aangenaam gezelschap.' Ik stikte bijna in de woorden.

Hij stak zijn pols uit en keek op zijn grote gouden horloge hoe laat het was. 'Drink je glas leeg, dan gaan we, liefje.'

We namen een taxi naar het theater. Onderweg schoof Sorrentino een envelop in het voorvak van mijn handtas en ik besefte meteen dat ik vergeten was hem om geld te vragen. Godzijdank dat hij het uit zichzelf had gedaan; hij was zeker argwanend geworden als het nog veel langer geduurd had voor ik erover begon. Elke callgirl met meer dan twee hersencellen laat zich vooraf betalen.

Het was een van die shows waarbij het publiek aan tafeltjes zit in plaats van in een rij stoelen. Sorrentino en ik hadden een loge aan de rechterkant van het podium. We bestelden nog iets te drinken bij de kelner en zagen de rest van het publiek binnendruppelen. Gezinnen, stellen in de pensioenleeftijd, pasgetrouwde paartjes, groepjes vrouwen die een vrijgezellenavond hadden, kleinere groepjes mannen die hoopten te kunnen scoren bij de groepjes vrouwen. Iedereen leek opgewekt en lachte om elkaars grapjes. Een kind straalde alsof het kerstavond was. Een vrouw met heel kort donker haar zat dicht tegen een man met een baard aan, die haar wang streelde en glimlachend tegen haar fluisterde. Vijf vrouwen in hun beste glitterkleren probeerden elkaars drankjes, lachten voluit om een grapje en vingen de blik van een paar knappe kerels aan een naburig tafeltje. En ik zat er hoog boven, naast de man die mijn echtgenoot had vermoord.

De lichten werden gedoofd en de show begon; ongelooflijke acrobaten wervelden over het podium en hingen in de lucht als lichtgevende motten. Een filosoof heeft eens gezegd dat we alleen dingen mooi vinden waar we verdrietig van worden. Ik was het niet helemaal met hem eens; gelukkig zijn had me er nooit van weerhouden schoonheid te waarderen. Maar pas sinds ik Charlie was kwijtgeraakt werd het pijnlijk om iets moois te zien. Het deed echt pijn.

Ik leunde achterover. Sorrentino zat juist voorover met zijn onderarmen op het muurtje van het balkon en ging helemaal op in de voorstelling. Ik keek naar zijn achterhoofd, naar de vetrol net boven zijn kraag. Als ik een mes had gehad, had ik het er zó van achteren in kunnen steken en hem er niet bij hoeven aankijken. Hij zou het niet eens aan zien komen.

Maar ik moest eerst antwoorden hebben op mijn vragen. Ik wist dat ik moest wachten. Ik dronk mijn wijn op en wenkte de kelner voor nog een glas. Intussen zei ik tegen Sorrentino dat ik even naar het toilet ging, maar ik stopte bij de openbare telefoon en belde Kytells mobiel. Het was heel vroeg in de ochtend in Engeland, maar ik wist dat hij op zou zijn, en ik had gelijk. Hij nam bij het tweede rinkeltje op.

'Kate?' zei hij. 'Ben jij dat?'

'De naam van de persoon over wie ik het eerder heb gehad, is Luigi Sorrentino,' zei ik. 'Het hoofd van een van de families in New York. Wees voorzichtig als ik je niet meer bel. Ik hou van je.' Ik hing op voordat hij iets kon zeggen.

De artiesten maakten hun laatste buiging en mijn maag kromp ineen. Het begin van het eind. Straks kon ik niet meer terug.

In de taxi op de terugweg naar het Babylonian gleed Sorrentino's hand onder mijn jurk en ik voelde zijn vlezige vingers langs mijn been omhoogglijden. Hij vond de kanten bovenkant van mijn kousen en kon het niet laten eens flink te knijpen. Ik voelde zijn vingers in het zachte vlees van mijn bovenbeen prikken en proefde gal in mijn keel.

Zorg nou maar dat we verdomme bij het hotel komen, spoorde ik de chauffeur zwijgend aan. Maar toen ik de witte muren van het hotel zag door de ruitjes, voelde ik me nog zieker.

Sorrentino leidde me naar de ingang met een hand in mijn rug. In de lift gleed die naar beneden, over mijn billen. Ik glimlachte dunnetjes naar hem en keek naar de veranderende getallen op de display terwijl we omhooggingen.

Ik schrok van het pingeltje van de lift toen we de achtentwintigste verdieping hadden bereikt. Mijn hart bonkte tegen de binnenkant van mijn borstkas toen Sorrentino me voorging naar zijn kamer en de deur opendeed met zijn pasje.

Zodra de deur achter ons dicht was, greep hij me vast, drukte me tegen de muur en liet zijn tong als een naaktslak met zelfmoordneigingen in mijn mond glijden. Hij drukte zijn kruis tegen me aan en ik voelde zijn erectie.

Hij likte mijn hals, kneep in mijn borsten en liet zijn palmen eroverheen rollen alsof hij broodjes maakte. 'Zuig me, schatje,' kreunde hij in mijn oor.

Jezus christus. 'Geduld, lieveling,' fluisterde ik verleidelijk, en ik vocht tegen de impuls om hem van me af te duwen. 'Ik geef je de beste beurt van je leven, maar ik zou het heerlijk vinden als je eerst een lekkere warme douche nam.'

Hij liet zich zo'n beetje tegen me aanzakken en duwde zich toen weg van de muur. Hij liep door de kamer en krabde zijn achterhoofd.

'Wat ben jij een gemeen wijf,' zei hij. 'Moet je kijken wat een stijve ik heb.' Maar hij schopte al mopperend zijn schoenen uit en begon zijn overhemd los te knopen. Terwijl hij zich uitkleedde, pakte hij een stel autosleutels die daar lagen en ging naar de kledingkast. Ik hoorde gepiep toen hij het kluisje opende. De sleutels gingen erin, prompt gevolgd door zijn horloge, een portefeuille en een rol bankbiljetten. Met nog wat gepiep deed hij het kluisje weer op slot.

'Dit is niet rot bedoeld, liefje,' zei hij.

Ik schudde slechts mijn hoofd. 'Dat weet ik,' zei ik.

Hij ging in zijn onderbroek naar de badkamer en ik zei een stil schietgebedje toen ik de douche aan hoorde gaan. Ik was boos op Daultrey omdat hij een plan had bedacht dat Sorrentino het idee gaf dat hij me kon hebben. Had hij me verdomme niet als kamermeisje of zoiets naar binnen kunnen smokkelen? Als Sorrentino niet had willen stoppen toen ik het vroeg... Maar ik zette die horrorfilm resoluut van me af en deed mijn jas en tas in de kast, wetend dat ik in de problemen zat als er bloed op kwam. Ik trok de handschoenen aan en haalde mijn revolver uit de tas, en toen ging ik Sorrentino's wapen zoeken.

Het lag niet in de kast of in het nachtkastje en het zat ook niet in zijn jas. Ik moest ervan uitgaan dat het in de kluis lag, samen met zijn andere kostbaarheden. Ik werd er nerveus van om het niet in handen te hebben, maar ik zou gewoon tussen hem en de kluis moeten blijven.

Ik spande de haan van de revolver en wachtte, en het bloed en de adrenaline donderden door mijn lichaam. Ik kon letterlijk mijn eigen hart horen kloppen.

De douche werd uitgezet en ik verstijfde en hield mijn adem in. Een paar tellen later kwam Sorrentino in een badjas de badkamer uit, maar hij bleef als aan de grond genageld staan toen hij mij zag.

Zijn ogen werden spleetjes. 'Wat moet dit betekenen?' zei hij toen hij het wapen zag dat op hem gericht was.

'Ga op je buik op de grond liggen,' zei ik. 'Met je handen achter je hoofd.'

'O, in godsnaam, ik geef je de combinatie wel,' zei hij. 'Het is nul vijf één vier. Maar ik betwijfel of je iemand zult kunnen vinden die zo stom is het spul van je te kopen als ik eenmaal een waarschuwing heb laten uitgaan.'

'Het is me niet om de inhoud van je kluis te doen.'

'Wat wil je dan?'

'Ik wil dat je verdomme op je buik op de vloer gaat liggen, met je handen achter je hoofd.'

Hij probeerde de situatie in te schatten zoals een in een hoek gedreven roofdier zijn beste kans op ontsnapping probeert te bepalen. Er kwamen dus onvermijdelijk wat rechtopstaande nekharen en ontblote tanden aan te pas om intimiderend over te komen, in de hoop dat ik hem dan met rust zou laten. Doen alsof hij dood was zat niet in zijn repertoire.

'Ik ga niet liggen,' zei hij. 'Sorry, maar het is een stuk moeilijker om iemand dood te schieten als je hem erbij moet aankijken.'

'Ik kom je niet vermoorden,' zei ik, hoewel ik misschien het voorbehoud 'tenzij je me iets vertelt wat ik niet wil horen' had moeten toevoegen. 'Ik wil alleen een paar dingen weten.'

'Wat voor dingen?' zei hij boos.

'Laten we beginnen met de vraag wie verdomme mijn man heeft vermoord.'

'Dame, ik weet niet wie je bent of waar je het over hebt,' zei Sorrentino.

'Nee. Nee, natuurlijk niet. Je denkt zeker dat ik een microfoontje draag.'

'Nee, dat denk ik helemaal niet. Een bekentenis is over het algemeen voor de rechtbank niet toelaatbaar als bewijs als er op dat moment een vuurwapen gericht was op de man die de opgenomen bekentenis heeft afgelegd.'

Ik knikte. 'Goed punt. Dus je kunt me best de waarheid vertellen. Zoals je zei is het ontoelaatbaar als bewijs, zelfs als ik een microfoontje zou dragen.'

Hij schudde het water van de douche uit zijn ogen. 'Jij bent verdomme een totaal verknipt wijf, weet je dat?'

'Ik zou een vrouw met een .38 niet tegen me in het harnas jagen, vette flapdrol.' Met zijn gesperde neusgaten zag hij eruit als een stier tegenover een matador, met ogen als kleine kanonskogels. 'Ik wil weten wat er met mijn man gebeurd is in de laatste uren van zijn leven. Ik wil weten wie er nog meer bij betrokken waren en wie hem daadwerkelijk vermoord heeft.'

Zijn bovenlip trok. 'Je zult me even moeten helpen. Verklein de keuzemogelijkheden.'

'Ik ben de weduwe van Charlie Benson,' zei ik. Mijn stem trilde, maar mijn handen geen moment.

'Nooit van gehoord.' Ik merkte dat ik dichter naar Sorrentino toe bewoog, dat ik mijn wapen tegen de zijkant van zijn hoofd wilde slaan tot zijn oren bloedden.

'Jij kende hem als Guiseppe Carlo.'

Hij lachte. 'Je meent het. O, dat is mooi. Is die klootzak dood?'

Ik hield hem nauwlettend in het oog. 'Probeer geen spelletje met me te spelen. Je weet dat hij dood is.'

'Alexandra liefje, of hoe je verdomme ook mag heten, ik zweer je bij alles wat heilig is dat ik Guiseppe Carlo niet vermoord heb. Ondanks het feit dat hij een heel goede vriend van mij om zeep heeft geholpen, waarvoor ik die klootzak met alle liefde een kogel door zijn lijf had gejaagd, heb ik dat voorrecht niet gehad.'

'Heeft hij iemand vermoord?' Mijn mond was droog. Ik slikte en probeerde het nog eens. 'Wie? Wie heeft hij vermoord?'

'O, dat heeft je lieve mannetje zeker niet verteld? Hij heeft Federico Calabresi vermoord. Hij schoot zijn gezicht eraf met een hagelgeweer en gooide hem in de Hudson. En wat is er met Carlo gebeurd? Is hij in een steegje beland zonder tong of zo?'

'Hij is verdronken.' Ik kreeg hoofdpijn.

'Dat klinkt niet als een van onze mannetjes,' zei Sorrentino fronsend. 'Misschien was het zijn karma. Misschien was het gewoon een ongeluk, heb je daar al aan gedacht?'

'Het had niets met karma te maken,' zei ik. 'Het was moord. En voor zover ik gehoord heb door iemand van jouw organisatie.'

Sorrentino hief zijn handen en zuchtte geërgerd. 'Hoor eens, ik heb dat stuk stront in geen eeuwen gezien, laat staan dat ik hem heb laten vermoorden. En mijn jongens doen niets zonder dat ik het zeg. Ik denk dat je beter eens goed kunt kijken naar degene die mij heeft aangewezen, want ik zou zeggen dat die zo zijn eigen agenda heeft.'

Het ellendige was dat ik wist dat hij de waarheid vertelde. Hij had hem niet vermoord; het was duidelijk dat hij niet eens geweten had dat hij dood was. Ik was er zo zeker van dat ik hem zelfs niet voor de veiligheid overhoop wilde schieten.

Ik deed mijn ogen dicht, heel even maar. Ik was zo moe. Ik had gedacht dat deze avond het begin van het einde zou zijn. Ik had gedacht dat ik vanavond eindelijk te horen zou krijgen wat er echt met Charlie gebeurd was en dat ik de kracht zou vinden om op een of andere manier wraak te nemen. Eerst op Sorrentino, en degene die hij aanwees als de moordenaar zou de volgende op mijn lijstje zijn. En nu had ik niet eens een lijstje.

Ik liep achteruit naar de kast, maar hield de .38 op Sorrentino gericht. Ik toetste 0514 in op de kluis en tastte naar Sorrentino's wapen. Ik vond het – een zwartblauwe Beretta 92 met een reservemagazijn – en nam voor de goede orde zijn autosleutels ook maar mee. Toen pakte ik mijn jas en tas, stapte achterwaarts naar de deur en duwde al tastend naar de klink tot hij openging.

'Je zou me eigenlijk moeten doden, weet je,' zei Sorrentino toen ik in de deuropening stond. Zijn ogen waren steenkoud geworden. 'Want als ik je vind, ben je dood.'

HOOFDSTUK TWEEËNTWINTIG

Ik vloog de trappen van de nooduitgang af de nacht in.

'Taxi!' Toen ik eenmaal veilig in de taxi zat, vroeg ik de chauffeur om naar een hotel aan de andere kant van de wijk te gaan. Toen de taxi me afzette, zocht ik een van die steegjes op waar Daultrey het over had gehad en waar geen camera's hingen. Ik keek om me heen om me ervan te vergewissen dat er niemand in de buurt was en toen stopte ik de pruik in mijn tas, boven op de twee vuurwapens, deed mijn spijkerbroek aan onder mijn jurk, haalde de jurk over mijn hoofd en trok een shirt aan. Er was nog net genoeg ruimte voor de hoge hakken in de tas toen ik ze had verruild voor een paar slippers.

Ik wist dat ik me over de politie geen zorgen hoefde te maken. Die zou Sorrentino nooit bellen. Nee, ik was bang dat hij me zelf zou opsporen.

Ik veegde mijn gezicht schoon met een paar tissues en toen ik eenmaal weer veranderd was in Kate Grey, zocht ik een telefooncel.

'Kate?' Mijn broer klonk angstig.

'Met mij, Ky. Alles is in orde. Het was hem niet. Je hoeft niets te doen.'

'Wat is er in godsnaam allemaal aan de hand?'

'Dat weet ik niet. Ik weet niet meer wie ik kan vertrouwen.'

'Kom dan naar huis.'

'Dat doe ik, ik beloof het je. Maar ik moet eerst iemand spreken.'

'Het klinkt niet veilig, Kate. Hou ermee op.'

'Dat kan ik niet. Het spijt me, Ky. Ik hou van je.'

Ik hing op, keerde terug naar de hoofdstraat en nam een andere taxi om me terug te brengen naar het Regal.

Het was misschien een vergissing om Luigi Sorrentino te laten leven nadat ik een vuurwapen op hem gericht had en hem had vernederd, maar ik was toch opgelucht dat ik hem niet had vermoord.

Dat de agenten verrast waren me te zien toen ik onze suite binnen kwam stormen, was een understatement. Angela Taylor keek van mijn woedende gezicht naar Daultreys ernstige trekken en toen naar de vloer.

'Godverdomme, Stanley,' zei ik.

'Waarom ben jij niet in je kamer?' snauwde Jerkins. 'Hoe moeten we je beschermen als je er stiekem vandoor gaat?'

'O, Stanley weet waar ik was,' zei ik. 'Wat was het plan, Daultrey? Wilde je hem uit de weg hebben en had je bedacht dat je mij daar fijn voor kon gebruiken?'

Daultrey greep me bij de elleboog, duwde me mijn kamer in en sloeg de deur voor de andere agenten dicht.

Toen wendde hij zich tot mij. 'Wat doe je verdomme hier? Het plan was dat je naar Monterey zou gaan en zou wachten tot wij je daar zouden komen ophalen!'

'Nou het plan is gewijzigd,' zei ik, en ik gooide mijn tas op het bed.

'Is hij dood? Is het je gelukt?'

'Nee, Stanley,' zei ik, terwijl ik hem woedend aankeek. 'Hij is niet dood. Weet je waarom? Omdat hij Charlie niet heeft vermoord. Zou je me nu willen vertellen waarom je tegen me gelogen hebt?'

Daultrey liet zich op de stoel bij het nachtkastje vallen. Hij keek verbijsterd.

'Hoe weet je dat hij het niet gedaan heeft?' vroeg hij.

'Ik weet het gewoon. Het was duidelijk dat Sorrentino geen flauw idee had dat Charlie dood was. Jezus, je hebt me niet eens de juiste feiten gegeven over Rico Calabresi. Jij zei dat Sorrentino hem had laten doden, maar Sorrentino denkt dat Charlie daar verantwoordelijk voor was! Dus vertel mij maar eens waar je die waardeloze informatie vandaan hebt.'

Daultrey zette zijn bril af en legde hem op zijn schoot. 'Van een vriend van mij op het Bureau. Hij zei dat ze een gesprek hadden afgeluisterd waarin Sorrentino zei dat er voor hun wederzijdse vakantievierende vriend was gezorgd.'

'O ja? Heb je die opname zelf gehoord?'

'Nee,' gaf hij toe. 'Nee, het spijt me.'

'Hoe heet hij?'

'Wie?'

'Die vervloekte "vriend van je op het Bureau" die tegen je gelogen heeft.'

Daultrey duwde zijn bril weer op zijn neus. 'Wacht nou verdomme eens even. Ik zeg niet dat hij gelogen heeft. Misschien hebben we gewoon verkeerd begrepen over welke vakantievierende vriend Sorrentino het had.'

'Kan hij de mol zijn?' Daultrey meed mijn blik. 'Nou?' Ik verhief mijn stem. 'Kan dat?'

Daultrey stond op. 'Nee,' zei hij, maar ik wist dat hij loog. 'Hoor eens, dit is mijn probleem. Laat mij dat op mijn eigen manier oplossen. Ik zal eens rondvragen. Ik wil niet dat jij naar Washington gaat voor een krankzinnige wraakneming terwijl je niet alle feiten kent.'

'Ja, stel je voor dat ik onschuldige mannen ga belagen met een .38,' zei ik sarcastisch.

'Nu je het er toch over hebt,' zei Daultrey, en hij stak zijn hand uit voor het wapen.

'Ik weet niet,' zei ik. 'Misschien moet ik het maar houden. Ik weet niet goed of ik jou nog wel vertrouw.'

'Kate.' Hij keek gekwetst. 'Doe nou niet zo. Ik zou jou nooit kwaad willen doen.'

Ik bleef hem een paar tellen aankijken en gaf hem toen het wapen terug. Ik had dat van Sorrentino nog steeds onder in mijn tas zitten, maar dat ging ik hem niet vertellen. Laat hem maar denken dat ik ongewapend ben; eens zien of dat tot een aanval leidt.

'Dank je,' zei hij.

'Welterusten, Stanley,' zei ik, en ik wachtte tot hij weg was voordat ik onder de douche stapte en de sporen van Luigi Sorrentino's zweterige handen weg schrobde.

De volgende dag bezagen de agenten me allemaal met enige argwaan, want ze waren zich ervan bewust dat er iets gaande was tussen mij en hun baas, ook al wisten ze niet wat. Daultrey hield zich op de achtergrond en kwam alleen even vertellen dat Sorrentino naar New York was teruggekeerd en dat we nu duizenden kilometers van elkaar verwijderd waren.

Ik nam de voorzorgsmaatregel om een veilige verstopplek te zoeken voor Sorrentino's vuurwapen en kogels en de blonde pruik en stouwde alles achter het paneel van het bad. Ik kon er niet op vertrouwen dat de agenten mijn spullen niet zouden doorzoeken en ik wist dat het hotelmanagement Daultrey met alle plezier de code zou geven als ik ze in de kluis deed.

Toen ik zes of zeven was, speelden mijn broers en ik een spelletje dat 'Moord in het Donker' heette. Een van de spelers was de moordenaar, maar niemand wist wie het was. Het licht ging uit en als het weer aanging, was er iemand 'dood'. En dan keek je naar de andere spelers en probeerde je erachter te komen wie van hen de dader was. Ik had het gevoel dat ik dit spelletje nu in het echt speelde. Kon ik Daultrey vertrouwen? Geloofde ik hem als hij zei dat er ook tegen hem gelogen was? Ik had ervandoor moeten gaan toen ik erachter was dat Sorrentino niet verantwoordelijk was voor de dood van Charlie, maar dat had betekend dat ik de kans om Joe te ontmoeten moest opgeven. Ik wist dat ik een risico nam; als Daultrey me inderdaad in de val had gelokt, was er een heel goede kans dat deze ontmoeting met Joe ook doorgestoken kaart was, maar alles wat ik tot dan toe geprobeerd had was op niets uitgelopen. Dit was de enige weg die ik nog kon gaan.

Er werd op de deur geklopt en Daultrey kwam binnen zonder op antwoord te wachten.

'Ze komen morgenochtend,' zei hij. 'We gaan om elf uur precies naar hun kamer.'

Hij besefte blijkbaar dat hij iets van mijn vertrouwen terug moest winnen, want hij stak me een bekende map toe. Ik kwam uit bed en pakte hem aan. Charlies dossier.

'Laat het niet rondslingeren,' zei hij. 'En nu komt Taylor met je praten over het getuigenbeschermingsprogramma. Kan ik erop vertrouwen dat je je bij het onderwerp houdt?'

Hij leek bang te zijn dat ik zijn team iets zou vertellen over het incident met Sorrentino. 'Dat kun je,' verzekerde ik hem. Ik stopte de map onder een van de kussens van het hemelbed en liet hem mijn handpalmen zien met een gebaar van 'zie je wel, geen trucjes'. Hij knikte kort en verliet de kamer.

Ik hoefde niet lang te wachten op agent Angela Taylor. Ze nam niet de moeite te kloppen en beende in een mooi grijs pak en op hoge hakken de kamer in, met haar blonde haar in een wrong, een en al zakelijke efficiëntie.

'Agent Daultrey heeft me gevraagd het proces van het getuigenbeschermingsprogramma met je door te nemen,' zei ze, en ze begon te vertellen hoe mijn nieuwe naam gekozen zou worden en hoe ze me een woonplek en een baan zouden bezorgen en een achtergrondverhaal dat ik mijn nieuwe vrienden en buren zou kunnen vertellen.

'Wat mensen in het programma meestal het moeilijkst vinden,' zei ze, 'is dat ze geen contact kunnen opnemen met hun geliefden uit hun eerdere leven. Nooit. Geen telefoontje op de verjaardag van je moeder. Geen kerstkaarten. Geen e-mails.' Als ik er ernstig over had gedacht om me door hen een nieuwe identiteit te laten aanmeten, had ik van streek kunnen raken bij de gedachte dat ik Kytell nooit meer zou zien, maar ik wist dat het zover niet zou komen. Niet dat ik dat al aan de FBI ging vertellen.

'Je hoeft tenminste geen plastische chirurgie te ondergaan, ook nog een heel trauma,' zei ze. Ik trok een wenkbrauw op. 'Nou, je hebt het voordeel dat die mannen je nooit hebben ontmoet, dat ze je alleen van foto's kennen,' legde ze uit. 'Getuigen die met de mensen tegen wie ze getuigen hebben geleefd of gewerkt, lopen het meeste gevaar om herkend te worden. Soms moeten we hun hele uiterlijk veranderen. Zodat ze eruitzien als een heel andere persoon.'

Een van de andere agenten bracht pizza's boven en ik at met lange tanden een stuk. Het leek wel karton. Ik liet de rest aan hen over en kroop in bed met Charlies dossier.

Het bevatte zijn sollicitatieformulier voor de FBI en ik ging met een vingertop over zijn handtekening. Het was niet die van mijn man – de naam was uiteraard anders –, maar het was zijn handschrift. Ik had geweigerd mijn naam in mevrouw Kate Benson te veranderen toen Charlie en ik waren getrouwd; mijn eigen naam betekende iets voor me en Charlie had het nooit een punt gevonden. Nu vroeg ik me af of hij misschien ouderwetser en traditioneler had gereageerd als ik door het aannemen van zijn naam mevrouw Kate Cantelli zou zijn geworden.

Er waren rapporten van meerderen, allemaal even lovend, en vele aanbevelingsbrieven. Hij had een eervolle vermelding wegens moed gekregen nadat hij op zijn vrije dag tussenbeide was gekomen bij een winkelberoving. Er waren aantekeningen van Daultrey, zijn contactpersoon toen hij undercover werkte, waarin tot in detail de informatie werd gegeven die hij verschafte over de familie waarvoor hij werkte. Na verloop van tijd werd de informatie steeds specifieker en belastender. Sorrentino's naam werd vaak genoemd.

Het beste in de map was de stapel foto's. Voor mij was die een schat; foto na foto van mijn geliefde Charlie, vanuit elke mogelijke hoek. Die van hem in uniform, om te beginnen. En een waarop hij een pak aanhad, zijn haar achterover was gekamd en hij ernstig probeerde te kijken, hoewel ik een glimlach aan zijn mondhoeken zag trekken. Veel surveillancefoto's waarop zijn haar langer was en over zijn kraag viel, en waarop hij gemakkelijkere kleren droeg en de rol van maffioso speelde. Op een van de foto's speelde hij met ontbloot bovenlijf een spelletje basketbal. Je kon duidelijk de getande zon van zijn Keltische tatoeage zien en ik was ineens weer terug in de autopsiekamer op Sicilië en zag voor me hoe zwart zijn tatoeage daar geleken had tegen de bleekwitte huid. Ik sloot mijn ogen en bedwong de misselijkheid. Na een paar keer diep ademhalen deed ik mijn ogen weer open en zag een foto waarop hij op de stoep naast een pitbull knielde. Hij krabde hem onder zijn kin en de hond leek er volop van te genieten. Het dier leek zelfs te glimlachen. Dat was mijn Charlie, de man die zelfs honden kon laten lachen.

'Ik maak me zorgen om het feit dat je zo goed kunt pokeren,' had ik een keer tegen hem gezegd.

'Hoezo?' had hij met een glimlach gevraagd.

'Als je zo goed kunt bluffen, kun je waarschijnlijk ook heel goed liegen.'

Zijn glimlach was verdwenen en ik had zijn gezicht gestreeld om hem terug te brengen. Hij had me tegen zich aan getrokken en met zijn warmte omsloten.

'Vertrouw me,' had hij in mijn oor gefluisterd. 'Ik hou van je. Vertrouw mij nou maar en ik beloof je dat alles goed komt.'

Hij had niet gezegd dat hij nooit tegen me zou liegen. Ik had op dat moment al moeten inzien dat zijn belofte eigenlijk een ontwijking was, maar ik had mijn eigen redenen om niet op totale eerlijkheid te staan.

Ik deed de foto's weer in de map en schoof hem onder het kussen. Toen ik eenmaal sliep, droomde ik over Charlie op de kermis, in een spiegelzaal. Ik rende naar hem toe en wilde hem aanraken, maar in plaats van een levende, ademende persoon stootten mijn handen tegen het glas waarin zijn spiegelbeeld te zien was. Toen ik me omdraaide om hem in het echt te zien, was er niemand en daarna waren alle spiegelbeelden weg.

Toen ik wakker werd, knaagde de onrust in mijn maag en ik vroeg me af of ik niet een verschrikkelijke vergissing had gemaakt. Hoe zou ik het in godsnaam aankunnen om de tweelingbroer van mijn man te ontmoeten? Ik stortte beslist in als ik zijn gezicht zag. Kon ik het verdragen om Charlie te zien en te weten dat hij het niet echt was? Ondanks mijn verzekeringen aan Daultrey vroeg ik me af of al mijn verlangens de kop weer zouden opsteken zodra ik zijn tweelingbroer zag.

Ik trok minstens drie keer iets anders aan, omdat ik niet zeker wist of ik er aantrekkelijk uit wilde zien voor Joe of niet. Uiteindelijk koos ik voor een spijkerbroek en een eenvoudig wit shirt.

Ik ijsbeerde door de suite en probeerde afleiding te vinden door naar de tv-zender te kijken die een van de pas gearriveerde agenten – extra bescherming nu Joe en zijn gezin zich in het hotel bevonden – had aangezet. De nieuwslezers van CNN vertelden over de onrust in het Midden-Oosten, de conflicten in West-Afrika en aardbevingen in Californië. De federaal agent – een zekere Oxford Johnson – zag er vaag bekend uit, maar ik had zoveel andere dingen aan mijn hoofd dat ik me niet kon herinneren op welk punt van hun surveillance van Luke en mij ik hem had gezien.

'Alles goed, mevrouw Cantelli?' vroeg hij terwijl ik het vloerkleed liep te verslijten.

'Ja, hoor. Alleen een beetje zenuwachtig. Het gebeurt niet elke dag dat je de tweelingbroer van je overleden man ontmoet.'

'Nee, dat zal wel niet,' zei hij. 'Maar misschien moet u wat minder koffie drinken. Ik weet niet of dat wel helpt.'

Ik keek naar mijn hand en zag tot mijn verbazing dat ik een koffiekop vasthad.

'Hoeveel heb ik er al op?' vroeg ik.

'Nou, eens kijken. Er zijn nog twee zakjes over, ik heb er twee gehad en Wilson een, dus ik zou zo zeggen dat u er vijf op hebt.'

'Verdomme.' Ik zette het kopje neer.

'Er is ook kamillethee, als u dat liever hebt,' zei agent Johnson.

'Niets voor mij,' zei ik. 'Sorry.' Johnson lachte beleefd. 'En, agent Johnson,' zei ik, 'waarom Oxford? Dat is een ongebruikelijke naam.'

Hij haalde zijn schouders op. 'Mijn voorouders komen uit Engeland. Mijn ouders zijn heel trots op hun Britse afkomst.'

'Echt waar?' zei ik. 'En hoe heet je broer, Cambridge?'

'Nee,' zei hij, 'Stratford.'

Ik begon te lachen, maar hield abrupt mijn kaken op elkaar toen ik besefte dat hij geen grapje maakte.

'O...' zei ik. 'Zeven komma vier op de schaal van Richter, hè? Is het zo erg?'

Daultrey kwam de suite binnen en ik draaide me snel naar hem om. 'Ze zijn er,' zei hij. 'Taylor past op de kinderen en heeft ze meegenomen naar een film. We geven ze een kwartiertje om uit te pakken en dan kun je ze gedag gaan zeggen.'

De twintig minuten leken maar twintig seconden en toen daalden we met de lift twee verdiepingen af en liepen over het dikke tapijt van de gang naar kamer 624. Een stem in mijn hoofd herhaalde steeds: 'Het is Charlie niet. Denk eraan, het is Charlie niet.'

Ik had het gevoel dat ik op bezoek ging bij een geest.

We bleven voor 624 staan en ik slikte moeizaam. Daultrey klopte op de deur en ik hield mijn adem in en probeerde me erop voor te bereiden dat ik Joe zou zien. Agent Wilson liet ons binnen en ging ons voor door een donkergroene gang naar een suite vol gewreven hout en het kleurenschema van steekspelvlaggen; precies gelijk aan onze eigen kamer. Toen we de woonkamer in kwamen stroomde het licht door de ramen naar binnen, en daar voor me stond Joe Cantelli.

HOOFDSTUK DRIEËNTWINTIG

Hij zat op een bank naast een knappe brunette in een elegante positiejurk, en het was opeens alsof Charlie was opgestaan uit de dood. Ik kreeg geen lucht. Toen kwam hij overeind en ging er een nerveus glimlachje over zijn gezicht, en de illusie verdween als regen op zand. De glimlach was te sullig, de beweging te schokkerig. Charlie bewoog met soepele en natuurlijke bewegingen, als een dier dat zijn huid en spieren als vanzelfsprekend beschouwt. Joe bewoog meer als een actiepoppetje.

'Hallo, Kate,' zei hij, en hij omhelsde me. Ik was hem er dankbaar voor; het gaf me de kans mijn tranen weg te knipperen. Ik rook een houtachtige aftershave en de gel die zijn haar rechtop liet staan. Hij voelde massief aan, alsof hij zijn halve leven in de sportzaal doorbracht, maar ik veronderstel dat het kwam doordat hij veel met zijn handen werkte.

We gingen een stap achteruit en ik kon mijn ogen niet van zijn gezicht afhouden. Hoewel alle elementen aanwezig waren – Charlies neus, zijn jukbeenderen, zijn kaaklijn – leek er iets niet te kloppen, als bij een slechte fotokopie. En toch voelde ik meteen een diepe genegenheid voor hem, voor deze vreemde met het gezicht van mijn man.

Hij schraapte zijn keel. 'Dit is mijn vrouw, Marisa.' Hij had een diepe stem en een sterk Italiaans-Amerikaans accent. Ik vroeg me af of Charlie zijn oorspronkelijke accent was kwijtgeraakt of het met opzet had onderdrukt omdat het niet paste bij de identiteit van Benson.

Ik rukte mijn blik weg van Joe en knikte tegen Marisa. Ze bekeek me met ijskoude blauwe ogen, deed niet eens een poging tot een glimlach en bleef stijf op de bank zitten.

'Kan ik je iets inschenken?' vroeg hij. 'Koffie of thee misschien? Of wil je de minibar plunderen en iets sterkers drinken?'

'Alleen wat water, alsjeblieft.' Mijn stem klonk zo zacht alsof hij uit een andere kamer kwam.

'Water voor Kate.' Joe liep naar de minibar. 'En de heren?'

'Niets voor ons,' zei Daultrey. Alle agenten bleven staan, alsof ze wachtten tot er iets gebeurde dat onmiddellijk ingrijpen vereiste.

Joe gaf me een flesje mineraalwater en gebaarde naar de stoel tegenover de bank. Ik ging zitten en hij volgde mijn voorbeeld.

'Ik heb begrepen dat je me op een paar foto's in Miami hebt gezien.' Hij boog voorover op de bank en zette zijn ellebogen op zijn knieën. Hij droeg een spijkerbroek en een mouwloos zwart T-shirt dat zijn indrukwekkend gespierde armen en schouders liet uitkomen. Marisa zag mijn blik over hem heen gaan en haar mond verschrompelde.

'Ik dacht,' begon ik, maar ik moest eerst een slokje water nemen, zo droog was mijn keel. 'Ik dacht dat je Charlie was.' Ik schudde mijn hoofd. '*Antoni*. Het spijt me, ik bedoel dat ik aanvankelijk dacht dat je Antoni was. Daarom ging ik erheen. Het spijt me als ik je last heb bezorgd.'

'Nee, nee.' Hij wuifde met zijn gebruinde hand. 'Doe niet zo raar. Als je het niet had gedaan, hadden we nooit geweten dat Antoni een vrouw had. Weet je, het is fantastisch om je te ontmoeten. Het spijt me alleen dat het onder zulke onaangename omstandigheden moet gebeuren.'

Ik knikte. 'Ik veronderstel dat het te riskant voor hem was om me over jou te vertellen. Hij kon hier niet terugkomen, dus waarom zou hij het allemaal oprakelen?'

'Ik weet zeker dat hij het je graag had willen vertellen,' zei Joe, hoewel hij er om eerlijk te zijn niet helemaal overtuigd van leek. 'Maar hij was er zo aan gewend geraakt alles in zijn eigen hokje te houden, dat het op het eind gewoon gemakkelijker voor hem was alle verschillende delen van zijn leven van elkaar gescheiden te houden.'

Het was heel vreemd om naar hem te kijken. Hij leek zo sterk op Charlie, maar net tien graden uit het lood. Het was een beetje alsof hij Charlies huid droeg.

'Vertel eens.' De sullige grijns was terug. 'Hoe heb je mijn broer ontmoet?'

En dus vertelde ik hem over de kapotte lift in het Carnival Hotel, en dat het liefde op het eerste gezicht was geweest. Over het bungeejumpen en het bezoek aan Gino en onze trouwerij, slechts een paar dagen later. Hij leek heel geboeid, maar ik kon vanuit mijn ooghoek zien dat Marisa totaal niet onder de indruk was.

Ik vertelde over onze flat in Islington en Charlies baan bij het architectenbureau. Het leek bijna alsof ik over hem praatte in de tegenwoordige tijd, alsof hij nog leefde.

'Geen kinderen?' vroeg Joe, en ik voelde een steek in mijn hart.

'Nee,' zei ik met een blik op Marisa's gezwollen buik. 'Wanneer komt jullie baby?'

Joe legde zijn linkerhand op de buik van zijn vrouw. 'Over een maandje,' zei hij. 'Weer een meisje.' Marisa legde haar hand over die van hem en speelde met de gouden trouwring om zijn ringvinger alsof ze mijn aandacht erop wilde vestigen.

'Gefeliciteerd. En jullie hebben nog twee kinderen?'

'Dat klopt. Joe Junior en Gabriela. Hé, wil je een foto zien?'

Hij zocht al in zijn portefeuille en gaf me een dubbelgevouwen foto van hun twee kinderen. Joe Junior was duidelijk de oudste. Hij had een bos donker haar en twee van zijn voortanden ontbraken. Gabriela was lichter dan haar broer en had lang, krullend blond haar, maar ze had dezelfde diepbruine ogen. Het waren leuke kinderen.

'Ze zijn prachtig.' Ik verlangde er opeens naar hen allebei in mijn armen te nemen. Charlies familie, zijn vlees en bloed. O, waarom was ik niet zwanger van hem geraakt toen ik de kans had?

Ik geloof dat Joe zag dat ik van streek raakte. Hij nam mijn handen in de zijne en streelde ze. 'Het is goed,' zei hij. 'Misschien kunnen we iets regelen, zodat je ze binnenkort eens kunt ontmoeten.'

'Ik ben bang van niet,' kwam Daultrey tussenbeide. 'Kate gaat hierna meteen het getuigenbeschermingsprogramma in. Dit is het, mensen.'

Joe en ik keken naar de vloer en toen weer naar elkaar.

'Vertel me eens over Antoni toen hij klein was.' Ik probeerde te glimlachen. 'Wat voor kind was hij?'

Joe vertelde gekke verhalen over hun jeugd, hoe lastig ze het hun ouders hadden gemaakt en over de streken die ze hadden uitgehaald met hun nichtjes en neefjes. Hij begon aan een anekdote over hun hond Gruffer, een kruising tussen een sint-bernard en een Deense dog waarop ze als kleine kinderen hadden gereden alsof het een paard was. Halverwege dit verhaal deed Marisa eindelijk haar mond open.

'Hoor eens, het is heel leuk om herinneringen op te halen, maar ik vrees dat onze kinderen zo terugkomen van de film en we hebben reserveringen voor de lunch. Kate, het was heel leuk om je te ontmoeten.' Ze kwam met enige moeite overeind.

Ik wierp een blik op Joe, die met amper verholen woede naar de vloer zat te kijken. Ik vermoedde dat Marisa's onzekerheid naar boven was gekomen. Wie weet, misschien had ze wel goede redenen om andere vrouwen weg te willen houden van haar man. Hij leek haar bezitterigheid echter niet te waarderen.

En ik had nog steeds vragen waarop ik antwoord wilde hebben.

'Het was ook heel leuk om jou te ontmoeten, Marisa,' zei ik beleefd. 'Maar misschien kun je beter weer gaan zitten. Ik heb nog even tijd nodig.'

Ze keek met opgetrokken wenkbrauwen naar Daultrey, maar hij keek met een uitdrukkingsloos gezicht terug. Na een woedende blik op mij ging ze weer op het randje van de bank zitten.

'Joe, sorry dat ik hierover begin,' zei ik. 'Maar ik moet het weten; heb jij enig idee wie je broer heeft vermoord?'

Hij keek naar me op en zijn blik ging van mijn linkeroog naar mijn rechter en weer terug. 'Waarom vraag je dat, Kate?'

'Kende jij Luigi Sorrentino? Kan het iemand uit zijn organisatie zijn geweest, iemand die wraak wilde nemen voor Federico Calabresi?'

Joe verstijfde en wierp een blik op Daultrey. Daultrey schudde zijn hoofd naar me, maar ik negeerde hem.

'Wat weet jij over Luigi Sorrentino?' vroeg Joe strak.

'Iemand heeft me verteld dat hij degene was die je broer heeft vermoord. Hij zegt van niet en ik geloof hem. Maar hij zei ook dat iemand in zijn organisatie die Antoni dood wilde hebben, zijn toestemming zou moeten hebben om hem te vermoorden en ik moet weten of dat waar is.'

'Hij zegt van niet? Heb je hem ontmoet?' Hij leek razend. 'Nou, ik weet niet wie je al dat gelul verteld heeft, maar je hoeft de man die Antoni vermoord heeft niet te zoeken, oké? Er is al met hem afgerekend.' Hij hief een hand naar Daultrey. 'En nee, agent Daultrey, ik geef geen details. Ik wil alleen dat Kate hier weet dat mijn broer al gewroken is.' Hij greep mijn pols en trok me naar zich toe. 'Blijf uit de buurt van Sorrentino,' zei hij. 'Oké?'

'Oké,' fluisterde ik.

Hij liet mijn arm los en liet witte vingerafdrukken achter op mijn huid. Er viel een ongemakkelijke stilte en toen schraapte Daultrey zijn keel.

'Wilson, Johnson, willen jullie Kate alsjeblieft weer naar de suite brengen?'

Het was te kort. Ondanks alle verschillen tussen de tweelingbroers had ik waarschijnlijk de hele middag bij Joe in de kamer kunnen zitten om zijdelings naar hem te kijken en te doen alsof hij Charlie was. Ik wilde meer verhalen horen, elk kleurrijk draadje over mijn man verweven in mijn tapijt van herinneringen aan hem. Ik wilde niet weg.

Joe stond op en ik omhelsde hem. Ik deed mijn ogen dicht en probeerde te doen alsof ik Charlie in mijn armen hield, maar de geur en het gevoel waren gewoon verkeerd. Eindelijk liet ik hem in meerdere opzichten los.

'Dag, Joe.' Ik gaf hem een zoen op zijn wang.

'Dag, Kate,' zei hij, en hij boog zijn hoofd naar me.

En ik liep het leven van Charlies broer uit.

HOOFDSTUK VIERENTWINTIG

Wilson schudde zijn hoofd toen we in de lift naar boven gingen. 'Hoe wist jij van Luigi Sorrentino?' zei hij met zijn slome stem.

'Luke noemde hem,' loog ik.

'Je zei dat je hem ontmoet had,' merkte Wilson op.

'Ik wilde alleen zien wat voor reactie ik zou krijgen. Wanneer had ik Sorrentino nou moeten ontmoeten? Ik ben in geen jaren in New York geweest.'

Daultrey was woedend toen hij de suite weer in kwam. Hij duwde me naar mijn kamer en sloeg de deur achter ons dicht. En toen nam hij me onderhanden, zachtjes opdat de andere agenten het niet zouden horen.

'Waar denk je verdomme dat je mee bezig was door over Sorrentino te beginnen?' siste hij. 'Jezus, ik zet mijn carrière op het spel door jou die informatie te geven en het kan je helemaal geen donder schelen of ik mijn penning en mijn pensioen kwijtraak of zelfs in de gevangenis beland.'

'Het spijt me, Stanley,' zei ik. 'Maar jouw "informatie" bleek gelul. Je zei dat Joe twijfelachtige vrienden had en ik dacht dat hij misschien meer zou weten dan de FBI. Ik blijk gelijk te hebben.'

'Nou, nu weten we het dan,' zei Daultrey. 'Er is duidelijk afgerekend met degene die Antoni heeft vermoord.'

'Als we hem kunnen geloven,' zei ik.

'Doe je dat dan niet? Waarom zou zijn eigen broer liegen?'

'Om mij te beschermen,' zei ik. 'Misschien denkt hij dat ik mezelf niet meer in gevaar zal brengen door achter die schoft aan te gaan als ik denk dat Charlies moordenaar dood is.'

Daultrey schudde zijn hoofd en greep me bij de bovenarmen. 'Zo zag het er in mijn ogen niet uit, Kate. Je moet het nu loslaten. Wij allebei. Het wordt tijd dat we doorgaan met ons leven. Morgen heb je een bespreking met onze mensen van het getuigenbeschermingsprogramma en over niet al te lange tijd zal dit allemaal ver achter je liggen.'

De roomservice bracht de lunch boven, maar ik had nog steeds geen trek; mijn eieren Benedict deden denken aan smaakloze gelei op karton. Ik kon maar een paar happen wegkrijgen en duwde toen mijn bord weg. Ik bleef maar aan Joe Cantelli denken. Hij was niet Charlie, maar dichterbij kon ik niet komen. Zou ik hem echt nooit meer zien?

Agent Jerkins verslond zijn kaasburger met bacon alsof hij in geen jaren rood vlees had gezien. Hij deed zoveel ketchup op zijn patat dat het wel een plaats delict leek en elk stukje patat een lichaamsdeel. Of misschien was ik alleen maar in een gruwelstemming.

Agent Taylor kwam al telefonerend binnen. 'Ja, natuurlijk,' zei ze. 'Morgen om drie uur 's middags. We zullen er zijn.' Ze hing op. 'Je afspraak met de jongens van getuigenbescherming is morgenmiddag,' zei ze. 'Ik zal de vliegtijden even nakijken, maar we zullen waarschijnlijk tegen twaalven moeten vertrekken.'

'Weet je al wat het wordt?' Ik vond dat ik enige nieuwsgierigheid moest tonen. 'Winkelbediende? Pr-medewerker? Chirurg? En welke naam ik krijg?'

'Dat weten wij allemaal niet.' Jerkins slikte een extra grote hap hamburger door. 'Dat krijgen alleen de U.S. Marshals te horen. Dan kunnen we ook niet geïntimideerd, gemarteld of omgekocht worden en de informatie doorspelen aan de slechteriken.'

'Dat lijkt logisch,' knikte ik.

'Het belangrijkste nadeel van het programma,' zei Taylor, die een van Jerkins' patatjes pakte en wat van de ketchup aan de rand van het bord veegde voordat ze het in haar mond stak, 'behalve dan het gebrek aan contact met je familie, uiteraard, is dat je meestal lager op de carrièreladder terecht komt. Het is vaak te riskant om je hetzelfde werk te laten doen dat je eerder hebt gedaan, dus moet je beginnen met iets waar relatief weinig opleiding voor nodig is en je daarvandaan omhoogwerken of een avondstudie gaan doen.'

'Geen chirurg, dus,' zei ik. Even dacht ik eraan hoe het leven eruit zou zien als ik inging op hun aanbod van een nieuwe identiteit. Alleen op een onbekende plek, waar niemand mijn verleden kende.

Taylor keek op haar horloge. 'Jerkins, moet jij niet gaan bellen?' zei ze.

Hij keek op de klok in de kamer en legde de hamburger neer. 'Zo terug,' zei hij, en hij liet ons alleen.

Het horloge om haar pols intrigeerde me. 'Wat een mooi horloge, Angela.'

'Dank je,' zei ze. Maar in plaats van er nog eens naar te kijken, zoals de meeste mensen na een compliment gedaan zouden hebben, zag ik geboeid hoe ze haar mouw eroverheen trok.

'Een Patek Philippe, nietwaar?' vroeg ik met een valse glimlach.

Ze wuifde met haar andere hand alsof ze 'doe niet zo raar' wilde zeggen. 'Het is nep. Ik heb het in Hongkong gekocht voor vijftig dollar.'

'Echt waar?' zei ik. 'Ik dacht dat de FBI er wel op tegen zou zijn dat hun agenten nepartikelen kopen.'

Ze stond op en wreef over haar armen alsof ze het koud had. Dat is een duidelijk teken voor iemand die iets van lichaamstaal weet. 'Wat niet weet, wat niet deert, nietwaar?' In de vijf minuten voordat Jerkins terugkeerde, zat ze met de tv te spelen in een poging me te mijden zonder de kamer te verlaten, en ik vroeg me intussen af hoe een FBI-agent met een niet al te hoge rang zich een horloge van achtduizend dollar kon veroorloven.

De agenten losten elkaar om acht uur 's avonds af; ik hoorde Taylor en Jerkins welterusten zeggen. Er werd op mijn deur geklopt. Het was agent Oxford Johnson, voor een keer informeel in T-shirt en plooibroek.

'Hallo,' zei hij. 'Ik vroeg me af of je in de stemming was om ergens iets te gaan eten, als je tenminste klaar bent met pakken. Nou ja, met "ergens iets eten" bedoel ik eigenlijk in een van de hotel-restaurants, voor de verandering. Ik word er een beetje gek van om de hele dag in deze suite te moeten zitten, dus god mag weten hoe jij je voelt.'

Een kwartier later nam hij me mee naar de Ocean Grill, een van de restaurants in het Regal waar ze iets serveerden dat de Amerikanen 'Surf 'n' Turf' noemden: biefstuk en fruits de mer. Het was ingericht met veel brons en blauw neon en de serveerster die onze bestelling opnam, droeg een strak zwart vestje en torenhoge laarzen.

'Ik vermoed dat het oude Engeland niet echt te rijmen is met vis,' zei Johnson met een ironische glimlach.

'Het is moeilijk om aan antieke neonverlichting te komen,' beaamde ik.

Johnson bestelde een fles Sauvignon Blanc voor ons en tegen de tijd dat ons voorafje arriveerde, hadden we hem al half op.

'Ik hoop dat je het niet erg vindt dat ik dit zeg,' zei hij, terwijl hij sla aan zijn vork prikte, 'maar het leek me vanmorgen moeilijk voor jou. Om de Cantelli's te ontmoeten, bedoel ik.'

Plotseling werd het me zwaar te moede. 'Het was vreemd,' gaf ik toe, 'om in één kamer te zijn met iemand die precies op mijn man lijkt en van wie ik een paar dagen geleden niet eens wist dat hij bestond. Jezus, een paar wéken geleden had ik hier allemaal nog geen idee van. Niet alleen dat mijn man een tweelingbroer had, maar dat Charlie Benson niet zijn echte naam was, dat hij een FBI-agent was en dat zijn dood geen ongeluk was.'

'Beantwoordde Joe aan je verwachtingen?' vroeg Johnson.

'Ik weet het niet. Toen ik naar binnen ging, was ik doodsbang dat hij precies zoals Charlie zou zijn.'

'En dat was niet zo?'

'Nee. Niet echt. Hij leek op hem, maar hij klonk anders, hij rook anders en hij bewoog anders.'

'Je zag er nog steeds uit alsof iemand je een stomp in je maag had gegeven,' zei hij.

Ik keek op naar agent Johnson. Hij keek terug alsof hij verwachtte dat ik mijn hart zou uitstorten nu hij zo'n pijnlijk onderwerp had aangeboord.

'Ik dacht dat ik het beter had verborgen,' gaf ik toe. 'Het probleem is dat het nog steeds voelde alsof ik naar Charlie keek.'

'Hoe bedoel je?'

'Als ik eerder wakker was dan Charlie, ging ik soms gewoon naar hem liggen kijken. Dan zag ik hem ademen, zijn wimpers op zijn wang, hoe zijn borstkas omhoog en omlaag ging. Ik zoog hem op. Ik hield zoveel van dat gezicht. Joe is niet Charlie, maar hij leek zoveel op hem dat ik alleen al daarom enige liefde voor hem voelde.'

'Hier is een moeilijke vraag,' zei Johnson. 'Als hij geen vrouw en kinderen had, zou je jullie dan ooit samen zien?'

'Nee,' zei ik meteen. 'Hoe langer ik bij hem was, hoe beter ik zag wat er allemaal anders was aan hem. Zelfs als hij goed rook en zich goed bewoog en goed klonk, zou het bedrog zijn geweest. Hij is niet Charlie en hij kan dat ook nooit zijn.'

We dronken de fles wijn leeg en bestelden er nog een voor bij het hoofdgerecht. Ik begon de alcohol te voelen en hetzelfde gold voor Johnson, die al twee keer zijn vork had laten vallen. Johnson zat te vertellen over zijn vrouw. Blijkbaar hadden ze elkaar op de universiteit ontmoet en hij had vóór haar maar een paar andere vriendinnetjes gehad. Hij leek er spijt van te hebben dat hij niet wat meer lol had gemaakt toen hij nog vrij was.

'Ik wil je iets vragen,' zei hij. 'Wanneer wist je dat Charlie "de ware" was?'

Ik bloosde. 'Eh, zo'n beetje zodra ik hem zag,' zei ik, en ik dacht terug aan dat gevoel van thuiskomen. 'En jij en Deb?'

Hij trok een gezicht. 'Eigenlijk hebben wij dat nooit gehad. Hoe langer we bij elkaar waren, hoe onmogelijker het leek dat we ooit uit elkaar zouden gaan, zo was het gewoon.'

'Nou, dat betekent niet dat jullie niet bij elkaar passen. Dat hele gedoe van liefde op het eerste gezicht is toch eigenlijk alleen maar te danken aan feromonen, toch?'

'Denk je?'

Nee, dat dacht ik niet. Nou, het rationele deel van mijn wezen dacht wel dat relaties waren gebaseerd op een eerste aantrekkingskracht die gebaseerd was op de zuiver lichamelijke beoordeling of de kans van voortplanting voldoende groot was, gevolgd door een periode waarin gemeenschappelijke voorkeuren en aversies, verwachtingen en dromen de lichamelijke band versterkten of verzwakten. Maar het minder logische deel van mijn wezen wist dat ik nooit meer gelukkig zou zijn zonder Charlie en dat het niets te doen had met het gemis van zijn feromonen. Als je eenmaal een zielsverwant hebt gevonden, is het moeilijk te geloven dat het eigenlijk allemaal een kwestie is van hormonen en DNA.

Twee stukjes van één puzzel. Twee helften van één ziel. Je kunt er niet eens over praten zonder in clichés te vervallen en toch is er geen andere manier om het te beschrijven. Je bestaat uit een serie richels en contouren, op zichzelf een interessante vorm. En pas tot je iemand vindt met precies tegenovergestelde groeven en pieken die volmaakt in die van jou passen, besef je dat je nooit heel bent geweest.

'Mijn oma zei altijd dat God na de schepping van de aarde op het land zat met een hele hoop kiezels in zijn schoot,' zei Johnson. 'Hij brak elke kiezel in tweeën en gooide de ene helft in de Stille Oceaan en de andere in de Atlantische Oceaan, zodat ze naar tegenovergestelde delen van de wereld konden drijven. En weet je wat die kiezels waren?'

Ik schudde mijn hoofd.

'Die kiezels waren zielen, maar toen hij ze spleet, werden het mensen.'

'Ik ben veel te dronken om iets zinnigs te zeggen over zoiets belangrijks,' zei ik. 'Laten we het ergens anders over hebben.'

'Jij bent ontzettend bazig, weet je dat?' Zijn stem was een beetje dik en hij wees naar me met zijn vork. 'Heel bazig, en heel irritant.'

'Het spijt me.' Ik lachte naar hem.

'Ik dacht dat we je door heel Europa zouden moeten achtervolgen.' Hij lachte ook. 'Je had ons mooi het nakijken gegeven.'

'Dank je, geloof ik.'

'Maar die arme dokter Bianchi. Dat was niet zo mooi.'

'Nee,' beaamde ik. Ik vermoedde dat Johnson straks een heleboel koffie nodig zou hebben.

'Geen goede manier om dood te gaan.'

Ik wilde er niet aan denken. 'Is er een goede manier om dood te gaan?'

'Ik zou persoonlijk graag een kogel in mijn achterhoofd hebben, geloof ik. Bam bam, lichten uit, zonder waarschuwing. Ik zou niet graag hebben dat ze me de keel afsneden alsof ik verdomme een slachtdier was.'

Ik stond op, ietwat onvast op mijn voeten. 'Ik ga naar de wc,' zei ik. 'Als ik terugkom, nemen we een dessert en koffie en dan kunnen we beter een beetje ontnuchteren.'

De toiletten leken heel fel verlicht na de subtiele verlichting in het restaurant. Ik sloot me op in een hokje en probeerde helder na te denken.

Toen Daultrey me had verteld dat Bianchi was vermoord 'op de manier van de maffia', had ik gedacht dat hij bedoelde dat ze was doodgeschoten. Ik wist niet alles over de maffia, maar ik wist wel dat ze liever vuurwapens gebruikte dan messen. Had hij tegen me gelogen over haar dood? En zo ja, waarom?

Misschien was koffie toch niet zo'n goed idee. Misschien moest ik agent Johnson juist nog een beetje loslippiger maken. Ik waste mijn handen en ging terug naar het restaurant.

Die morgen op de kamer had ik gedacht dat Oxford Johnson me bekend voorkwam, en ik had aangenomen dat dat kwam omdat ik hem ergens gezien had toen de FBI me in de gaten hield. Maar toen ik terugliep naar ons tafeltje, zag ik een kelner zwarte peper malen boven de biefstuk van de man aan het tafeltje naast het onze en opeens viel alles op zijn plaats.

Want door de peper trok Johnsons neus en nieste hij drie keer kort, als laserstralen.

De eerste keer dat ik hem gezien had, had hij een zonnebril en een honkbalpet gedragen, maar ik was er toch zeker van; agent Johnson was de man in het restaurant op Sicilië die had opgeschreven wat Charlie at bij onze laatste maaltijd samen.

HOOFDSTUK VIJFENTWINTIG

Mijn voeten weigerden dienst en ik bleef als aan de grond genageld staan. Ik had geen tijd om uit te dokteren wat dit betekende, ik wist dat ik iets moest *doen*.

Ik deinsde terug tot ik me buiten Johnsons gezichtsveld bevond en hield hem nauwlettend in het oog terwijl ik langs de andere tafeltjes glipte, biddend dat ik bij de deur kon komen voordat hij me zag.

Nog anderhalve meter, een meter, een halve meter. De ober hield de deur voor me open en ik was weg.

Ik rende naar de lift. Mijn hartslag verdubbelde per seconde. Het leek een eeuwigheid te duren eer de liftdeuren opengingen. Ik sprong naar binnen en drukte herhaaldelijk met mijn duim op de knop voor de zesde verdieping. De deuren schoven weer dicht en de lift ging naar boven. Ik keek naar het schermpje boven de deuren waarop de nummertjes op hun beurt oplichtten, tot de zes rood werd en de deuren weer opengingen.

Mijn voetstappen maakten geen geluid op de vloerbedekking toen ik door de felverlichte gang naar kamer 624 rende. Ik bonkte op de deur, wanhopig verlangend om hem te zien, biddend dat hij er nog was.

De deur vloog open en daar stond Joe. Hij droeg een schoon wit T-shirt en kwam duidelijk net onder de douche vandaan; hij had een handdoek in zijn hand waarmee hij zijn druipnatte haar moest hebben staan afdrogen.

'Jezus, Kate, is alles goed met jou?' zei hij toen hij mijn paniek zag. Ik barstte in tranen uit. 'Ben je alleen?' vroeg hij.

Omdat ik niet wilde dat hij dacht dat we veilig waren, maar niet in staat was iets te zeggen, schudde ik heftig mijn hoofd.

'Kom binnen.' Hij keek de hotelgang af voordat hij me binnenliet en de deur achter ons dichtdeed. Hij nam me mee door de gang naar de zachte duisternis van de woonkamer, waar slechts een paar lampen een geel licht verspreidden.

'Waar zijn de agenten?' vroeg hij.

Ik haalde diep adem en kon eindelijk iets uitbrengen. 'Waarschijnlijk vlak achter me,' zei ik met te luide stem.

Er veranderde iets in Joe's gezicht; het werd meer gesloten. Hij legde een vinger tegen zijn lippen en wees naar de slaapkamer van de kinderen.

'O god, de kinderen.' Ik probeerde rustig te worden, maar had het gevoel dat ik hyperventileerde. 'Het spijt me, ik had hier niet moeten komen.' Ik dwong mezelf zachtjes te praten. 'Waar is Marisa?'

'In de gokhal,' zei hij met een grimas, alsof hij wist dat het vreemd leek dat zij ging gokken terwijl hij in zijn eentje op de kinderen paste. 'Kate, wat is er in godsnaam aan de hand? Is het Sorrentino? Is hij hier?' Zijn dikke armspieren spanden alsof hij met alle plezier op Sorrentino zou schieten als hij de kans kreeg.

'Nee, dat is het niet. Joe, ik kan het niet geloven. Ik ben zo stom geweest. Ze hebben er al die tijd zelf achter gezeten. Daultrey en de FBI. Als ze tenminste van de FBI zijn. Jezus, ik kan het gewoon niet geloven.' Mijn stem werd weer luider.

Joe pakte me bij de elleboog en leidde me naar de bank. Hij haalde een miniatuurflesje wodka uit de minibar, gaf het aan mij en kwam toen naast me zitten. De schok die ik had gekregen toen ik Johnson herkende, had me supersnel ontnuchterd en ik drong het flesje in één teug leeg.

'Diep ademhalen,' zei Joe. 'En nog eens.' Hij wreef stevig over mijn rug. 'Oké, zeg het nog eens. Wat denk je dat de FBI heeft gedaan?'

Ik kwam weer op adem en kreeg mezelf langzaam weer in de hand. Het leek zo rustig in de kamer, zo veilig.

'Ik weet niet wat je weet over de dood van je broer,' begon ik, zachtjes om de kinderen niet te storen. Mijn handen trilden en ik zette het lege flesje op de salontafel. 'Het klinkt net als iets uit een aflevering van *Columbo*, maar het komt erop neer dat degene die hem heeft vermoord zijn maaginhoud heeft gebruikt om iedereen te laten denken dat hij is gestorven op de dag dat hij is verdwenen.'

'Wie heeft je dat verteld?' vroeg Joe fronsend. 'Daultrey?'

'Nee, ik ben er zelf achter gekomen. Daultrey zou het me in geen miljoen jaar verteld hebben. Jezus, ik ben zo dom geweest.' Ik sloeg met mijn hand tegen mijn voorhoofd. Joe greep de hand, trok hem naast zich en bleef hem vasthouden.

'Ga verder,' zei hij.

'Ze schreven op wat hij de dag dat hij verdween als lunch had gegeten. En dat hebben ze hem weer gegeven op de dag dat hij echt vermoord werd. Hij heeft zo lang in het water gelegen dat alleen de maaginhoud een aanwijzing gaf voor de tijd van overlijden.'

Joe knikte. 'Oké,' zei hij. 'Maar wat heeft dat allemaal met Daultrey te maken?'

Ik stond op; er stroomde zoveel adrenaline door mijn lijf dat ik onmogelijk stil kon blijven zitten. Ik ijsbeerde door de kamer. 'Hij heeft me verteld dat Sorrentino je broer heeft vermoord. Maar ze waren het zelf. De agent met wie ik net zat te eten, de man die me op dit moment moet beschermen, is dezelfde klootzak die ik die dag "spaghetti, tomatensaus, rode wijn" heb zien opschrijven.'

Joe keek me aan met een vreemde uitdrukking op zijn gezicht die ik niet kon peilen.

'Wat nu, Joe?' vroeg ik. 'Wat moeten we doen? Denk je dat ze echt van de FBI zijn?'

'Ik weet het niet.' Hij stond op en klopte even op mijn arm. 'Ik weet vrij zeker van wel. Hoor eens, weet je honderd procent zeker dat die vent dezelfde man is als degene die je op Sicilië hebt gezien? Ik bedoel, je zegt dat je net een heel diner met hem hebt gehad voordat je hem herkende. Je kunt hem niet erg goed gezien hebben als het zo lang duurde.'

Ik draaide van hem weg. 'Ik weet het zeker. Ik wist dat ik hem eerder had gezien, maar toen ik dat stomme niesje weer hoorde, herinnerde ik me pas waar.'

'Maar waarom zouden ze juist die ene vent die je zou kunnen herkennen erbij halen?' merkte hij op.

'Omdat ze niet weten dat ik hem heb gezien,' hield ik vol. 'Ik heb nooit verteld dat ik iemand heb zien opschrijven wat Charlie at.'

Joe knikte. 'Oké, het is goed, Kate. Je moet rustig blijven.'

'Maar wat doen we nu? Aan wie kunnen we het vertellen? Wie zou mij eerder geloven dan een FBI-agent?'

Ik stond weer op het punt in tranen uit te barsten. De puzzel waar ik langzaam een helder beeld van had verkregen, was weer helemaal wazig. Ik vroeg me uitgeput af of ik ooit te weten zou komen wat er echt met Charlie was gebeurd.

'Het spijt me,' zei ik weer tegen Joe, en al mijn nerveuze energie leek weg te vloeien. 'Echt, ik had hier niet moeten komen. Ik denk dat ik je in gevaar breng.'

'Het is oké,' zei hij zachtjes, en hij legde een hand op mijn schouder.

'Nee, dat is het niet. Je kinderen, Marisa... Het komt alleen omdat je de enige persoon bent die ik nu kan vertrouwen.'

Zijn ogen leken bijna zwart in het zwakke licht, zo groot waren de pupillen. Slechts een smalle ring iris gloeide blauw.

'Je bent mijn laatste schakel met hem,' zei ik, zo zachtjes dat ik het zelf amper kon horen. 'Nu ik je eenmaal gevonden heb, ben ik zo bang dat ik jou ook zal verliezen.'

'Dat moet je niet zeggen,' zei hij. 'We zijn familie.'

Ik knikte en toen lachte ik met tranen in mijn ogen. 'Ik kan gewoon niet geloven dat hij een nichtje en een neefje heeft.'

'Hé, het zijn ook jouw nichtje en neefje,' zei Joe, en dat maakte me weer aan het huilen.

'Mag ik hun foto nog eens zien?' vroeg ik met een glimlach.

'Natuurlijk.' Hij pakte zijn portefeuille van het tafeltje tegen de muur en gaf me de foto van Joe Junior en Gabriela. Ik keek naar hun blije gezichtjes, hun glanzende bruine ogen, en de rand van de foto voelde licht als lucht in mijn vingers. *Mijn neefje en nichtje.*

Wacht. Er was iets... er was iets mis met die foto.

Mijn hart begon weer te bonzen.

'Je kinderen, Joe.' Ik probeerde nonchalant te klinken. 'Zijn ze geadopteerd, of zijn het Marisa's kinderen van een eerdere man?'

'Nee...' zei hij. 'Hoezo?'

Ik zei niets.

Het gen voor blauwe ogen is recessief; als je het combineert met het gen voor bruine ogen, wint bruin altijd. Dus als je een man bent met blauwe ogen en je vrouw heeft ook blauwe ogen, zoals Marisa, kun je alleen die kleur aan je kinderen doorgeven.

Wat in wezen inhield dat het bijna onmogelijk is dat een vrouw en een man die allebei blauwe ogen hebben kinderen krijgen met bruine ogen.

Ik duwde hem opzij en gooide de deur van de kinderkamer open. Misschien had Marisa een geheime minnaar die de kinderen had verwekt zonder dat Joe besefte dat ze niet van hem waren, en in dat geval zou ik ze vast in slaap in bed aantreffen, waar ze de zachte dromen van de onschuldigen droomden.

De kamer was leeg en de bedden waren onbeslapen. Er was geen enkel teken dat deze kamer gebruikt werd, geen kinderkoffertjes of boeken of speelgoed.

Ik bleef met mijn rug naar Joe staan en kon er maar niet achter komen waarom hij me zou willen bedriegen. En mijn onderbewuste, dat de laatste paar krankzinnige weken voortdurend op de achtergrond had liggen sluimeren, begon zijn werk weer te doen en liet beelden door mijn hoofd flitsen alsof het speelkaarten waren.

Foto na foto van Charlie, uit elke hoek. Foto's van zijn ogen, zijn neus, zijn kaaklijn, zijn glimlach. En een echo van Taylors stem, die me vertelde dat hun plastisch chirurgen je een heel nieuw gezicht konden geven, zodat je een heel andere persoon leek.

De man achter me was niet Joe Cantelli. God mocht weten hoe hij echt heette. Ik wist alleen dat hij was gesneden en bijgewerkt tot hij de rol van mijn dode man kon spelen.

En als hij niet Joe Cantelli was, betekende ik niets voor hem. Hij was een van hen.

Ik draaide me langzaam om. Het silhouet van de man die ik voor Joe had aangezien stond in de deuropening. Met het licht achter hem bevond zijn gezicht zich in de schaduw.

Ik had geen wapen. Het pistool dat ik van Sorrentino had gestolen, lag nog verstopt in mijn kamer. Mijn enige kans was te doen alsof ik nog steeds geloofde dat deze man mijn zwager was.

Ik dacht snel na. 'Het was Marisa, zeker?' zei ik tegen hem. 'Ze was bang dat ik je van haar af zou nemen, dat ik me niet eens door haar zwangerschap zou laten weerhouden. Dus bedacht ze twee kinderen om ervoor te zorgen dat alleen een vrouw met geen enkele moraal achter je aan zou gaan.'

Hij zei niets. Ik deed een stap naar hem toe, probeerde te glimlachen, probeerde iets af te lezen van zijn donkere gezicht.

'Ze had zich geen zorgen hoeven maken,' zei ik. 'Ik heb sinds Charlies dood geen andere man meer aangekeken. Zelfs iemand die precies op hem lijkt is niet goed genoeg voor mij. Ik kan net zo goed in het klooster gaan.'

Zijn hand bewoog en ik bleef op nog geen meter van hem af staan. De beweging had het licht achter hem doen weerkaatsen op zijn trouwring.

Ik fronste. De ring had in dat licht niet van goud geleken. Hij leek van zilver.

Mijn voeten bewogen als vanzelf dichter naar hem toe. Mijn hand schoot uit en trok zijn linkerhand naar voren.

Het was niet dezelfde ring als die ik eerder had gezien. Het was nu een platina exemplaar, net als die van mij.

Ik liet zijn hand vallen alsof hij in brand stond.

Zijn witte T-shirt leek bijna te gloeien in het donker. Ik stak een trillende hand uit naar zijn rechtermouw en duwde die tot zijn schouder omhoog. Daar bevond zich een tatoeage in de vorm van een Keltische zon, met nog steeds een paar vage vegen huidkleurige schmink erover.

Ik strompelde naar achteren en kwam terecht op de rand van het dichtstbijzijnde bed. Ik kroop naar achteren tot ik de muur tegen mijn rug voelde.

De man in de deuropening bleef waar hij was.

'Kate,' zei hij.

Het woord 'nee' ontsnapte uit mijn mond. 'Je bent hem niet. Je kunt hem niet zijn.'

'Kate, het spijt me zo.' De diepe stem van Joe was verdwenen. De stem die daarvoor in de plaats was gekomen, was pijnlijk vertrouwd.

'Hij zou me dit nooit aandoen. Het is gewoon weer een truc.'

De man stapte de kamer in en deed de deur achter zich dicht. We waren alleen in de nu volledig donkere kamer.

Hij kwam naar me toe, maar toen ik wegkroop, ging hij op het andere bed zitten.

Even bleef hij zwijgen en hoorde ik alleen mijn paniekerige, raspende ademhaling. Toen begon hij te praten.

'Ik ga je vertellen wat er gebeurd is,' zei hij. 'Helemaal vanaf het begin, de volledige waarheid. Laat me alsjeblieft uitpraten. Daarna kun je beslissen... wat je wil doen.'

Ik staarde hem alleen maar aan, een zwarte vorm in de duisternis.

'Daultrey heeft tegen je gelogen,' zei hij. 'Je man heette niet echt Antoni Cantelli. Hij was ook geen FBI-agent. Hij was de zoon van een maffiabaas en zijn echte naam was Giuseppe Carlo. Joe. Joe Carlo.'

'Nee,' zei ik, maar de man ging door.

'Hij wilde niet in de voetstappen van zijn vader treden. Hij ging naar de universiteit en werd architect. Hij hield van zijn familie, maar hij vond het gemakkelijker in een andere stad te gaan wonen. Hij zonderde zich niet helemaal af; een heleboel van zijn vrienden verdiende de kost in de misdaad. Het stond hem niet echt aan, maar tegelijkertijd was het normaal voor hem.

Op een dag was hij getuige van een moord. Een contact op het kantoor van de officier van justitie kon hem waarschuwen dat er fysiek bewijs was dat hij op de plaats delict was geweest. De FBI kwam achter hem aan. Ze wisten dat hij de moord niet had gepleegd, maar ze dreigden hem toch te vervolgen als hij de naam van de echte moordenaar niet gaf. Zijn vader had de middelen om hem een nieuwe identiteit te geven en hij liet zijn baan en zijn huis in de steek en verhuisde naar een andere stad.

En toen ontmoette hij jou.' Ik moest slikken om de brok in mijn keel weg te krijgen. 'Alles werd anders. Opeens betekende het leven weer iets. Het enige wat hij moeilijk vond, was dat hij geen contact kon hebben met zijn familie, met zijn moeder en vader. Hij moest wel tegen je liegen en zeggen dat ze dood waren, want hij wist dat je het vreemd zou vinden dat hij ze nooit opzocht, dat ze jou nooit wilden ontmoeten. Maar na twee jaar dacht hij dat de mensen die achter hem aan zaten het wel zouden hebben opgegeven, dat ze elkaar eindelijk ergens zouden kunnen ontmoeten en dat het veilig zou zijn.

Dat was niet zo. De FBI was er ook. Een van hen lag in het water en deed alsof hij verdronk. Joe hielp haar weer op de boot en toen schakelden ze hem uit met een stroomstootwapen. Toen hij bijkwam, was hij met handboeien aan de reling vastgemaakt. Hij dacht dat ze hem alleen wilden oppakken en dacht er niet echt over na waarom ze hem niet gewoon lieten uitleveren als ze wisten waar hij was. Pas toen hij een man zag...' De man leek moeite te hebben om door te gaan. 'Pas toen hij een man zag die Ben Gerber heette, begon hij het te begrijpen. Toen hij de tatoeage zag die ze hem hadden gegeven. En hij zag dat ze even lang waren en even zwaar en dat ze dezelfde kleur haar en ogen hadden. Gerber was net een kind. Hij had geen idee wat er met hem gebeurde. Hij kon niet eens zwemmen.'

Ik zat op het bed, bijna zonder adem te halen en me te bewegen. Mijn handen waren om stukken beddengoed geklemd. Ik kon niet helder nadenken, hoewel ik alles wat hij me vertelde in me opnam.

De man bleef lang stil en toen hij het woord weer nam, was zijn stem schor. Ik kon horen dat hij had gehuild.

'Op dat moment besefte Joe Carlo hoe ver deze mensen zouden gaan om te bereiken wat ze wilden. En wat ze wilden, was een mol. Ze namen hem weer mee naar Chicago en zeiden dat hij zijn familie moest vertellen dat alles helemaal verkeerd was gelopen in Londen, dat hij in de problemen zat en dat hij de gelegenheid had aangegrepen om te doen alsof hij dood was en naar huis terug te keren toen er een lijk aanspoelde dat aan zijn signalement beantwoordde. Ze zeiden dat hij deel moest gaan uitmaken van de familieorganisatie en zo veel mogelijk gegevens aan hen moest doorgeven.

Maar hij kon dat zijn vader niet aandoen. Hij kon ook niet vluchten; de FBI had zijn vrouw alleen laten leven om hem er altijd mee te kunnen dreigen haar iets aan te doen of te vermoorden. Dus vertelde hij zijn vader de waarheid en samen regelden ze het zo dat hij alleen halve waarheden en overdrijvingen doorspeelde, niets dat er ooit toe zou kunnen leiden dat iemand van hen voor het gerecht zou komen. Het was bedoeld als een tijdelijke oplossing. Hij probeerde erachter te komen wat Daultreys uiteindelijke bedoeling was, of er zwakke plekken in zijn plannen of in zijn team zaten, hoe hij ten val gebracht kon worden. Zijn vader legde contact met Londen en probeerde iemand te vinden die hij kon vertrouwen en die de vrouw voor de neus van de mensen die haar in de gaten hielden weg kon kapen en haar naar een veilige plek kon brengen. Iemand die haar niet zou opgeven als hij bedreigd of omgekocht werd. Ze moesten er zeker van zijn dat er geen dubbel spel gespeeld zou worden. Hij kon gewoon het risico niet nemen haar kwijt te raken. Maar hij was doodsbang dat hij te weinig tijd zou hebben.

Zie je, Daultrey was heel lang tevreden met de informatie die hij kreeg, maar hij begon aan te dringen op meer. Toen maakte Joe een reisje naar Miami voor een ontmoeting met een contact uit Cuba en daar in een restaurant zag hij wat vrienden die hij uit Engeland kende. Hij dacht dat hij op tijd was vertrokken en dat ze hem niet hadden gezien. Toen werd hij gebeld door een oude vriend van hem, die zei: "Je vrouw weet het." En hij had bang moeten worden, hij had zich zorgen moeten maken, en dat deed hij ook, maar hij was ook helemaal buiten zichzelf van blijdschap. Want ook al had Daultrey tegen hem gezegd dat ze zo goed als dood was, mocht ze ooit achter de waarheid komen, toch had hij het laatste jaar niets liever dan dat willen doen: naar haar teruggaan, haar de waarheid vertellen, de hele waarheid, en zorgen dat ze allebei vrij zouden zijn.

Daultrey onderschepte haar en waarschuwde haar de zaak op te geven, maar ze was koppig en wilde er niet van weten. Ze wilden haar vermoorden, maar hij maakte duidelijk dat niets hem ertoe zou weten te bewegen nog voor hen te werken als ze dat deden. De gevolgen zouden voor hen zelfs veel groter zijn, maar hij wist dat Daultrey meer inzat over zijn grootste plannen dan over de persoonlijke veiligheid van zijn teamleden.

Hij vertelde hen dat hij een plan had om haar te laten denken dat ze het toch mis had en uiteindelijk stemden ze ermee in. Hij wist dat er een goede kans was dat ze haar naderhand ergens heen zouden brengen waar hij haar nooit meer zou kunnen vinden, maar hij had geen keus. Hij was zo wanhopig dat hij maar één stap vooruit kon denken.'

Zijn stem leek zachter en ruwer te worden. 'Hij wist dat het moeilijk zou zijn om haar die deur door te zien komen, maar hij had geen idee hoe zwaar het zou zijn om haar erdoor te zien vertrekken. Pas toen hij geloofde dat hij haar nooit meer zou zien, begreep hij eindelijk hoeveel pijn zij al die tijd moest hebben gehad.'

De gestalte van de man werd duidelijker toen hij in de grijze duisternis naar me toe kwam. Hij knielde voor me, zijn handen grepen mijn benen en hij liet zijn hoofd in mijn schoot zakken. Ik kon horen hoe moeizaam hij ademde. Mijn handen trokken en wilden zijn haar tussen mijn vingers voelen, wilden hem naar me toe trekken, maar ze werden teruggehouden door het instinct tot zelfbehoud. Hij hief zijn hoofd, nam mijn rechterhand en kuste de palm. Zijn adem beroerde mijn pols en hij legde mijn hand om zijn mond.

'Nee,' hijgde ik. Opeens was ik in paniek en trok mijn hand van hem weg. Ik duwde hem met mijn voeten van me af en mijn schoen raakte hem op de schouder. Hij viel achterover en moest een hand uitsteken om zich op te vangen.

We bleven allebei even stil. In die stilte dwong ik de woorden uit mijn dichtgeknepen keel.

'Je begrijpt het niet,' zei ik trillend. 'Ik zal het niet kunnen verdragen als jij het niet bent.'

Hij stak zijn hand uit en de lamp verlichtte de kamer. Ik deed snel mijn ogen dicht, niet in staat naar hem te kijken.

'Kate,' zei hij, en ik voelde zijn zachte vingertoppen mijn gezicht strelen. 'Katie, ik ben het. Echt. Ik verzeker het je. Vertrouw me.'

Hij kwam dichterbij en de matras bewoog onder me toen hij naast me ging zitten, en dit keer rook hij niet naar Joe's aftershave of gel. Hij rook als zichzelf. Ik leunde tegen hem aan, dicht genoeg bij hem om zijn warmte te voelen. En langzaam, langzaam deed ik mijn ogen open.

Alles wat hem tot Joe Cantelli had gemaakt – de houding, de manier van doen, de stem – het was allemaal weg. In plaats daarvan zag ik het prachtige, vertrouwde gezicht van mijn man. Ik bracht verwonderd mijn handen omhoog en hield zijn gezicht vast. Ik bestudeerde de welving van zijn mond, de lijn van zijn neus en elke andere gelaatstrek die in mijn hart was gegrift, en uiteindelijk keek ik in blauwe ogen vol liefde. Hij glimlachte en de glimlach had niets sulligs.

Dit keer was het alsof ik na lange jaren van ballingschap terugkwam toen ik hem kuste.

Charlie.

HOOFDSTUK ZESENTWINTIG

We lagen onder de witte lakens, van top tot teen verborgen in een grot van beddengoed. We waren helemaal verstrengeld, onze benen om elkaar heen gedraaid en onze armen om elkaars lichaam. Ik luisterde naar zijn ademhaling, voelde zijn borstkas uitzetten en inkrimpen tegen mijn borst en kon me niet voorstellen dat ik me ooit gelukkiger zou voelen dan op dat moment.

'We zouden er nu meteen een eind aan moeten maken,' mompelde ik, en ik streelde de korte, diagonaal groeiende haartjes in zijn nek.

'Een zelfmoordpact?' Hij kuste de moedervlek op mijn schouder. Ik voelde zijn glimlach in de kus.

'Als we dat nu doen, lopen we nooit meer het risico uit elkaar te moeten. We weten dat we tot het eind der tijden samen zullen zijn.'

De nachtlampjes aan weerszijden van het hemelbed lieten het laken boven ons wit opgloeien, alsof we werden omringd door wolken.

'Laten we gewoon voor altijd hier blijven,' zei hij. 'Ik weet zeker dat Daultrey met alle plezier de hotelrekening blijft betalen. We doen net als John en Yoko en houden onszelf in leven met de pakjes noten uit de minibar.'

'Verdomme, als Daultrey betaalt, kunnen we ons net zo goed te buiten gaan aan wat de roomservice te bieden heeft.'

Toen hij uitademde, ademde ik de lucht in die uit zijn longen kwam. Daarna blies ik die weer terug in hem. We zaten samen in een cocon.

'Dan moeten we maar geen knoflookbrood bestellen,' zei hij, en ik barstte in lachen uit. Hij trok me dicht tegen zich aan. 'God, je weet niet hoe ik dat gemist heb. Het geluid van je lach. Je aan het lachen maken.'

Ik kuste zijn mond en verbaasde me erover dat hij echt was, van vlees en bloed, en levend naast me lag. Ik was doodsbang dat ik elk moment wakker kon worden en zou merken dat het allemaal maar een droom was. Ik dacht aan alle ogenblikken in de nachtmerrie van de laatste 377 dagen waarop ik alleen maar bij hem wilde zijn en verwonderde me erover dat mijn wens was uitgekomen. Ik wilde in hem verdwijnen, met hem samensmelten tot één persoon, zodat we nooit meer gescheiden konden worden.

'Ik ben zo bang dat ik je weer kwijtraak,' fluisterde ik. Ik zag dat hij naar de witte littekens aan de binnenkant van mijn onderarmen staarde.

'Je moet me één ding beloven,' zei hij met schorre stem. 'Dat je niet weer probeert jezelf iets aan te doen als er iets met mij gebeurt.'

Ik streelde zijn donkere haar. 'Dat kan ik niet, Charlie. Het spijt me. Ik moet bij je zijn.' Ik lachte. 'God, ik dacht zelfs vooruit en maakte me er zorgen over dat jij vóór mij van ouderdom zou sterven. En nu bid ik dat ik op een dag naast je gerimpelde, oude lijk wakker zal mogen worden.'

Hij schudde zijn hoofd, maar kon niet echt lachen. 'Stel dat er geen hiernamaals bestaat? Stel dat je zelfmoord pleegt om bij me te zijn en dat er dan niets is?'

'Dan ben ik niets,' zei ik zachtjes. 'Ik ben liever niets dan dat ik zonder jou moet leven.'

Hij kuste me lang en diep. Ik voelde me alsof ik door door de zon verlichte wolken zweefde. We wisten dat het niet lang kon duren, dit opschorten van vragen en gevolgen, maar ik wilde niets liever dan de wereld nog een paar uur stilzetten.

Voor hem was het niet zo'n onwerkelijke droomwereld; hij had geweten dat hij me niet voorgoed was kwijtgeraakt. Voor mij was mijn geliefde opgestaan uit de dood. Ik wilde niets anders dan hem vasthouden, doodsbang dat ik opeens thuis in mijn eigen bed wakker zou worden en weer alleen zou zijn. Maar Charlie wist dat hij zich op de toekomst moest richten als we er samen een wilden hebben.

Hij kuste me nogmaals, nu alsof hij iets afsloot. Hij gooide de lakens van ons hoofd en we bevonden ons weer in de ijskoude realiteit.

'We moeten erachter zien te komen wat Daultrey voor spelletje speelt,' zei hij terwijl hij overeind ging zitten. 'Je zei dat je met Luigi Sorrentino had gesproken?'

Ik ging met tegenzin zitten. 'Daultrey vertelde me over hem toen hij dat verhaal ophing dat jij bij de FBI was geweest. Hij zei dat Sorrentino Federico Calabresi had laten vermoorden omdat die voor jou had ingestaan en daarna opdracht had gegeven dat jij op Sicilië moest worden vermoord.'

'Verdomme,' zei Charlie. 'Waarom zou hij dat doen? Ik snap dat hij iemand de schuld moest geven, maar waarom zou hij een echte naam geven?'

'Er is nog meer,' gaf ik toe. 'Hij bood aan me te helpen met Sorrentino af te rekenen.'

Charlie verstijfde. 'Wát deed hij?'

'Hij deed voorkomen dat dat de enige manier was om gerechtigheid te krijgen voor een collega. Daarom zijn we hierheen gekomen, omdat Sorrentino in het Babylonian logeerde. Daultrey gaf me een pistool en regelde het zo dat ik alleen met hem was. Hij wilde dat ik hem vermoordde.'

'Jezus christus,' zei Charlie, die zichtbaar verbleekte. 'Heb je geprobeerd Luigi Sorrentino te vermoorden?'

'Ik ben niet zover gekomen dat ik op hem geschoten heb, dat niet. Ik wilde eerst antwoorden van hem en het was duidelijk dat hij geen idee had waar ik het over had, dus toen ben ik weer weggegaan.'

Charlie haalde diep adem. 'Wat heb je tegen Daultrey gezegd? Hoe reageerde hij?'

'Ik vertelde hem dat zijn informatie niet klopte en dat degene van wie hij die had waarschijnlijk de mol was die verantwoordelijk moest zijn geweest voor jouw ontmaskering. Hij was er niet blij mee, maar op dat moment dacht ik dat hij alleen niet wilde dat de andere agenten te weten kwamen wat hij in zijn schild voerde.'

'Ze wisten het,' zei Charlie. 'Ze zitten er allemaal tot over hun oren in. Taylor was de vrouw die deed alsof ze niet goed kon zwemmen op de dag dat ze me grepen. Johnson was de man die Daultrey belde op zijn mobiele telefoon en hem vertelde dat ik spaghetti en rode wijn had gehad. Wilson was de schoft in het keukentje van het jacht die Bens laatste maaltijd kookte. Jerkins zei tegen Ben dat hij hem zou leren zwemmen, Jerkins vertelde hem hoe dapper hij was geweest toen ze zijn nieuwe tatoeage aanbrachten en hoe blij ze allemaal waren dat hij hun vriend was. En die schoft van een Daultrey was degene die de ladder weghaalde, zodat Ben niet meer uit het water kon klimmen. En ze stonden allemaal, állemaal, gewoon te kijken toen hij in paniek rondspartelde en hun om hulp smeekte voordat hij onder water verdween.'

Er was niets te zeggen. Ik wachtte tot hij weer kalm was.

'Vertel me hoe je erachter kwam dat die maaginhoud niet klopte,' zei hij uiteindelijk.

Ik vertelde hem over de afwijkende data in het autopsierapport, hoe die me ervan hadden overtuigd dat er iets verborgen werd gehouden en dat ik ergens had gehoopt dat het te maken zou hebben met het DNA-onderzoek van de monsters uit onze kamer en het lijk.

'Ik snap nog steeds niet hoe ze dat hebben klaargespeeld,' zei ik. 'Tenzij ze het laboratorium hebben omgekocht, net zoals ze duidelijk bij Bianchi en Graziani hebben gedaan.'

'Ik wel,' zei Charlie. 'Toen ik op het jacht opgesloten zat, hoorde ik Ben vragen wat ze met zijn tandenborstel en kam hadden gedaan.'

'Verdomme,' zei ik, want zijn woorden wekten een duidelijke herinnering aan hoe de man van de technische recherche de tandenborstel in een zakje had gedaan die ik had aangezien voor die van Charlie. 'Sofia heeft me verteld dat er die dag een loper zoek was geraakt. Ze moeten hebben ingebroken toen ik nog op het strand was en ze hebben omgewisseld, de schoften.'

'Hoe ben jij dat van Bianchi en Graziani te weten gekomen?' wilde Charlie weten.

Dus vertelde ik hem alles; dat ik bij Sabrina Bianchi had ingebroken om haar te ondervragen en dat ik daarna achter Eduardo Graziani aan was gegaan. Het verontrustte Charlie om te horen hoe ver ik was gegaan om achter de waarheid te komen, maar hij reageerde helemaal niet toen ik hem vertelde dat Luke en Cesare me bij Graziani vandaan hadden gehouden.

'Daultrey zei dat Luke je had verraden, dat hij had verteld dat jij op Sicilië was.'

Charlie schudde zijn hoofd. 'Dat is niet zo. Daultrey kwam erachter dat ik daar mijn ouders zou ontmoeten. Hij is hen gevolgd.'

Mijn mond trok. 'Zijn de Crestenza's je ouders?'

Hij raakte mijn knie aan. 'Ja. Hun achternaam is uiteraard Carlo, niet Crestenza, maar ze heten wel Francesca en Angelo. Ze waren heel blij dat ze je eindelijk konden ontmoeten.'

Ik besloot dat staaltje van bedrog maar te laten passeren. 'Dus jij vertrouwt Luke?' vroeg ik.

'Natuurlijk,' zei Charlie. 'Ik vertrouw hem mijn leven toe, en dat van jou. Hij heeft al die tijd niet anders gedaan dan proberen jou te beschermen.'

'Door Daultrey en de rest van die klootzakken te helpen mij een rad voor ogen te draaien?'

Charlie lachte en trok me naar zich toe voor een zoen. 'Denk je niet dat het veiliger was geweest als je thuis was gebleven in plaats van de hele wereld rond te trekken als een dolgeworden wraakengel?'

'Ja, natuurlijk wel, maar als hij vanaf het begin eerlijk tegen me was geweest, had ik misschien niet hierheen hoeven komen rennen om jou te vinden.' Ik schudde mijn hoofd. 'Jezus, hoe heeft hij kunnen aanzien hoe ik zat te wachten tot ze jouw lichaam hadden gevonden, toen het pas was gebeurd op Sicilië, zonder iets te zeggen?'

'Op dat moment wist hij nog van niets. Het duurde een maand voordat ik hem een bericht kon sturen. Hoor eens, Kate, hij wilde het je vertellen, we hadden er constant ruzie over. Ik was degene die erop stond dat hij zijn mond hield. Ze hielden je in de gaten en ik wist dat je het niet zou kunnen verbergen als je erachter kwam dat ik nog leefde. We hadden een plan om eruit te komen en ik dacht, als jij nog een paar maanden veilig in Londen kon blijven...'

'Ja, maar het was niet veilig, of wel soms?' zei ik, en ik draaide mijn onderarmen om en confronteerde hem met mijn littekens. Zijn gezicht betrok en na een paar tellen boog hij zijn hoofd en kuste allebei de littekens. Ik voelde zijn zwarte haar langs mijn huid gaan, zijn warme lippen op het littekenweefsel. 'Je kunt ze niet gewoon wegkussen,' zei ik.

'Dat weet ik,' zei hij met dikke stem. 'Maar ik kan ook niet teruggaan naar het verleden en alles veranderen. God weet dat ik het graag zou willen.'

'Waarom?' vroeg ik, want ik wilde het hem horen zeggen. 'Wat zou je anders doen?'

'Ik zou je de waarheid vertellen, meteen vanaf het begin. Nog voordat we gingen trouwen zou ik je vertellen over mijn familie, over Luke, dat ik op de loop was voor de FBI. Toen ze me hadden ontvoerd en jij aan het rouwen was, had ik een manier gevonden om je te laten weten dat ik er nog was.'

'Zelfs al wist je dat het me in gevaar zou brengen?'

Hij knikte en ik zag dat hij moeite moest doen om niet te huilen. 'Omdat ik zou weten dat er, als ik het was geweest, niets bestond dat ze me konden aandoen dat erger was dan denken dat jij er niet meer was.'

Ik hield hem zo stevig mogelijk vast. Het was alles wat ik wilde horen.

'Het is goed,' fluisterde ik in zijn oor. 'Ik vergeef het je.' Hij knelde zijn armen nog vaster om me heen.

Toen was het moment voorbij en was het tijd om te gaan.

Ik trok mijn spijkerbroek aan en lachte naar hem over de gekreukte lakens terwijl hij hetzelfde deed.

'Heb je het laatste jaar in de sportzaal doorgebracht, Charlie?' plaagde ik toen ik zijn strakke buikspieren zag samentrekken terwijl hij zijn gulp dichtknoopte.

Hij schudde zijn hoofd. 'Ik denk het laatste jaar niet anders dan dat ik verdomme maar beter klaar kan staan om te vechten of te vluchten. Denk maar niet dat ik dit volhoud als we eenmaal op een jacht in de Indische Oceaan *mojito*'s zitten te drinken.' Hij trok zijn witte T-shirt over zijn hoofd en schraapte zijn keel. 'Hoor eens, kan ik je iets vragen?'

'Brand maar los.'

'Als ik je meteen op de dag dat we elkaar ontmoetten de waarheid had verteld over mijn familie, zou dat je dan hebben afgeschrikt?'

'Eigenlijk moet ik je ook wat bekennen.' Ik hield even op met wat ik aan het doen was. 'Mijn familie...'

Er bonsde iemand op de deur en we verstijfden en hielden onze adem in. Na een korte stilte werd er weer geklopt.

'Ik ben het, Johnson,' riep de agent door de deur van de suite. 'Laat me erin.'

'Verdomme,' fluisterde ik. 'Hij is vast op zoek naar mij.'

'Verstop je in de kast,' zei Charlie zachtjes. 'Ik zal doen alsof je niet hier bent.'

'Nee,' siste ik terug. 'Stel dat ze de kamers doorzoeken? Het beste is om te doen alsof ik nog steeds denk dat jij Joe bent.'

'Maar dan moet je met hem weg!'

'Als ze denken dat ik nog steeds instem met het getuigenbeschermingsprogramma, zullen ze me niet zo goed in het oog houden als wanneer ze me verdomme onder jouw bed vinden!'

'Nee, het is te gevaarlijk. Misschien denkt hij dat we zijn weggegaan als we ons stilhouden.'

We hoorden de klik van het slot toen agent Johnson de suite binnenkwam.

'Verdomme!' mompelde ik zonder geluid. In een fractie van een seconde nam ik mijn besluit en ik rende de woonkamer in voordat Johnson de gang door was gelopen en zag dat de kamer leeg was. Ik had net tijd om mijn vingers door mijn verwarde haren te halen voordat hij in de deuropening verscheen.

'Sssttt!' zei ik zachtjes, met mijn vinger tegen mijn lippen. 'Wil je de kinderen soms wakker maken?'

Hij knipperde met zijn ogen en wist niet goed of hij het spel mee moest spelen of niet. 'Sorry,' zei hij eindelijk. 'Ik was het even vergeten. Waarom doe je de deur niet open?'

'Je moet het niet persoonlijk opvatten.' Ik deed alsof ik nog behoorlijk dronken was. 'Ik wilde gewoon niet gestoord worden.'

'Waar is Joe?' zei Johnson, die door de gang naar de grote slaapkamer keek. Er werd een toilet doorgetrokken en Charlie kwam de kamer binnen.

'Hallo, Johnson,' zei hij met de stem van Joe. 'Ik dacht al dat ik iemand hoorde. Als je de kinderen wakker hebt gemaakt, staat je wat te wachten, jongen.'

'Sorry,' zei Johnson weer. 'Ik zocht juffrouw Grey hier.' Hij wendde zich tot mij. 'Waar was je in godsnaam gebleven? Ik heb verdomme het hele hotel afgezocht.'

Charlie sloeg zijn arm om me heen. 'Rustig aan, Johnson. Ze was bij mij. Ik weet niet waar jullie het onder het eten over hebben gehad, maar ze raakte van streek en wilde even praten. Als je zo bezorgd was, waarom heb je de andere agenten dan niet ingeschakeld?' Hij probeerde me te laten inzien dat Johnson zich drukker had gemaakt om Daultreys reactie op mijn verdwijning dan om het feit op zich.

'Ja, nou, ik ben blij dat alles goed is, juffrouw Grey, maar het wordt tijd om te vertrekken. Ik geloof dat je voor één avond wel genoeg opwinding hebt gehad.'

'Jezus, je lijkt mijn vader wel,' klaagde ik. 'Laten we gaan gokken. Het is nog veel te vroeg om naar bed te gaan.' We waren in het voordeel tegenover Johnson; wij waren met z'n tweeën. Als het ernaar uitzag dat we hem niet konden overhalen me weer los te laten in het casino, wilde ik proberen hem onschadelijk te maken.

'Ik heb niet gezegd dat je naar bed moest,' zuchtte Johnson. 'Maar ik denk dat je een beetje moet ontnuchteren voordat je weer aan het gokken slaat. Tenzij je al je spaargeld in één nacht wil verbrassen.'

'Goed advies.' Charlie gaf Johnson een mep op zijn rug. 'Hou haar in het oog, wil je? Laat haar niets doen waarbij je moet nadenken, anders is het casino de lachende derde.'

'Roulette dan maar,' verzekerde Johnson hem. 'Kom op, juffrouw Grey.'

Ik wendde me tot Charlie. 'Welterusten, Joe,' zei ik. Ik hield hem vast en ging op mijn tenen staan, zodat ik hem een zoen op zijn wang kon geven. 'Bellagio,' fluisterde ik zo zachtjes in zijn oor dat alleen hij het kon horen. En toen iets harder: 'Bedankt voor alles.'

Charlie kneep in mijn armen en staarde naar me alsof we allebei weggetoverd zouden kunnen worden naar de eilanden in de Zuidzee als hij het maar hard genoeg wenste. 'Dag, Kate.'

Toen Johnson me door de gang naar de liften leidde, voelde ik hoe een metafysisch koord mij en Charlie verbond, een gloeiende gouden lijn die zich uitrekte door de gang en door de liftschacht terwijl we omhooggingen naar mijn kamer. We stonden weer met elkaar in verbinding en ik kon een glimlach niet onderdrukken, alsof ik een geheime schat in me droeg.

Wilson keek op van de tv toen we binnenkwamen. 'De naschokken in Californië zijn behoorlijk zwaar,' zei hij, en hij klonk alsof hij ons ervan beschuldigde daar verantwoordelijk voor te zijn.

'Ze zijn eraan gewend,' zei Johnson zonder enig medeleven.

'Ik ga me omkleden, en dan kunnen we naar de roulettetafels,' zei ik, en ik legde even mijn hand op Johnsons arm.

'Ik dacht het niet,' zei hij. 'Je hebt me vanavond al genoeg beziggehouden.'

Wilson keek op. 'Wat heeft ze dan gedaan?'

Johnson wendde zijn blik af en stak zijn handen in zijn zakken. 'O, niets, ze is gewoon lastig.'

'Agent Johnson,' zei ik zangerig. Ik deed nog steeds alsof ik aangeschoten was. 'Kan ik je even alleen spreken?'

Wilson trok zijn wenkbrauwen op toen Johnson hem aankeek om toestemming te vragen. Toen haalde hij zijn schouders op, alsof hij wilde zeggen 'het is jouw verantwoordelijkheid'.

Toen ik met Johnson in mijn kamer was, speelde ik met de zoom van zijn T-shirt. 'Het spijt me dat ik stout ben geweest,' zei ik. 'Ik beloof je dat ik me dit keer zal gedragen.'

'Kate, ik kan je gewoon niet vertrouwen. Het is de bedoeling dat ik je bescherm. Wat zou Daultrey zeggen als je weer in je eentje in het hotel rond ging rennen?'

'Dat zal ik niet doen, ik beloof het,' zei ik. 'Laat mij het anders maar uitleggen aan Stanley. Ik weet zeker dat hij het best zal vinden als je me weer mee uit neemt.' Ik liep naar de deur, maar hij greep me bij de arm.

'Hij ligt waarschijnlijk te slapen,' zei hij. 'Ik zou hem maar niet storen.'

'Echt?' vroeg ik. 'Het is nog heel vroeg.'

Johnson keek me met een strak gezicht aan en probeerde erachter te komen of ik hem nu bedreigde of niet.

'Alsjeblieft,' zei ik. 'Het is gewoon zo'n rotdag geweest en ik kan wel wat lol gebruiken. Het spijt me dat ik ervandoor ben gegaan, maar al dat gepraat over zielsverwanten maakte me van streek en ik wilde met Joe praten. Nu is alles weer in orde, hoor. Ik voel me prima. Ik wil alleen niet mijn laatste vrije avond – nou, relatief vrije avond – met Wilson die rotzooi van de roomservice zitten eten en naar het nieuws zitten kijken. Kom op, laten we uitgaan, laten we wat drinken en elkaar gezelschap houden.'

Ik kan niet zeggen wat Johnson ertoe bracht om toe te geven; was het het dreigement dat ik zou gaan klikken bij Daultrey, het flirten of enige oprechte sympathie voor mij? Hadden ze plannen met me die hem lieten denken dat dit niet alleen mijn laatste vrije avond zou worden, maar mijn laatste avond op deze aarde?

'Goed dan,' zei hij. 'Als je maar opschiet.' En hij liet me alleen in de slaapkamer.

Ik deed de deur achter hem dicht en gooide snel een schone spijkerbroek, een zwarte top en mijn slippers in dezelfde tas die ik had gebruikt voor mijn afspraak met Sorrentino. Toen kleedde ik me tot op mijn ondergoed uit en sloot me op in de badkamer, waar ik de pruik, het pistool en het magazijn achter het badpaneel vandaan haalde en onder in mijn tas duwde.

Terwijl ik de rode jurk over mijn hoofd liet glijden, rook ik Charlie opeens op mijn huid en ik had moeite niet te gaan huilen. Thuis had ik zijn kleren, zijn kussen en zijn dekbed en was ik me er pijnlijk van bewust dat zijn vertrouwde geur zo was vervaagd dat hij weldra elk vermogen om hem weer voor me tot leven te wekken zou hebben verloren.

Ik had een donker pad bewandeld zonder hem, niet in staat om een toekomst te zien. En in het tijdsbestek van een uur was dat pad plotseling verlicht door duizend lampen die zich kilometers in de verte uitstrekten en het pad verlichtten.

Ik schudde mijn hoofd om de gedachten te verdrijven, stapte in mijn hoge hakken en zocht mijn oorbellen met robijnen en diamanten die Charlie me twee jaar eerder had gegeven. Die wilde ik niet achterlaten. Al het andere kon blijven liggen.

'Wauw,' zei Johnson toen ik weer in de deuropening verscheen.

'Hmmm, babysitten is nu niet meer zo erg, zeker?' grapte Wilson.

Johnson kon zijn ogen niet van mijn decolleté afhouden in de lift naar de casinoverdieping en toen hij me naar de roulettetafels leidde, legde hij zijn hand vlak boven mijn billen. Dit gaf me het idee dat mijn geflirt misschien de weegschaal naar de goede kant had doen doorslaan, ook al wilde hij vooral Daultrey niet kwaad maken.

Mijn geduld hield maar een halfuur stand en toen wilde ik zo wanhopig Charlie weer zien dat ik niet langer kon wachten met het volgende stadium van mijn plan.

Ik gleed van mijn stoel en duwde mijn chips naar Johnson. 'Wil je er even op passen?' vroeg ik. 'Ik moet naar de kamer voor kleine meisjes.'

Hij pakte allebei onze chips op en sprong van zijn stoel. 'O nee, niet in je eentje.'

'Er gebeurt niets,' probeerde ik nog.

'Ik neem liever het zekere voor het onzekere. Kom op.' En daar was die hand weer in mijn rug, die me naar de damestoiletten stuurde. 'Ik wacht hier,' zei hij bij de ingang. Toen draaide hij zich om en ging met zijn rug naar de muur staan, met zijn rechterhand over zijn linkerpols alsof hij van de geheime dienst was. Ik zag hoe hij de ruimte controleerde op bedreigingen, alsof ik me over iemand anders zorgen moest maken dan over hem en zijn vriendjes.

Ik vond een hokje aan het eind van de rij en trok snel mijn spijkerbroek, het zwarte topje en de slippers aan. Het topje, dat strak om mijn borsten zat maar naar mijn middel wijd uitliep, betekende dat ik de Beretta met de veiligheidsgrendel erop veilig in de achterkant van mijn spijkerbroek kon stoppen zonder dat hij te zien was. Het reservemagazijn ging in mijn zak, waar het kon doorgaan voor een pen of een aansteker. Ik bond mijn haar naar achteren, boog mijn hoofd en trok de blonde pruik erover. Toen ik net als Superman uit zijn telefooncel weer tevoorschijn was gekomen, draaide ik me om en controleerde mijn achterkant om er zeker van te zijn dat het pistool niet zichtbaar was onder het topje.

Ik liet de rode jurk en de hoge hakken in mijn tas in het hokje achter. Nadat ik in die jurk door Sorrentino was betast, deed ik hem met alle genoegen over aan een of andere gier uit Las Vegas.

Ik wachtte bij de deur tot een groepje vrouwen van mijn leeftijd klaar was met het droogblazen van hun handen en het opdoen van een verse laag lippenstift. Toen ze vertrokken, liep ik met hen mee naar buiten en deed alsof ik bij hun groepje hoorde. Mijn gezicht was afgekeerd van de plek waar Johnson zou moeten staan. Hij wachtte op een meisje met een zwarte bob in een felrode jurk en op hoge hakken. Als hij nog steeds in dezelfde positie stond, met zijn rug naar de muur, zou hij alleen de rug zien van een vrouw met lang blond haar, in een spijkerbroek en op slippers.

Ik kon niet kijken. Ik kon alleen achter mijn nieuwe vriendinnen aan lopen en bidden dat mijn misleiding werkte.

'Doorlopen, doorlopen,' zei ik zachtjes, hopend dat de vrouwen me buiten het gezichtsveld van Johnson zouden brengen. Als ze bij de dichtstbijzijnde tafel stopten en ik doorliep, zou ik opvallen.

'Ik geloof dat JT zei dat hij ons bij de bar zou opwachten,' hoorde ik een van hen zeggen, en ik zei een stil dankgebedje.

Ik durfde niet achterom te kijken en hoorde mijn eigen hartslag terwijl ik steeds verder weg kwam. Toen gingen we een hoek om en waren we in theorie buiten zijn gezichtsveld. Ik liet de meisjes verder lopen en keek over mijn schouder. Niemand.

Toen begon ik me te haasten. Ik wilde niet rennen voor het geval dat te veel aandacht zou trekken, maar ik wilde wanhopig graag weg. Het patroon van fleur de lis op de vloerbedekking bracht mijn vordering in kaart; nog twaalf keer een fleur de lis van de uitgang, nog vijf, nog één, en ik was weg.

Buiten werd ik overvallen door de neonverlichting, het verkeer en de droge hitte van de woestijn. In de verte zag ik het Paris Hotel, een waas van blauwe lichtjes in een heteluchtballon. Ik wist dat het Bellagio aan de overkant was. Nu begon ik wel te rennen, om wandelaars heen, tussen hen door, met kromme tenen in mijn slippers. Iemand vloekte tegen me toen ik voorbij schoot en ik stootte het glas uit de hand van een meisje dat uit een fastfoodtent kwam. De donkerbruine vloeistof en de ijsblokjes verspreidden zich over het trottoir. Ik rende verder en negeerde haar verontwaardigde kreten, alleen gericht op het bereiken van mijn doel.

Hij was er. Nog steeds in zijn witte shirt stond hij te wachten bij de fonteinen, de enige in de menigte om hem heen die geen belangstelling had voor de dansende waterstralen. Hij keek nerveus om zich heen, op zoek naar mij.

Ik schoot over de weg en hij hoorde het getoeter van de auto's en draaide zich naar me om. Ik was nog maar een paar honderd meter van hem af. Er brak een opgeluchte glimlach door op zijn gezicht en ik glimlachte terug, trok de pruik van mijn hoofd en begon te lachen. We hadden het gered.

Een zwarte SUV met getinte ramen kwam met piepende banden naast hem tot stilstand. Er ging een portier open en ik zag een man zijn handen uitsteken en hem in de auto trekken. Ik kwam geschokt tot stilstand en mijn mond viel open. Zijn ogen werden groot toen hij zijn evenwicht verloor en hij keek me angstig aan. Hij stak een hand naar me uit. Het was geen roep om hulp, maar een barrière, een stopteken. Zelfs nu hij overvallen werd, was zijn eerste instinct mij te beschermen.

Ik zette het weer op een rennen, maar zijn voeten verdwenen al in de SUV en het portier werd dichtgeslagen. De mensen om hem heen hadden het amper in de gaten, zo gingen ze op in het waterballet van het Bellagio. De SUV schoot weg van het trottoir en reed zo snel langs me heen dat ik niets anders kon doen dan honderdtachtig graden draaien en erachteraan rennen. Hij ging meteen een zijstraat in, en tegen de tijd dat ik bij de kruising kwam, zag ik alleen nog twee rode achterlichten de volgende hoek omgaan.

HOOFDSTUK ZEVENENTWINTIG

Even bleef ik totaal in paniek staan. Mijn hersenen weigerden dienst. Charlie was in gevaar en die wetenschap kon ik niet aan. Wat moest ik doen?

Ik had maar één voordeel. Ik wist wie hem had ontvoerd. De man die het portier had opengemaakt en Charlie achter in de SUV had getrokken was John Malfi, de rechterhand van Luigi Sorrentino.

Ik hurkte neer op de straat en probeerde me te concentreren, wat me vreemde blikken opleverde van de mensen om me heen. Het was duidelijk dat Sorrentino helemaal niet uit Las Vegas was vertrokken, of, als hij dat wel had gedaan, dat hij Malfi in ieder geval niet had meegenomen. Ze hadden Charlie ontvoerd omdat ze wisten dat zijn vrouw Sorrentino had bedreigd. Ze gingen hem pijn doen om mij te vinden of om mij te kwetsen. Ik kon alleen maar hopen op het eerste, wetend dat er dan meer kans was dat Charlie in leven bleef.

'Godverdomme!' schreeuwde ik, zodat een meisje angstig weg sprong. Een man met een dichte baard en een zonnebril schudde afkeurend zijn hoofd.

Het belachelijke was dat ik wist dat ik een medestander had tegen Sorrentino. Iemand die hem dood wilde hebben. Het was idioot, maar misschien was het Charlies enige hoop.

Ik klopte op de deur zonder te weten of er iemand zou zijn. Het duurde maar even voor het slot klikte en de deur openzwaaide. Hij was aan het telefoneren en zag er gejaagd uit, met zijn overhemdsmouwen opgerold.

Daultreys mond zakte letterlijk open toen hij zag dat ik het was. Angela Taylor, ook met een telefoon tegen haar oor, ijsbeerde achter hem door de kamer. Toen ze over haar schouder keek en me zag, schudde ze haar hoofd alsof het leven gewoon te krankzinnig voor haar was geworden.

'Ze is hier,' zei ze in haar telefoon.

'Kom terug naar de kamer,' zei Daultrey tegen de persoon die hij aan de telefoon had en klapte hem dicht. 'Je kunt maar beter binnenkomen,' zei hij. Ik stapte het hol van de leeuw in en Daultrey deed de deur achter me dicht.

'Ik heb je hulp nodig,' zei ik. Daultrey keek me ongelovig aan. 'Ze hebben Charlie ontvoerd.'

Hij wendde zich getergd af nu hij zeker wist dat ik de waarheid kende. 'Wat is er gebeurd?' vroeg hij uiteindelijk.

'Ik had met hem afgesproken op de Strip. Er stopte een zwarte SUV. John Malfi, Sorrentino's tweede man, trok Charlie in de wagen. Ze reden te snel weg om ze te volgen. Alsjeblieft, je moet me helpen.'

'Ik weet niet of het wel verstandig is om ons ermee te bemoeien,' zei Daultrey.

'O, loop naar de hel!' schreeuwde ik tegen hem. 'Je zit erin tot over je oren. Hoe kan Charlie je informatie blijven geven als Sorrentino hem in kleine stukjes hakt en van de Hoover Dam gooit? Gebruik je contact om me te helpen hem te vinden en ik beloof je dat ik dit keer met Sorrentino afreken.'

Taylor keek naar Daultrey, maar hij had geen belangstelling voor het wisselen van blikken. Zijn koude, modderige ogen probeerden te beoordelen wat hij aan me had. Ik staarde terug en probeerde hem te laten zien hoe vastberaden ik was om Charlie te beschermen.

Hij klapte met zijn duim zijn telefoon weer open, drukte op een sneltoets en bleef naar me kijken terwijl de telefoon werd opgenomen.

'Wat is het nieuws?' vroeg hij. Ik kon het antwoord niet horen en Daultreys volslagen onverstoorbaarheid maakte het moeilijk om te raden wie het zou kunnen zijn.

'Mata Hari hier heeft het zien gebeuren,' zei hij. 'Leeft hij nog?'

Ik slikte moeizaam.

'Mooi,' zei Daultrey. 'Kun je het zo houden? Wat wil Sorrentino?' En na een korte stilte: 'Ik denk dat ze dat wel wil. Hoe wil je dat spelen?'

Hij wendde zich eindelijk van me af, maar ik kon de glimlach in zijn stem horen toen hij zei: 'Nee, ik denk dat dat nu onze enige optie is. Bel me terug als het geregeld is.'

Daultrey keek me weer aan en deed zijn telefoon dicht. 'Mijn contact zegt dat Charlie nog leeft. Sorrentino wil alleen maar weten waar jij bent. Tot dusver heeft Charlie je nog niet verraden, maar geloof me, hij zal dat niet lang meer kunnen volhouden. Dat kan niemand.'

'Dus heeft je contact een ruil geregeld?'

Daultrey haalde zijn schouders op. 'Hij zegt dat Sorrentino alleen belangstelling heeft voor jou. Hij wil geen oorlog met de Carlo's beginnen, en die heeft hij als hij een van hen executeert.'

'Waar wachten we dan nog op?'

Sorrentino had niet eens de moeite gedaan een ander hotel te nemen, misschien in de hoop dat ik hem daar zou komen zoeken.

'Weet je zeker dat je je contact kunt vertrouwen?' vroeg ik Daultrey toen we door de lobby van het Babylonian liepen. 'Hij heeft je tenslotte verteld dat Sorrentino terug was naar New York.'

'Sorrentino ís ook teruggegaan naar New York,' zei Daultrey kortaf. 'Maar toen ging hij op zoek naar Joe.'

'Je hoeft hem nu niet meer zo te noemen.' Ik drukte op de knop om de lift te laten komen. 'Ik weet nu wie hij is.'

Daultrey grijnsde. 'Ja. En zijn echte naam is Joe. Niet dat je de kans zult krijgen daaraan gewend te raken.'

'Waarom haat je me zo?' zei ik. 'Jezus, als een van ons een goede reden heeft om de ander te haten, ben jij dat niet, makker.'

De lift arriveerde en Daultrey wachtte tot we erin stonden voordat hij antwoord gaf. 'Dat is vanwege alle tijd en energie die ik verdomme heb verspild om je kwijt te raken,' zei hij, en hij drukte op de knoppen voor de eenendertigste en de tweeëndertigste verdieping. 'Maar jij wist van geen ophouden.'

'Nou, het spijt me als ik je gehinderd heb bij je chantagepraktijken,' zei ik toen de liftdeuren dichtgingen en we in beweging kwamen.

'O, niet alleen dat, Kate, niet alleen dat. Je moet ook de verantwoordelijkheid nemen voor Graziani en Bianchi. Hij heeft ons alleen geholpen omdat hij de maffia zo haatte; hij heeft geen cent aangenomen. Maar toen jij je ermee ging bemoeien, begon Graziani zich af te vragen of onze motieven wel even zuiver waren als die van hem en opeens hadden we nog een los eindje dat vastgemaakt moest worden.'

Ik staarde naar hem. 'Heb jíj Graziani vermoord?'

'Het was jouw schuld. Door jou ging hij vragen stellen waar we eerlijk gezegd geen antwoord op hadden. En toen we eenmaal met hem hadden afgerekend, zaten we natuurlijk met dokter Bianchi. We konden haar niet de kans geven de Siciliaanse politie te vertellen over jou en wat ze voor Graziani had gedaan. Dus nu heb je twee doden op je geweten. Als jij je niet met de zaak bemoeid had, zouden ze nog leven. Joe zou op dit moment niet half dood worden geschopt. En jij zou niet over nog geen vijf minuten iemand neer hoeven schieten.' Hij zuchtte bijna vergenoegd terwijl ik alles op een rijtje probeerde te krijgen. 'Ik hoop dat je tevreden bent.'

Er klonk een pingeltje, de lift stopte op de eenendertigste verdieping en Daultrey stapte uit.

'En Sorrentino?' Ik stak bijna blindelings mijn hand door de deur en greep hem bij de arm. 'Hoe zit het met hem? Waarom wil je hem dood hebben?'

Hij glimlachte alleen maar en trok zijn arm los. 'Ik wacht hier beneden op je,' zei hij toen de deuren dichtgingen. 'Probeer dit keer je hoofd koel te houden.'

Ik had nog net tijd om mijn middelvinger op te steken voordat de liftdeur dichtging en ik opsteeg naar de volgende verdieping. Mijn ademhaling en hartslag versnelden bij elke stap door de gang naar Sorrentino's deur. Hij zat dit keer helemaal aan de andere kant van het hotel en ik zag de gouden glans van het Mandalay Bay door het raam aan het eind van de gang. Ik knipperde mijn tranen weg, haalde diep adem en klopte aan.

Daultreys anonieme contact verwachtte me, maar dat gold niet voor Sorrentino. Voor hem was ik een verjaardagscadeautje met een grote rode strik erom. Nou, pas op voor Grieken met geschenken.

Het kijkgaatje in de deur werd donker en ik hoorde luid, opgewonden gepraat.

'Laat me haar eerst fouilleren, baas,' hoorde ik door de deur heen, en ik had nog net tijd om te beseffen dat ik nooit die kamer in kwam met Sorrentino's pistool in mijn bezit, toen John Malfi voor me stond. Er zat bloed op zijn shirt.

'Als je hem iets hebt gedaan, vermoord ik je, verdomme,' zei ik. Hij lachte, sloot de deur achter zich en hield een vinger tegen zijn dunne lippen.

'Ik heb een cadeautje voor je,' fluisterde hij, en hij gaf me een Glock semi-automaat. Ik keek verrast naar hem op.

'Ben jij Daultreys contact?'

'Pak aan,' zei hij. 'Heb je er zelf een?' Ik knikte. 'Geef hier.'

Zijn rattengezicht vertrok tot een geelgetande grijns toen hij het zag. 'Wilde je Lu afmaken met zijn eigen pistool?'

Ik deed geen moeite te antwoorden, maar stak het pistool achter in mijn broek, waar de Beretta gezeten had.

'Oké,' zei hij. 'De pret kan beginnen.' Hij maakte de deur open en duwde me erdoorheen.

Sorrentino had een grotere kamer dan de vorige keer, een suite. Marokkaans aandoende lampen wierpen getande zwarte schaduwen over de vloer. Hij zat met gestrekte armen op een grote leren bank. Er waren twee zware jongens bij hem; de een stond naast hem, de ander bij de grote tv, waarop een zwart-witfilm met James Cagney te zien was. Hij wreef over zijn gehavende knokkels.

Charlie zat ineengezakt in een stoel, met zijn hoofd naar beneden zodat ik zijn gezicht niet kon zien. Zijn polsen waren aan de armleuningen vastgebonden, zo te zien met de ceintuurs van een paar badjassen. Zijn enkels zaten aan de stoelpoten vast met gouden zijden linten die alleen van de lange witte gordijnen voor de ramen afkomstig konden zijn. Ze hadden het douchegordijn van de haken getrokken en onder hem uitgespreid om te voorkomen dat er bloedvlekken op het tapijt kwamen.

Zijn witte T-shirt zat onder het bloed. Het droop van zijn neus en drupte stil op zijn spijkerbroek.

'Nou, is dat geen leuke verrassing?' Sorrentino nam een slokje uit een glas whisky.

'Is hij dood?' vroeg ik.

'Nee, hij bloedt toch nog?' merkte Sorrentino op. Hij zette het glas neer en stond op van de bank. 'Hij is alleen buiten westen.' Hij wendde zich tot Malfi. 'Was ze gewapend?'

Malfi knikte en gaf hem het pistool.

Sorrentino stootte een lachje uit toen hij het pistool bekeek. 'Jij bent verdomme een brutale meid.'

'Ik ben er nu,' zei ik. 'Je kunt hem laten gaan.'

'O, kan ik dat?'

Het sarcasme in de stem van zijn baas deed Malfi grinniken en Sorrentino lachte zijn kleine tandjes bloot. Ik werd overvallen omdat ik niet had verwacht dat hij zo snel zou kunnen bewegen; zonder naar me te kijken, haalde Sorrentino uit met zijn linkerhand en sloeg me in mijn gezicht.

Ik zakte verdoofd op mijn knieën. Mijn hele gezicht leek te vibreren. Ik proefde bloed in mijn mond en voelde iets hards op mijn tong. Met enige pijn deed ik mijn mond open en spuwde het uit. Er rolde een tand over het tapijt.

Er kwam een kreun van de andere kant van de kamer. Ik keek op, turend met mijn linkeroog, waardoor ik wazig zag. Charlie had zijn hoofd geheven en probeerde iets te zeggen, maar er zat iets in zijn mond. Zijn lip was gespleten en er zat een snee op zijn neusbrug. Het bloed stroomde uit een hoofdwond. We keken elkaar aan. Hij schudde in wanhoop zijn hoofd.

'Hé, die loverboy is wakker,' zei Sorrentino. 'Weet je, hij is heel dapper geweest, Alexandra, of hoe je ook mag heten. Heel nobel. Bobby hier slaat hem al een tijdje verrot, maar hij wilde gewoon niet zeggen waar je was, zelfs niet met het verkeerde uiteinde van een .38 in zijn mond.'

'Alsjeblieft,' zei ik. De linkerkant van mijn gezicht was helemaal verdoofd en mijn stem was dik. 'Alsjeblieft, laat hem gaan. Als je hem vermoordt, komt er oorlog van. Dat wil je niet.'

'Jij bent de oorlog begonnen, stomme teef. Jij bent ermee begonnen toen je achter mij aan kwam.'

'Nee. Ik ben geen Carlo. Ze weten niet eens wie ik ben.'

Hij negeerde me. 'Weet je, Joe, ik moet toegeven dat je smaak hebt. Die meid van jou zag er behoorlijk heet uit met dat blonde haar, maar het was toch een beetje goedkoop. Als brunette heeft ze veel meer stijl. En ik ben gek op dat sexy accent. Ik kan zien waarom je voor haar gevallen bent, echt.'

Charlie trok aan de touwen waarmee hij was vastgebonden en probeerde iets te roepen, maar dat vond Sorrentino alleen maar vermakelijk. Hij liep naar me toe en ik kroop weg. Moest ik mijn pistool trekken? Hoeveel kans zou ik hebben met die twee zware jongens in de kamer?

'Kom op, schatje, opstaan.' Hij greep me onder mijn oksel en trok me overeind. 'Laten we afmaken waar we laatst mee begonnen zijn.' Hij zette zijn vingers in mijn arm, duwde me de slaapkamer in en schopte de deur dicht. Ik hoorde Charlie gek worden in de andere kamer en een van Sorrentino's mannen zeggen dat ik het aan mezelf te danken had.

Sorrentino duwde me op het bed. Zijn zwarte oogjes fonkelden. 'Zul je lief zijn? Als je heel erg je best doet, zal ik erover denken hem te laten gaan.'

Ik deed mijn ogen dicht toen de waarheid me duidelijk werd. Toen keek ik hem recht aan.

'Ik geloof je niet,' zei ik rustig.

En toen waren de lichtjes in zijn ogen weg, verdween zijn speelse glimlach en bleef er niets over dan een roofdier dat ging aanvallen.

Hij stortte zich op me en ik wilde het pistool pakken, maar hij drukte me tegen het bed en ik kon mijn arm niet bewegen. Zijn enorme gewicht zette me vast tegen de matras en ik probeerde mijn heupen op te tillen om hem van me af te duwen, maar mijn voeten kregen geen grip op de gladde zijden lakens. Hij probeerde met wijd gespreide neusgaten mijn schoppende benen vast te zetten en stompte me hard tegen de zijkant van mijn hoofd. De hele kamer werd zwart, mijn oren suisden en even werd mijn verzet zwakker. Hij verschoof zijn rechterarm zodat die mijn schouders tegen het bed kon houden. Met zijn linkerarm maakte hij de knoop van mijn spijkerbroek open en trok de rits naar beneden. Mijn rechterhand was eindelijk los. Hij hief mijn heupen van het bed om mijn spijkerbroek naar beneden te trekken en ik rukte het pistool los. Ik duwde het in de krappe ruimte tussen ons in en haalde de trekker over.

Het klonk alsof er vuurwerk ontplofte. Hij wankelde achteruit en hoewel ik de trekker bleef overhalen, hoorde ik alleen lege klikken. Sorrentino viel tegen de muur en zakte met gespreide benen op de grond. Er zat een zwart gat midden in zijn overhemd, net boven zijn buik. Het rookte. Terwijl ik toekeek, kwam er een golf rood bloed uit de wond. Een streep bloed trok over de stof en maakte een plas in zijn kruis.

'Verdomme, heeft hij haar neergeschoten?' hoorde ik Malfi in de andere kamer zeggen. Zijn stem kwam dichterbij. 'Baas?'

Sorrentino's ogen leken niets meer te zien, maar hij haalde nog wel adem. Ik trok het reservemagazijn uit mijn zak, haalde met onhandige vingers de kogels eruit en deed ze in het lege magazijn van de Glock, dat ik met een klik weer op zijn plek duwde. Ik haalde de veiligheidsgrendel over en spande de haan, zodat er een kogel in de kamer zat.

'Stel dat zij het was?' hoorde ik een van Sorrentino's mannetjes vragen.

'Dat kan niet, ik heb haar gefouilleerd.'

'Waarom geeft de baas dan geen antwoord? Misschien heeft ze hem met zijn eigen wapen neergeschoten.' Er bonsde iemand op de deur. 'Lu, is alles goed?'

De deur ging open en ik hief de Glock. De man die mijn echtgenoot in elkaar had geslagen, Bobby, zag dat ik een pistool op hem richtte en trok de deur met ogen zo groot als schoteltjes snel weer dicht.

'Heeft ze hem vermoord?' vroeg zijn vriend.

'Ik weet het niet, Nicky. Ik weet alleen dat ze verdomme een pistool heeft!'

Ik kwam overeind en deed mijn spijkerbroek weer dicht. Mijn handen trilden. Ik keek naar Sorrentino, maar hij was te ver heen om terug te kijken. Ik kon niet zien of hij nog ademde of niet.

Met het pistool in de aanslag kwam ik de slaapkamer uit. Malfi, Bobby en Nick richtten allemaal hun eigen pistool op mij.

'Is hij dood?' vroeg Bobby.

'Ik heb met jullie geen ruzie. Maak mijn man los en laat ons gaan.'

'Ben je gek?' zei Nicky. 'Jij schiet het hoofd van een van de families uit New York dood en je denkt dat we je zomaar laten weglopen?'

'En als hij dood is, wie is dan de nieuwe baas?' vroeg ik. Ik slikte het bloed van het nog bloedende gat in mijn mond door. Ik wist dat het Malfi zou zijn. Welke andere reden kon hij hebben om Sorrentino dood te willen hebben?

Bobby en Nick wisselden blikken.

'Dat ben ik,' zei Malfi. 'Als Lu's neef ben ik de erfgenaam.' Ik keek alleen maar naar hem. Zijn neef? Lekkere familie.

'Nou, wat zeg je ervan? Het lijkt me nu jouw beslissing.'

Met onze pistolen nog in de aanslag, wachtten we op Malfi's oordeel. Hij hield zijn blik op mij gericht, maar draaide zijn hoofd om zijn mannen aan te spreken.

'Ga maar,' zei hij. 'Ik handel dit wel af.'

'Weet je het zeker, Johnny?' vroeg Nick.

'Iemand heeft vast dat schot gehoord en de beveiliging gebeld. Jullie kunnen beter wegwezen voordat ze op komen dagen.'

Hij hoefde het geen derde keer te zeggen. Ze deden hun pistolen in de holsters en lieten ons alleen.

Toen ze weg waren, hoorde je alleen nog de stem van Jimmy Cagney op de tv en het geluid van Charlies hortende ademhaling. Malfi en ik lieten allebei ons wapen zakken.

Toen hij naar de slaapkamer ging om bij Sorrentino te gaan kijken, deed ik de veiligheidsgrendel op de Glock en legde hem in Charlies schoot, waarna ik zachtjes de prop uit zijn mond trok.

'O jezus, Kate, godzijdank.' Hij legde zijn voorhoofd tegen mijn buik. 'Ik dacht dat hij je ging verkrachten. Heb je hem gedood?'

'Dat heeft ze zeker,' zei Malfi, die de kamer weer in kwam. 'Mooi schot, Kate. Recht in het hart.'

Ik deed mijn ogen even dicht, maar wist dat eventuele schuldgevoelens zouden moeten wachten tot we allebei veilig waren. Ik maakte Charlies handen los en hij begon aan zijn enkels, terwijl hij al die tijd Malfi argwanend in het oog hield.

'Heb jij Kate dat pistool gegeven?' Het was meer een vaststelling dan een vraag. 'Heb jij dit georganiseerd?'

Malfi haalde zijn schouders op. 'Ik heb meer de stukken op zijn plaats gezet en toen hoefde ik alleen nog achterover te leunen en het te laten gebeuren.'

'Had je het lef niet om hem zelf om zeep te helpen?'

Malfi kneep zijn al kleine oogjes nog wat dichter. 'Het gaat niet om lef, Joe, het gaat om hersens. Dat zou jij toch moeten begrijpen. Je verdiende heel behoorlijk zonder je in het leven te begeven en kijk wat je hebt gekregen nu je een maffiaman bent: een bloedneus en een vrouw op een hitlijst.'

'Wat nu?' Ik pakte het semi-automatische pistool weer op en ging naar de tafel om het met een servet schoon te vegen.

'Doe dat maar niet,' zei Malfi, en toen ik opkeek zag ik dat hij zijn pistool weer op me gericht had. Charlie kwam onmiddellijk overeind en ging voor me staan om me te dekken.

'Wil je dat ik mijn vingerafdrukken op het pistool laat staan?' zei ik.

'Hoe moet de politie anders weten wat er gebeurd is?' zei hij glimlachend.

Ik staarde hem aan. 'En wat is er dan gebeurd?'

'Je kwam binnen, trof Joe hier dood aan, vermoord door Lu. Je schoot Lu neer. Toen pleegde je zelfmoord. Je vingerafdrukken zullen op het pistool staan. Je zult het pistool in je hand hebben. Ze zullen overal kruitsporen op je vinden. Zaak gesloten.'

'Dat denk ik niet,' zei ik. Ik schoof met mijn duim de veiligheidsgrendel om en richtte de Glock op zijn hoofd.

Hij grijnsde alleen maar. 'Ik weet niet of je het gemerkt hebt, maar het is leeg. Dacht je soms dat ik je een volledig geladen pistool zou geven?'

Ik schoot hem midden in zijn voorhoofd.

Even bleef hij gewoon staan, met die stomme grijns nog op zijn gezicht, ook al zat de inhoud van zijn schedel op de muur achter hem. Toen begaven zijn knieën het en viel hij achterover.

'*Made it, Ma! Top of the world*!' riep Jimmy Cagney op de tv.

Ik liet het pistool vallen.

Charlie trok me naar zich toe en hield me tegen zich aan. Zijn T-shirt was nat van het bloed, maar even was ik gelukkig in zijn armen. 'Katie,' zei hij geschokt in mijn haar. 'Jezus, het spijt me.'

Ik maakte me van hem los, hurkte en pakte het pistool weer op. Met de zoom van mijn zwarte top veegde ik mijn vingerafdrukken eraf en toen liet ik het weer op de vloer vallen.

De badkamer was de enige ruimte in de suite die nog schoon was. Ik liep naar binnen en schrobde mijn handen en armen tot de ellebogen in de glanzend witte wasbak en veegde met een handdoek van het hotel het bloed van mijn mond. De gordijnringen boven de douche hingen leeg aan de roestvrijstalen rail.

'Het heeft geen zin de kruitsporen weg te wassen als je overal je DNA achterlaat,' zei Charlie, die binnenkwam en de natte handdoek in zijn zak stak.

'In dat geval hoop ik dat je mijn kies ook van het tapijt hebt geraapt.'

We keken elkaar aan in de grote spiegel boven de wasbak. We leken allebei wel geesten in het harde licht. Hij zette een hand aan weerszijden van me tegen de muur, zodat ik niet meer weg kon.

'Ik had hier eerder moeten komen,' zei ik tegen zijn bont en blauwe en bebloede spiegelbeeld.

'Je had helemaal niet moeten komen.'

'Zeg dat niet.'

'Na wat ik je heb aangedaan, had je weg moeten rennen en nooit meer achterom moeten kijken.'

Er lag zoveel pijn in zijn ogen dat ik niet weg kon kijken. Ik had hem vergeven, maar ik geloofde niet dat hij ooit zichzelf zou vergeven.

Ik leunde tegen hem aan en wreef met mijn hoofd tegen het zijne om contact te maken en hem te laten zien dat ik hem nog steeds nodig had. Door dit verzoenende gebaar schoot hij helemaal vol.

'Het spijt me zo,' fluisterde hij.

'Je moet gehecht worden,' zei ik, omdat ik zijn pijn niet kon aanzien. Ik draaide me om in zijn armen, pakte de handdoek uit zijn zak en drukte hem tegen de nog bloedende snee net boven zijn haarlijn. Hij keek naar mijn gezicht terwijl ik het bloeden probeerde te stelpen.

'Ze gaven je geen keus,' zei hij teder. 'Dat weet je toch? Malfi zou ons allebei vermoord hebben. En Sorrentino ook. Alleen zou hij je eerst hebben verkracht.'

'Ik weet het.' Maar ik fronste, omdat ik het niet voelde.

Hij dwong me naar hem te kijken door mijn gezicht in zijn handen te nemen en het naar zich op te heffen. Zijn ogen waren zo blauw als een zomerhemel in augustus.

'We komen hier doorheen,' hield hij me voor. 'Dat beloof ik je.'

Een scherpe klop op de deur zorgde ervoor dat we allebei met een ruk in de richting van de woonkamer keken.

'Beveiliging! Doe alstublieft de deur open!' riep een stem op de gang.

Charlie greep me vast en trok me de slaapkamer in zonder echt te schrikken van de aanblik van Sorrentino, die als een aangespoeld walvissenkarkas op de vloer lag. Hij deed de deur achter ons op slot en liep naar de gordijnen. Ik hoorde een schuivend geluid en besefte dat hij geen raam opendeed, maar een balkondeur.

We stapten naar buiten, schoven de deur achter ons dicht en hoorden meteen sirenes.

'Heb je een parachute meegenomen?' vroeg ik, wetend dat we ons op de tweeëndertigste verdieping bevonden. Rode en blauwe lichtjes dansten over de Strip naar het hotel.

Charlie trok zich op de reling en zijn zwarte haar waaide op.

'Dit kun je niet menen,' zei ik.

'Kijk.' Hij knikte naar beneden. Ik keek over de rand van het balkon. Ongeveer acht verdiepingen onder ons gloeide een van de zwembaden van het Babylonian blauw op, verlicht door onderwaterlampen.

'Het is te hoog,' zei ik. 'Het zwembad is nooit diep genoeg.'

'Hebben we een andere keus? De doodstraf of een mogelijke verlamming, kies maar.'

Ik pakte zijn gezicht in mijn handen, kuste hem hard en zwaaide toen ook over de reling, zodat we naast elkaar in de nachtlucht stonden. We hoorden de beveiligingsmensen de kamer binnenkomen en hoorden hun kreten toen ze het lijk van Malfi aantroffen.

'Weet je nog wat je moet doen?' zei Charlie.

'Ja. Laten we gaan.'

Hij legde zijn hand op de mijne. 'Bij drie. Een, twee, drie!'

We stapten het niets in en vielen naar het zwembad. Ik verzette me tegen de aandrang om mijn neus dicht te houden, wetend dat de kracht van het water tegen mijn elleboog kon betekenen dat ik mijn eigen neus brak. Zodra ik het warme water voelde, schaarde ik mijn benen uit elkaar zodat ze weerstand boden tegen de snelheid van mijn lichaam. Nog onder water, toen mijn afdaling het diepste punt had bereikt, deed ik mijn ogen open en zag Charlie een eindje onder me. Had hij de bodem van het zwembad geraakt? Ik duwde mezelf naar beneden en hield hem in de gaten. Toen ik zijn benen zag schoppen, schoot ik omhoog.

Hij verbrak het wateroppervlak en schudde het natte haar uit zijn ogen. 'Alles goed?' hijgde hij.

'Ja, en met jou?' Hij knikte en we zwommen naar de rand van het zwembad en klommen eruit. Mijn ledematen tintelden van de adrenaline. Toen we naar de brandwerende deur renden die toegang gaf tot het hotel, keek ik op naar Sorrentino's balkon en zag nog net een gezicht over de rand verschijnen. We verdwenen door de deur voor deze persoon de kans had onze kant uit te kijken.

'Kunnen we op straat komen zonder door het casino te gaan?' vroeg ik aan Charlie terwijl we druipend door de gang renden.

'Misschien als we de nooduitgangen gebruiken,' zei hij. 'Maar dan gaat het alarm waarschijnlijk af.'

'Zou dat niet al gebeurd zijn met die deur bij het zwembad?'

'Misschien. We zullen er wel snel genoeg achter komen.'

We sprongen de trappen af.

'Die verdomde slippers!' schreeuwde ik toen ze voor de vierde keer uitschoten. Ik pakte ze op en rende op blote voeten verder.

Tegen de tijd dat we op de begane grond aankwamen, was ik duizelig van de combinatie van adrenaline, twee stompen tegen mijn hoofd en de bochten die we aan het eind van elke trap moesten maken. Ik wist niet hoe Charlie overeind wist te blijven.

We verlieten het trappenhuis en stonden in de zoveelste identieke gang. We liepen nu voorzichtiger naar het eind en Charlie stak zijn hoofd om de hoek. Hij nam mijn hand en trok me naar links. Aan het eind van deze nieuwe gang bevond zich een nooduitgang; de aanblik van het groene rennende mannetje had me nooit eerder met zoveel opluchting vervuld. We draafden ernaartoe.

Een beveiligingsman kwam halverwege de gang een hoek om. Hij had een walkietalkie in zijn ene hand en een Snickers in de andere. Charlie en ik verstijfden; we konden het niet helpen. De beveiligingsman keek ons argwanend aan en zijn blik ging over onze doornatte kleren en druipende haar.

'Begane grond!' riep hij in zijn radio. 'Alarm!'

We draaiden ons om en renden de andere kant uit. Aan deze kant van de gang hing een bordje met CASINO, maar we hadden geen keus. De man achter ons tastte naar zijn wapen, blijkbaar niet bereid zijn walkietalkie of zijn reep los te laten.

We stormden de deuren door, mijn hand stevig in die van Charlie. Het casino stond bomvol, aan elke tafel verdrongen de gokkers zich en de gorgelende gokapparaten hoestten kreten en lawines munten uit. Sommigen gingen zo op in het gokken dat ze niet veel aandacht aan ons schonken, maar de mensen die alleen maar toekeken, draaiden zich naar ons om toen we langsrenden, en de croupier achter een blackjack-tafel gaf een signaal aan de floormanager.

Toen kwam de beveiligingsman met een getrokken pistool de deuren achter ons doorrennen en de pleuris brak uit. Een serveerster met een blad vol glazen gilde en liet alles op de vloer vallen. Een grote vent in een T-shirt van Budweiser zag ons op hem af komen rennen met een gewapende man achter ons aan, slaakte een verschrikte kreet en bleef als aan de grond genageld staan. We lieten elkaars hand los om om hem heen te kunnen rennen, langs de pokertafels. Een andere beveiligingsman kwam met zijn pistool in zijn hand uit de richting van de bar om ons te onderscheppen. We schoten naar rechts, waar de gokautomaten stonden, en de mensen vielen over elkaar heen om ons uit de weg te gaan. Ik kon alleen maar bidden dat de bewakers hun wapens niet zouden durven gebruiken met zoveel omstanders die per ongeluk geraakt konden worden.

We renden tussen de roulettetafels door, Charlie in het ene gangpad en ik in het andere. De tweede beveiligingsman haalde ons in. Ik keek over mijn schouder om te zien hoe dichtbij hij was en voor ik het wist schoot ik over de grond. Buiten adem duwde ik mezelf omhoog en zag dat Charlie in de gaten kreeg dat ik niet meer naast hem liep en ontzet achterom keek. Terwijl de bewaker boven op me landde, met zijn knie in mijn rug, zag ik nog net Luke uit het niets verschijnen en Charlie in het doolhof van gokmachines trekken voor mijn gezicht tegen de kleverige vloerbedekking werd geduwd en mijn handen op mijn rug werden geboeid.

HOOFDSTUK ACHTENTWINTIG

Het was één uur in de morgen. Ik zat in mijn eentje in een piepkleine verhoorkamer op het hoofdbureau van de politie, met handboeien vastgemaakt aan een stalen stoel die aan de vloer vastzat. Een ventilator blies zoemend lauwe lucht vanuit een hoek van het kamertje.

De beveiliging had me overgeleverd aan de politie. Ze hadden het hotel binnenstebuiten gekeerd om Charlie te vinden, maar ik zat hier nog steeds alleen, dus ik kon alleen maar aannemen dat hij weg had weten te komen.

De rechercheurs van de afdeling Moordzaken hadden geprobeerd me te ondervragen, maar ik had geweigerd iets te zeggen, behalve dat ik een advocaat wilde. Ik zat te wachten tot de pro-Deoadvocaat zou komen opdagen. Ik vroeg me af of ik wel recht had op gerechtelijke bijstand omdat ik geen ingezetene was. Misschien moest ik het Britse consulaat bellen. Het maakte niet echt uit, ik was er hoe dan ook gloeiend bij. De politie had misschien willen geloven dat ik één man had gedood uit zelfverdediging, maar geen twee. Vooral niet met een kogel in het hart van de ene man en een in het hoofd van de andere, maar zonder kogels in de muur of oppervlakkige wonden bij een van beide slachtoffers. Het zou erop lijken dat iemand wist wat hij deed.

Een van de rechercheurs, een zwarte man in een geel overhemd die me aan Kytell deed denken en me heimwee bezorgde, kwam de kamer binnen met een set sleutels en maakte mijn handboeien los.

'Laten jullie me gaan?' Ik fronste en wreef de pijnlijke randen waar de handboeien in mijn huid hadden gesneden.

'Niet echt,' zei hij in een diepe bariton. 'We dragen je over aan de FBI. Als je zo'n belangrijke getuige bent, snap ik niet waarom ze je zo slecht beschermd hebben, maar je hebt deze nacht in ieder geval weten te overleven. Veel succes met de rest van je leven. Ik heb het gevoel dat je het nodig zult hebben.'

'Nee.' Ik greep zijn arm. 'Nee, laat ze me niet meenemen. Je begrijpt het niet, ze zijn hierbij betrokken.'

'Dat weet ik. Het is hun zaak.'

'Nee, ze hebben alles beraamd!'

'O, was het een valstrik?'

'Nee,' zei ik. 'Het was moord.'

Hij lachte alleen maar. 'Ja, hoor. En de CIA heeft JFK vermoord.'

'Hoor eens, ik geef toe dat ik die mannen in het Babylonian heb gedood,' zei ik. 'Ik teken wat je maar wilt, maar draag me niet aan hen over, alsjeblieft.'

Hij duwde me de open kantoorruimte van de afdeling Moordzaken in. Daultrey, die er ontspannen en beheerst uitzag in een lichtgewicht regenjas en een donkergrijs pak, stond de hand van een van de politiemannen te schudden.

Ik probeerde weg te rennen, maar de rechercheur greep me bij mijn nekvel. 'Moet ik je de handboeien weer omdoen?' gromde hij in mijn oor.

'Nee.' Mijn luchtweg werd half dichtgeknepen door zijn grote vingers.

'Kalmeer dan, verdomme.'

'Ze zullen me vermoorden,' bracht ik uit.

'Dank u, commandant,' zei Daultrey. 'We stellen uw medewerking zeer op prijs.'

'Altijd blij jullie uit de brand te kunnen helpen,' zei de politieman met een grijns van oor tot oor. Daultrey deed alsof hij grinnikte, maar zijn lach vervaagde zodra hij met zijn rug naar de commandant stond. Hij liep tussen de bureaus door naar me toe.

'Hoe is het, Kate?' vroeg hij zogenaamd bezorgd.

'Loop naar de hel, Daultrey,' snauwde ik.

'Niet zo bitter,' zei hij. 'Ik weet dat je een zware nacht hebt gehad, maar nu zijn we er. Kom op, we gaan.'

'Hebt u de overdrachtspapieren getekend?' vroeg de rechercheur.

Daultrey richtte zijn felle blik op hem. 'Natuurlijk, rechercheur.' Hij bekeek me. De rechercheurs hadden mijn kleren opgeëist als bewijs en me een blauwe plastic overall gegeven om te dragen. Je kon mijn zwarte ondergoed door de stof heen zien. 'Waar zijn haar kleren?'

'Bij het lab.'

Daultreys lippen werden dunner. 'We gaan er wel even heen om ze op te pikken.'

'Oké,' zei de rechercheur. 'Maar waarom zou u de moeite doen? Ze zijn er over een paar dagen klaar mee. Bespaar uw eigen laboranten de moeite.'

'Het is geen moeite,' verzekerde Daultrey hem. 'Bedankt voor al uw hulp, rechercheur.'

Hij pakte me bij de elleboog en manoeuvreerde me de afdeling af en de gang door. Toen we boven aan de trap kwamen die het gebouw uit leidde, draaide ik me nog eens om naar de rechercheur, biddend dat hij gevoeld had dat er iets scheef zat, dat hij me met een onzekere blik nakeek. Maar hij stond om iets te lachen met zijn commandant en keek niet eens mijn kant uit, en ik wist dat hij me vergeten zou zijn zodra ik de deur uit was gelopen.

Agent Jerkins en agent Taylor stonden buiten geparkeerd. Daultrey duwde me tegen de zijkant van de auto en bond mijn handen vast met een plastic sluiting voordat hij me op de achterbank duwde en naast me ging zitten.

Niemand zei iets onder het rijden, behalve Daultrey, die zijn mobiel gebruikte om Johnson te bellen; hij droeg hem op te zorgen dat de politie de bewijsstukken overdroeg aan de FBI.

'Als ik had geweten dat jullie moeite zouden doen de zaak in de doofpot te stoppen, had ik het risico niet genomen om van het balkon te springen,' zei ik. Hij negeerde me.

'Waar is Joe Carlo?' vroeg hij.

'Loop naar de hel,' antwoordde ik.

Ze reden langs het Regal de buitenwijken in. We kwamen terecht in een donkere wijk vol nachtwinkels met traliewerk voor de ramen en ongure mannen en halfnaakte vrouwen op elke straathoek. Bij een braakliggend terrein dat vol lag met puin en afval sloegen we links af en we parkeerden naast een vervallen, dichtgetimmerd huis.

'Ga controleren of het in de laatste zes weken geen drugshol is geworden,' commandeerde Daultrey. Jerkins sprong uit de auto en kwam een paar minuten later terug met het bericht dat alles veilig was.

Binnen rook het naar vocht en rattenpoep. Daultrey duwde me de achterkamer in, een en al gebarsten linoleum en enorme vochtvlekken op de muren.

'Laat me raden,' zei ik. 'Mijn beurt om op een stoel vastgebonden te worden.'

'Wie kaatst, kan de bal verwachten,' zei hij met een geamuseerd schouderophalen.

'Ik weet niet waar Charlie is,' zei ik. In zekere zin was het waar. Toch wist ik dat er een goede kans was dat het Daultrey zou helpen hem te vinden als ik hem vertelde dat mijn man bij Luke was.

'We zullen zien,' zei hij. 'Ook al heb je gelijk, dan zou ik dit toch nog wel lollig kunnen vinden.'

Uren later kwam ik langzaam weer bij. Nog steeds versuft probeerde ik me te herinneren waar ik was en hoe ik daar gekomen was, en waarom mijn handen in brand leken te staan. Toen wist ik het weer en werd ik met een schok helemaal wakker.

Daultrey zat tegenover me met zijn ellebogen op zijn knieën. Hij had zijn bril weer opgezet, maar zijn haar zat nog steeds in de war.

Hij stak zijn kin omhoog toen hij zag dat mijn ogen open waren. 'Heb je al genoeg gehad?' vroeg hij.

Ik keek neer op mijn linkerhand. Elke vinger stond scheef en was dik. Mijn rechterhand was beter. Aan die hand waren maar twee vingers gebroken.

'Na je vingers beginnen we aan je nagels,' zei hij. 'Of misschien stuur ik Wilson even naar de ijzerwinkel voor een tang om het werk van je tandarts af te maken.'

'Ik weet niet waar Charlie is,' mompelde ik met een kapotte lip.

Taylor slaakte een geërgerde zucht. 'Ik ga buiten een sigaretje roken.'

'Nee,' zei Daultrey. 'Ga maar naar boven. We willen niet dat iemand ons ziet.'

'Er is hier niemand om ons te zien,' zei ze. Hij wierp haar een boze blik toe. 'Goed dan.' Ze haalde haar schouders op en ik hoorde haar hoge hakken op het kale hout van de trap. Daultrey en ik waren alleen.

'Van mij mag ze hier ook wel roken, hoor,' zei ik tegen hem. Ik probeerde mijn mondhoeken omhoog te trekken, maar had er niet echt de energie voor.

Zijn kaakspieren bewogen. 'Je bent een vreemde griet,' zei hij. 'Wat is jouw verhaal? Waar kom je vandaan? Kate Grey is niet je echte naam, dat weet ik.'

Ik knipperde traag met mijn ogen, te uitgeput om ze meer dan een paar seconden achter elkaar open te houden. 'Het is misschien niet de naam op mijn geboortebewijs,' zei ik. 'Maar het is mijn naam.'

'Waarom heb je hem veranderd?' Hij boog zich nieuwsgierig naar voren.

'Dat gaat je geen reet aan.'

Hij sprong overeind en greep een van mijn weinige nog rechte vingers.

'Nee, nee, nee, nee,' zei ik met opeengeklemde kaken, maar hij brak de vinger als een stuk brandhout. De pijn schoot door het gewricht en even kon ik niets zeggen en niet ademen.

Daultrey liet zich weer op zijn stoel vallen. 'Ik wilde een boot kopen,' zei hij. 'Een jacht van zestien meter. Ik had de naam al uitgekozen. Celestine, zo wilde ik haar noemen. Ik zou de zomer doorbrengen tussen Cape Cod, Martha's Vineyard en de Hamptons. In de winter, als het te koud werd, zou ik naar het zuiden trekken, naar de Bahama's en het Caribisch gebied. Met het geld dat Malfi ging verdienen als hoofd van de familie Sorrentino zou mijn onofficiële pensioenfonds binnen een paar jaar volgestort zijn.'

Iets wat ik al snel geleerd had als Charlie en ik gingen skydiven, grotten onderzoeken of diepzeeduiken, was dat paniek je grootste vijand is. Je moet je verbeelding uitschakelen, zodat je er niet aan denkt hoe smal de tunnels naar het oppervlak zijn of hoe donker de zee onder je voeten. Zodra je in paniek raakt, is het afgelopen met je.

Maar ik dacht aan hoeveel langer ik het uit zou kunnen houden voordat ik Charlie zou verraden. Ik dacht aan hoe mijn tanden een voor een getrokken zouden worden. Ik dacht aan wat daarna zou komen, wanneer ze hadden wat ze wilden. Zouden ze het snel doen? Zou het nog meer pijn doen dan dit? Zou ik moeten toekijken hoe ze het met Charlie deden voor ik aan de beurt was?

Ik moest mijn verstand uitschakelen, een muur optrekken tussen mij en al die donkere gedachten. Ik moest mezelf afleiden. En ik moest Daultrey ook afleiden.

'De Carlo's,' zei ik.

'Wat?'

'Waarom doe je niet voor hen wat je voor Malfi deed? Ze beheersen Chicago. Sorrentino had maar vijf wijken in zijn macht.'

'Je weet niet waar je het over hebt,' zei hij. 'Het is afgelopen met de Carlo's. Waarom denk je dat Malfi me jou en Joe bij zijn probleem met Sorrentino liet betrekken? Angelo Carlo is een oude man. Joe zal nooit hoofd van de familie worden en zijn broer Paolo is te jong en te veel een heethoofd om *capo di tutti capi* te zijn. Zijn zus heeft een goed stel hersens, maar die jongens kennen maar twee soorten vrouwen: familieleden en vriendinnen. Ze zouden nooit voor een vrouw werken. En toen kwam Malfi om de hoek kijken. Hij heeft een neef die capo is in de organisatie van de Carlo's. Met steun van Malfi was er een goede kans dat hij aan het hoofd zou komen.'

Hij keek alsof iemand zijn hondje had doodgeschoten. 'Het was een perfecte symbiose. Hij gaf me net genoeg informatie over zijn rivalen om ze uit te schakelen. En ik liet hem weten waar we aan werkten, zodat hij ons altijd twee stappen voor was en wist wie van zijn mannen misschien omgekocht zou kunnen worden. Zelfs al was hij maar de tweede man en zelfs al zorgde ik voor mijn eigen team, ik haalde toch iedere maand vijf keer mijn salaris binnen. Heb je enig idee hoeveel meer ik had kunnen verdienen als Malfi zowel de familie Sorrentino als Carlo zou leiden?'

Zolang hij aan het praten was, zou hij mijn vingers waarschijnlijk met rust laten. Ik moest het gesprek op gang houden.

'Je kunt me niet vermoorden,' zei ik.

'Nee?' Hij trok een gezicht. 'Waarom in godsnaam niet?'

'Ik ben officieel aan je overgedragen. Mijn naam staat in het dossier van de politie van Las Vegas. Iemand zal het merken als ik opeens weg ben.'

'Wie zegt dat je opeens weg zult zijn?' zei hij, en net op dat moment kwam Angela Taylor de trap weer af kletteren en verscheen ze weer in het vuile achterkamertje.

'Angie,' zei hij. 'We doen een rollenspel. Laat Kate hier zien hoe we haar kunnen laten verdwijnen.'

Taylor glimlachte. 'Nou, ik zal wat haarverf nodig hebben. Of een pruik. Stan hier weet waar je goede kunt krijgen. Misschien ook wat gekleurde contactlenzen. In ieder geval, ik ga naar de bespreking met de U.S. Marshals van de getuigenbescherming. "Hallo! Ik ben Kate Grey uit Engeland."' Haar accent was angstwekkend goed. '"Portland? Zeker, klinkt goed. Bediende op de groenteafdeling van de Wal-Mart? Prima, ik vind het best!" We houden het een tijdje vol en dan gaat Kate ervandoor. Het zou niet de eerste keer zijn dat een kroongetuige tot het besluit komt dat zijn nieuwe leven hem niet bevalt. We zorgen dat je creditcards op een paar plekken gebruikt worden, zodat ze niet denken dat er iets mis is.'

'Dat is maar één van de opties,' zei Daultrey. 'Een van de ingewikkelder manieren. Ik geef de voorkeur aan iets eenvoudigers; we schieten zes kogels in je lijf, leggen een pistool in je hand en beweren dat je op het punt stond op een FBI-agent te schieten.'

'Gelul,' zei ik. 'Denk je dat ze je zullen geloven als mijn handen er zo uitzien?'

Hij haalde zijn schouders op. 'Dan zeggen we dat je ervandoor bent gegaan en vindt een of andere arme Cajun twee maanden later je opgezwollen lijk in een moeras in Louisiana. Hoe klinkt dat?'

Hij stond op. Ik probeerde mijn stoel van hem weg te schuiven en mijn blote voeten gleden over het vuile linoleum, maar hij duwde hard op de armleuningen om me op mijn plek te houden.

'Niet doen,' smeekte ik toen hij mijn duim pakte.

Zijn telefoon ging.

Toen hij me losliet, zei zijn blik dat ik de grootste bofkont op de wereld was. Hij liep naar de andere kant van de kamer en keek op het schermpje wie er belde.

'Ik had niet verwacht iets van jou te horen,' zei hij tegen degene die hij aan de lijn had. Toen hij hoorde wat er gezegd werd, draaide hij zich weer naar me om en zijn ogen waren zo hard als graniet. Hij gaf een adres door en hing op.

Hij ging op zijn hurken voor me zitten, zo dichtbij dat ik de whisky die hij gedronken had en de sigaret die hij gerookt had kon ruiken.

'Zo te horen hebben we je misschien toch niet nodig,' zei hij. 'Maar we moesten je nog maar niet kwijtraken voor het geval onze wederzijdse vriend het mis heeft.'

Ik sloot mijn ogen. Ze hadden Charlie gevonden. We waren allebei zo goed als dood.

Er viel een stilte. Daultrey mompelde iets tegen iemand in de keuken. Ik hoorde een lucifer aangestreken worden toen hij een sigaret opstak. Buiten jankte iets. Ik wist niet of het een dier of een mens was.

Toen ik mijn ogen weer opendeed, zat Taylor met haar benen over elkaar op Daultreys stoel, ieder haartje op zijn plek en haar nylons volmaakt glad en vrij van ladders. Ze zat te me bekijken.

'Hoe ben je zo geworden?' fluisterde ik tegen haar.

'Hoe bedoel je?' vroeg ze, alsof het een rare vraag was.

'Je kunt niet hiervoor bij de FBI zijn gegaan. Hoe is het begonnen? Met iets kleins? Heeft hij je gevraagd iets te doen waar je niet helemaal gelukkig mee was, maar dat je wegredeneerde toen het eenmaal gedaan was?' Ik had een verschrikkelijke dorst, maar ik wist dat ze het waarschijnlijk tegen me zouden gebruiken als ik om water zou vragen. 'En het volgende dat hij van je vroeg was groter, maar hij wist je over te halen, of misschien heb je jezelf overgehaald. En een paar jaar later kijk je erop terug en besef je dat er geen terugweg meer is. Je kunt er niet meer mee ophouden, nooit meer opnieuw beginnen. Je moet er gewoon mee doorgaan. Jezus, je bent het Enron van de FBI.'

Daar leek ze vreemd genoeg beledigd door te zijn. 'Nee, we zijn niet

Enron,' zei ze alsof ze iets zuurs proefde. 'Die zijn rijk geworden terwijl de gewone mensen leden, mensen die in hen geïnvesteerd hadden voor hun pensioen of om hun kinderen te laten studeren.'

Ik lachte hoestend. 'O, je houdt jezelf voor dat alleen slechte mensen getroffen worden. Zo is het toch? Het is oké, want alleen misdadigers lijden onder wat jullie doen. En Ben Gerber dan, de man die jullie hebben laten verdrinken? Was die ook schuldig?'

Er verscheen een rimpel in haar voorhoofd. 'Hij was een kleine crimineel. Hoe denk je dat Stan hem gevonden heeft? Hij betrapte hem op heterdaad en vertelde hem dat hij de keus had: een paar jaar in de cel of informant worden. Een tijdlang was hij behoorlijk nuttig, maar toen begon hij met betere mensen om te gaan en zijn levenswijze aan te passen en hadden we niets meer aan hem.'

'Dus vond je iets anders wat je met hem kon doen,' raspte ik. 'Jezus, Angela, dat is pas kil.'

Ze wendde zich van me af en keek waar Daultrey bleef. 'Hij was geen groot verlies voor de samenleving. Hij had het IQ van een deurmat,' zei ze afwezig. 'Hoe dan ook, met de huidige recidivecijfers weet ik zeker dat hij op een gegeven moment weer de fout in was gegaan.'

'O, ja?' vroeg ik.

Daultrey verscheen weer in de deuropening en wees naar me met een aangestoken sigaret in zijn hand. 'Niet met haar praten,' zei hij. Ik wist niet zeker wie hij waarschuwde, Taylor of mij.

Taylor stond op en wandelde in haar strakke mantelpakje naar de keuken. Het licht van de straatlantaarns op de weg werd weerkaatst door Daultreys brillenglazen, zodat zijn ogen verdwenen achter twee ondoorzichtige vlakken. Hij draaide zich ook om naar de keuken en ik bleef alleen achter.

Ik probeerde nog iets te verzinnen, maar er was niets meer. Ik zat in mijn ondergoed aan een stoel gebonden, in een verlaten straat, in een verlopen wijk. Bijna al mijn vingers waren gebroken, wat niet alleen betekende dat ik mezelf niet los kon maken, maar ook dat ik geen deur of raam open kon krijgen. De drie mensen die me bewaakten waren allemaal gewapend, gezond van lijf en leden en hadden allemaal een FBI-penning. Adrenaline was het enige dat me bij bewustzijn hield. Ik liet mijn hoofd hangen, te wanhopig om zelfs maar te huilen, en wachtte af.

Twintig minuten later werd er in een bepaald ritme op de deur geklopt: lang, vier maal kort, twee maal lang; zeven tikjes. Daultrey keek door een kier tussen de planken voor de voorramen en deed toen de voordeur open. Hij schudde iemand de hand en deed een stap opzij om hem binnen te laten.

De man liep de achterkamer in en liet koeltjes zijn blik over mijn halfnaakte lichaam, mijn gebroken vingers en mijn bebloede gezicht gaan.

'Hallo, Kate,' zei hij lijzig. 'Je ziet er goed uit.'

HOOFDSTUK NEGENENTWINTIG

Nu begon ik te huilen. 'Wat doe jij hier?'

'Heb je een locatie voor me, De Santis?' vroeg Daultrey.

'Nee, Luke,' zei ik, terwijl de tranen over mijn vuile gezicht liepen. 'Nee, vertel het hem niet, vertel het hem alsjeblieft niet.'

Luke haalde een pakje Marlboro uit zijn jaszak en stak een sigaret op. 'Hij is op Elsmere Drive 1508.'

'Alleen?'

'Ja, zo te horen wel. Maar zijn mensen zijn onderweg vanuit Chicago, dus ik zou niet te lang treuzelen.'

'Wat is het voor locatie?'

Luke nam een haal van zijn sigaret. 'Ik ben er maar een paar keer geweest. Als ik me goed herinner, is het groot en vrijstaand, met grond eromheen en hoge heggen om het te beschermen. Afgelegen. O, en er is een hek.'

'Het klinkt alsof we jou nodig hebben om binnen te komen.'

Hij haalde zijn schouders op. 'Ik was al van plan om mee te gaan. Ik wil een oogje houden op dat dametje hier. Joe heeft me verteld dat ze jullie al twee keer het nakijken heeft gegeven. Ik wil niet het risico lopen dat ze dat nog eens doet. Als de Carlo's erachter komen dat ik hierachter zat, is het afgelopen met mij.'

Daultrey keek op me neer. 'Kate? Je bent wel heel stil. Wil je De Santis hier niet eens goed de waarheid zeggen omdat hij je heeft verraden? Alweer?'

Luke schudde zijn hoofd. 'Dit is tijdverspilling.'

Ik wist dat ik het beste mijn mond dicht kon houden. Ze hielden me alleen in leven voor het geval Lukes informatie niet klopte.

Daultrey verzamelde zijn agenten in de keuken zodat Luke en ik alleen bleven, met alleen Taylor om op ons te passen. Hij veegde de stoel tegenover me af om geen viezigheid op zijn onberispelijk geperste zwarte broek te krijgen en ging zitten.

'Smerige slang,' zei ik met warme tranen op mijn gezicht. 'Ik zweer je, als ik ooit de kans krijg, vermoord ik je.'

'Nou, kinderen...' zei Taylor. 'Gedraag je.'

Luke glimlachte slechts naar me, maar het was een glimlach die zijn ijskoude ogen niet bereikte.

'Charlie vertrouwt je,' zei ik. 'Hoe kun je hem dit aandoen?'

'Ik heb het geld nodig.'

'Wat héb je toch?'

'Misschien heb ik als kind niet genoeg liefde gekregen.'

'Jezus, Luke.'

Hij keek me alleen maar aan, bijna zonder te knipperen. 'Hij houdt echt van je, weet je.'

'Ja,' zei ik met opeengeklemde tanden. 'Dat weet ik.'

'Voor het geval je dacht dat het maar een spel was, een manier om te ontsnappen. Hij wist niet hoe erg het met je was. Hij belde me elke dag om te horen wat je uitvoerde. Hij wilde alles weten, waarover we gepraat hadden, wie je allemaal ontmoet had, welke boeken je las, welke muziek je luisterde. Dan kocht hij de boeken en de muziek zodat hij hetzelfde kon lezen en beluisteren als jij. Maar ik heb hem niet de hele waarheid verteld. Dat had hij niet aangekund. Hij dacht dat het goed met je ging.'

'Waarom vertel je me dit?' Ik vocht tegen de tranen, want ik wilde niet dat hij me nog zag huilen.

'Omdat jullie allebei snel dood zullen zijn en ik dacht dat je het zou willen weten.'

Daultrey kwam weer binnen. 'Maak haar los, Taylor. En zoek wat kleren voor haar. Die overall is kapot en het trekt te veel de aandacht als we haar in haar ondergoed rondrijden.'

'Stop haar in de kofferbak,' stelde Luke voor.

'Het is een hatchback, De Santis. Die heeft geen kofferbak.'

'Mijn auto wel,' zei Luke. 'Ik neem haar wel mee.'

'Dat dacht ik niet,' antwoordde Daultrey. 'Ik weet nog niet of ik je wel voor honderd procent kan vertrouwen.' Hij boog zich naar hem toe. 'Denk eraan dat we je kunnen aanklagen voor de moord op Calabresi zodra we maar willen. Eén verkeerde stap, De Santis, één verkeerde stap...'

'Heb jij Federico Calabresi vermoord?' zei ik. 'Komt het door jou dat Charlie moest vluchten?'

'Ironisch, niet?' merkte Daultrey op. 'Je man heeft zijn familie en zijn carrière opgegeven, allemaal om De Santis hier te beschermen. En kijk wat hij ervoor terugkrijgt.'

Luke kwam overeind, liet zijn sigaret op het linoleum vallen en trapte hem onder zijn schoen uit.

'Kunnen we nu weggaan?' zei hij tegen Daultrey.

Taylor had geweigerd me haar jasje te geven – 'het is van Hugo Boss!' –, dus droeg ik dat van Jerkins. Het was zo lang dat het tot halverwege mijn bovenbenen reikte. Ik zat op de achterbank van de auto, geflankeerd door Daultrey en Johnson. Taylor reed.

Mijn gezwollen en gemangelde handen waren voor mijn lichaam vastgebonden. Johnson staarde naar buiten, blijkbaar niet in staat om me aan te kijken. Taylor neuriede mee met het liedje op de radio, 'Don't Worry, Be Happy'.

We reden achter Wilson en Jerkins aan, die bij Luke in zijn kersenrode Maserati zaten. Ik kon alleen maar aan hem denken en voelde me ziek. Ik dacht aan zijn vriendschap met Charlie, hoe hij altijd meteen was gekomen als we hem nodig hadden, een telefoontje was genoeg geweest. Ik dacht eraan hoe snel hij ons gevolgd was naar Engeland en hoe blij Charlie was geweest om hem te zien. Hij had hem zelfs van het vliegveld gehaald en had vrij genomen om hem te helpen een flat te zoeken. Ik dacht eraan hoe vaak hij me de laatste twee weken had gehinderd bij mijn pogingen Charlie te vinden.

'Hij hielp jullie dus al die tijd al?' Ik slikte de gal in mijn mond door.

Daultrey boog naar voren. 'Angie, niet zo hard. Ik wil niet aangehouden worden.'

'Ik probeer De Santis bij te houden,' verdedigde Taylor zich.

'Geloof me, hij gaat vanzelf langzamer rijden als hij ziet dat je niet vlak achter hem zit.' Hij leunde weer achterover. 'Al die tijd,' zei hij bevestigend tegen mij.

'Waarom heeft hij jullie dan niet verteld dat we naar Sicilië gingen?' vroeg ik.

'Dat heeft hij wel gedaan.'

'En jullie lieten me gewoon Bianchi ondervragen?'

'Laten we er geen doekjes om winden, Kate. Je hebt Bianchi niet ondervraagd, je hebt haar gemarteld.'

Ik keek neer op mijn scheefstaande vingers. Misschien bestond er toch zoiets als karma.

We bevonden ons inmiddels in een van de welvarender buitenwijken van Vegas. De huizen stonden aan het eind van lange opritten, beschermd door hekken en verscholen achter heggen en bomen. Lukes auto ging linksaf en meteen rechtsaf en begon langzamer te rijden toen hij op Elsmere Drive kwam. Zijn remlichten flitsten rood op toen hij halverwege het ene huis en het volgende remde, door de hekken en bosjes onzichtbaar voor de bewoners.

Daultrey maakte aanstalten uit te stappen. Ik legde mijn handen op zijn arm.

'Alsjeblieft,' zei ik met trillende stem. 'Doe het niet.'

'Ik zal wel moeten,' zei hij. 'Jij, Carlo en De Santis zijn de enigen die weten van mijn afspraken met Malfi. Ik moet jullie wel uit de weg ruimen. Het spijt me.'

Hij ging Luke ook vermoorden.

'Luke!' riep ik door het open portier. 'Pas op voor...'

Daultrey legde zijn gespreide hand over mijn gezicht en duwde mijn hoofd tegen de achterbank, zodat mijn neus platgedrukt werd onder zijn palm.

'Hou je bek,' zei hij. Hij stapte uit de auto en boog zich toen weer naar binnen om me een stomp te verkopen. Ik wist de volle kracht van de klap met mijn elleboog af te wenden, die ik omhoog had gebracht om mijn gezicht te beschermen.

Johnson deed zijn das af. Ik probeerde hem van me af te houden, maar ik kon mijn handen niet gebruiken en hij zette een knie op mijn schoot om te voorkomen dat ik hem schopte toen hij de das in mijn mond duwde, de uiteinden achter mijn hoofd trok en er een knoop in legde die strakker leek te worden naarmate ik meer tegenstribbelde.

In het zwakke licht van de koplampen boog Daultrey zich in Lukes auto en sprak iets met hem af. Hij keerde terug naar onze wagen en fluisterde door het raampje iets tegen Taylor. Taylor deed de koplampen uit. Daultrey ging weer naast me zitten en knikte goedkeurend toen hij zag hoe me het zwijgen was opgelegd. Hij sloeg het portier dicht, haalde zijn pistool uit de holster en schroefde er een geluiddemper op. De andere agenten volgden zijn voorbeeld en we wachtten terwijl Luke gas gaf en zijn Maserati naar het volgende hek reed.

Ik zag hem een vinger uitsteken en op de zoemer drukken. Ik kon niet horen wat hij zei, maar het hek ging even later met een zacht gejank open. Luke reed erdoorheen. Taylor deed de handrem naar beneden, schakelde in de eerste versnelling en volgde hem door het open hek.

Het viel achter ons dicht.

'Taylor, ga de omgeving verkennen. Johnson, naar de achterkant van het huis om zijn ontsnappingsweg af te snijden.'

De agenten gleden de wagen uit en gingen elk een andere kant op. Lukes auto reed soepel over de geplaveide oprit naar de plek waar Charlie wachtte, alleen en in gevaar.

Ik kan niet uitleggen hoe ik me voelde bij de wetenschap dat mijn man ging sterven en dat er niets was dat ik kon doen. Wetend dat we tegen het eind van de nacht allebei dood zouden zijn, hoe ik ook protesteerde, hoe ik ook tegenstribbelde.

Daultreys pistool drukte tegen mijn zij, maar met de strop in mijn mond kon ik toch geen alarm slaan. Lukes auto remde, maar hij zette de motor niet af. Na een paar minuten kwam Taylor weer tevoorschijn, stapte achter het stuur en draaide zich om naar Daultrey.

'Alles lijkt rustig,' zei ze. 'Alle kamers waar ik naar binnen kon kijken zijn leeg. De enige waarvan de gordijnen dicht zijn, is de voorkamer die je daar ziet.' Het was de kamer aan de linkerkant van de voordeur. 'Er lijkt geen licht te branden. Hij is er niet, of anders houdt hij zich verborgen.'

Daultrey haalde zijn mobiel voor de dag. 'Eropaf,' zei hij.

We keken allebei vanaf het begin van de oprit toe hoe Luke uit zijn auto stapte en Wilson en Jerkins gebukt achter de auto gingen zitten. De een bleef zich achter de auto verbergen, terwijl de ander langs de muur naast de voordeur kroop, uit het zicht van degene die open zou doen.

Luke belde aan. Er gingen seconden voorbij, maar er werd niet opengedaan. Ik bad dat Luke het mis had, dat het huis leeg was. Hij belde nog eens en wachtte even af. Toen deed Luke een stap naar voren en duwde tegen de deur. Die zwaaide open. Had Charlie hen zien komen en was hij naar de achterdeur gerend? Zou het volgende geluid dat we hoorden het zachte poppen van Johnsons pistool zijn terwijl Charlie via de achterdeur probeerde te ontsnappen?

Luke ging aarzelend naar binnen en we hoorden een heel zwak: 'Joey?'

Wilson en Jerkins volgden hem met het pistool in de aanslag.

Het bleef stil. Toen zagen we in de donkere ramen van de voorkamer een reeks flitsen, alsof iemand geluidloze rotjes afstak.

Ik hield mijn adem in.

Iemand kwam wankelend het huis uit. Ik zag aan het lichtblonde haar dat het Luke was. Hij strompelde over de oprit naar onze auto. Daultrey deed het raampje naar beneden en toen Luke dichterbij kwam, zagen we dat zijn overhemd en jasje aan de linkerkant doorweekt waren met bloed. Hij hield zijn handen tegen zijn buik.

'De schoft schoot op me,' zei hij.

'Is Joe Carlo dood?' snauwde Daultrey.

'Ik denk van wel. Wilson had hem goed te pakken.' Ik had het gevoel dat ik plotseling met ijswater werd overgoten en het zweet stond als bevroren druppels op mijn huid. 'Jerkins is dood. Wilson heeft ook een kogel opgelopen. Hij moet naar een dokter.' Luke keek naar zichzelf, naar al het bloed. 'Maar waarschijnlijk niet zo dringend als ik.'

Daultrey deed het portier open, stapte uit en sleepte me mee. Mijn benen begaven het bijna toen ik op de solide stenen van de oprit probeerde te gaan staan. Half duwend en half trekkend bracht hij me naar de open deur, met zijn pistool nog steeds in mijn zij. Taylor kwam ook uit de auto en volgde ons.

De zwarte ingang doemde voor ons op. Ik durfde niet naar binnen te gaan, doodsbang dat ik daar Charlies lijk zou aantreffen, dat zonder iets te zien naar het plafond staarde. Daultrey duwde me de deur door.

Achter ons klonken een paar gedempte knallen. We draaiden ons allebei om en zagen Angela Taylor op de grond vallen als een marionet waarvan de touwtjes waren doorgesneden. Luke stond naast haar, het pistool in zijn uitgestrekte hand nog steeds gericht op de plek waar haar hoofd zich een fractie van een seconde eerder nog bevonden had.

Daultrey sprong naar binnen en sloeg de deur achter zich dicht om Luke buiten te sluiten. Hij bukte en keek om zich heen om zich te oriënteren. We bevonden ons in een grote hal met een marmeren vloer. Aan elke kant waren drie deuren, en nog twee aan de achterkant. Een gebogen trap leidde naar de eerste verdieping. Alles was stil in de duisternis.

Daultrey wilde me niet uit het oog verliezen. Hij trok me naar beneden en dwong me naar de achterkant van de hal te strompelen, waarschijnlijk hopend dat ik al te haastige kogels zou opvangen. De deur aan de linkerkant gaf toegang tot de grote keuken. De achterdeur was open en we zagen het pad dat de tuin in liep. In het vage maanlicht konden we Johnson op zijn rug zien liggen met drie donkere bloemen van bloed op zijn overhemd.

'Verdomme,' vloekte Daultrey. Hij haalde diep adem, deed de achterdeur dicht en op slot zodat Luke hem niet kon gebruiken om bij ons te komen en hurkte toen weer snel neer.

Er kwam gekraak van boven. Het leidde Daultrey af en toen hij omhoogkeek naar het plafond rende ik op hem af en gebruikte mijn lichaamsgewicht om hem omver te stoten. We rolden over de tegelvloer. Hij draaide me om en ging bovenop me liggen. Mijn handen werden geplet onder mijn lichaam en ik gilde. Gedempt door de strop was het niet meer dan het geblaat van een dier in een val.

Daultrey rolde van me af en ik bleef liggen. Ik hield mijn schokkende handen zo stil als ik kon en de tranen van pijn gleden aan weerszijden over mijn gezicht.

'Sta op,' siste hij, en hij richtte het pistool op me. 'Sta verdomme op, anders schiet ik je ter plekke neer, ik zweer het je.'

Ik hyperventileerde bijna toen ik me over de terracotta tegels naar achteren duwde tot ik het keukeneiland achter me voelde. Ik wist mijn rug ertegenaan te krijgen en gebruikte mijn benen en het steuntje in mijn rug om me overeind te duwen.

Met mij als schild voor zich sloop hij de hal weer in, zijn ogen waren inmiddels gewend aan het gebrek aan licht. Toen hij niemand zag op de bovenverdieping, nam hij me mee naar de trap en beklommen we die tree voor tree. Hij bleef weer staan om te luisteren naar het krakende geluid dat we hadden gehoord, maar ik ving alleen mijn raspende ademhaling op.

We waren bijna boven aan de trap toen al het licht aanging. Het hele huis was plotseling verlicht en de nacht werd zwart in plaats van grijs in elk kaal raam. En we konden iedereen zien.

Angelo Carlo stond boven aan de trap. Hij droeg een vest en zijn overhemdsmouwen waren opgerold. Hij had een pistool in zijn hand en vlekken bloed in zijn witte baard. Iets verderop op de overloop stond een jongeman die een magerder versie van Charlie leek, maar met bruine in plaats van blauwe ogen. Ook hij was gewapend. Aan Carlo's andere kant stond een vrouw met krullen van ongeveer dezelfde leeftijd als Charlie, voeten uit elkaar en het hagelgeweer in haar handen gericht op Daultreys hoofd.

Daultrey wist niet op wie hij moest richten, dus nam hij mij onder schot.

'Achteruit!' blafte hij naar de drie mensen boven ons. Ik wilde weten waar Charlie was, Angelo vragen of alles goed was met zijn zoon, maar ik kon alleen maar een onverstaanbaar gekreun uitbrengen.

'Daultrey!' zei een stem achter ons. Daultrey trok me nog dichter tegen zich aan, zette zijn .45 tegen mijn oor en draaide ons om.

Charlie stond aan de voet van de trap. Zijn gezicht was bont en blauw, maar hij stond fier rechtop. Ik moest bijna lachen van opluchting.

Hij had een pistool in zijn rechterhand.

'Het is afgelopen, Daultrey,' zei hij.

Er stonden twee mannen naast hem, allebei gewapend. Er waren zes vuurwapens op Daultrey gericht. Ik voelde dat hij de mogelijkheden overwoog.

'Verrek,' zei hij, en hij richtte zijn .45 op Charlie.

Er klonk een knal en Daultrey leek een paar seconden op de trap te wankelen voordat hij naar beneden viel. Hij landde met een bons op de onderste tree, met zijn gezicht naar beneden. Zijn kapotte bril schoot over de vloer. De helft van zijn achterhoofd was weg.

Angelo Carlo deed de grendel weer op zijn pistool. Ik liet me op de koude marmeren tree zakken en Charlie sprong met drie treden tegelijk naar me toe.

HOOFDSTUK DERTIG

Charlie vond een schaar in de keuken en knipte de plastic banden door waarmee mijn polsen waren vastgebonden. Er hing een mouwloze jurk in een van de kasten boven met een knoopsluiting aan de voorkant, wat betekende dat ik hem aan kon trekken zonder het risico te lopen mijn vingers te stoten. Charlie hielp me erin en knoopte hem toen voor me dicht.

We liepen door de hal. Daultreys lichaam was weg en een van de Carlo's haalde met bleek het bloed van de vloer.

De openslaande deuren in de achterkamer stonden open. Een man die Charlie had aangesproken met de bijnaam Foxtrot gooide aanstekervloeistof over de inhoud van een barbecue en zette met zijn sigaret de stapel bewijsstukken in brand. Charlie gooide de plastic banden en Jerkins' jasje in de vlammen en we zagen ze verbranden. Ik begon het effect te voelen van de pijnstillers die Charlie had gevonden.

Luke zat op een van de banken en drukte een handdoek tegen de wond in zijn zij. Ik ging naast hem zitten. Hij probeerde tegen me te glimlachen, maar had zoveel pijn dat het eruit kwam als een grimas.

'Het spijt me dat ik aan je getwijfeld heb,' zei ik.

Hij schudde zijn hoofd. 'Ik kan het je niet kwalijk nemen.' Hij keek me recht aan. 'Ik heb ze niet verteld dat Charlie op Sicilië was,' zei hij. 'Maar dat over Rico Calabresi is waar.'

'Heb jij hem vermoord?'

Hij knikte. 'Hij was me geld schuldig en ik was andere mensen geld schuldig. Rico wilde niet betalen. Ik werd wanhopig.'

'Jezus, Luke.'

Hij hief een hand en streek het haar uit mijn gezicht. 'Ik heb me voor jou anders voor moeten doen dan ik ben,' zei hij met een trieste glimlach. 'Charlie kan me verdragen omdat hij met me is opgegroeid. Hij weet hoe ver ik voor hem zou gaan, want hij zou net zo ver voor mij gaan. Maar kun jij daarmee leven?'

Het was precies waarvoor ik was weggelopen. 'Ik weet het niet,' zei ik eerlijk. 'Ik denk dat we daar vanzelf wel achter komen.'

De eerste klanken van 'Nessun Dorma' werden gezongen en ik keek verward om. Angelo Carlo beklopte zijn zakken en haalde er een mobiele telefoon uit. Pavarotti hield op met zingen toen Angelo de telefoon openklapte.

'*Buona sera,*' zei hij. 'Hoe is het met je, vriend?' Ik kon de persoon aan de andere kant niet verstaan, maar wat hij zei deed Angelo fronsen. 'Helaas is dit geen goed moment. We zitten midden in de... voorjaarsschoonmaak.' Ik nam aan dat dat een code was voor 'het verwijderen van de lijken van vijf FBI-agenten'.

'Wat voor probleem?' vroeg Angelo. Hij luisterde en toen ging zijn blik naar mij. 'Echt?' zei hij. 'Hoe interessant.'

Ik verschoof op de bank en voelde me opeens niet op mijn gemak.

'Ik geloof dat je een beetje laat bent,' zei Angelo tegen degene die hij aan de telefoon had. 'Die persoon die je zoekt, is die begin dertig en heeft ze zwart haar en grijze ogen?'

Charlie keek met een ruk naar zijn vader. Angelo beantwoordde zijn blik niet. 'Ze is hier,' zei hij. 'Ik zie je over een paar minuten, vriend.' Hij klapte de telefoon dicht.

'Pa?' zei Charlie. 'Wat is er aan de hand?'

De andere medewerker verscheen in de deuropening met een zak. 'Alles is schoon,' zei hij tegen Angelo. 'Ze liggen in de Ford. Moet ik ze nu wegbrengen?'

'Nog niet, Sal,' zei Angelo. 'Kun je hem achter het huis zetten? Onze vrienden van over het water zijn binnen een paar minuten hier en ze hoeven geen auto vol dode FBI-agenten op de oprit te zien.'

'Komt in orde,' zei Sal. Hij bracht de zak naar Charlie, die bij het vuur stond. 'Die heb ik achter in de Ford gevonden, Joe. Er zit een blauwe overall in en ook nog wat zakken met bewijsstukken, met kleren erin.'

Charlie negeerde hem en bleef fronsend naar zijn vader kijken.

'Alles gaat het vuur in, Sal,' instrueerde Angelo, die zijn blik niet van me afwendde. Sal knikte, deed wat hem gezegd was en vertrok om de auto weg te zetten.

'Pa?' zei Charlie weer. 'Wat moeten de Harpers met Kate?'

'Dat is een goede vraag,' knikte Angelo. 'Kate, zou jij die willen beantwoorden?'

Ik liep naar Charlie. 'We moeten weg,' zei ik tegen hem. 'Nu meteen, bedoel ik, voordat iemand beseft dat die agenten zijn verdwenen, voordat de mensen van Sorrentino de tijd hebben zich te hergroeperen en achter ons aan te komen.'

De intercom zoemde en Foxtrot ging de hal in om erop te reageren. 'Hallo, Grant,' zei hij. 'Kom maar binnen.' Een paar tellen later hoorden we een auto voor het huis stoppen. Foxtrot stak zijn hoofd om de deur. 'Ze zijn er,' zei hij tegen zijn baas.

'Is ze in gevaar?' wilde Charlie weten, en hij ging tussen mij en zijn vader staan.

'Laat ze binnen,' zei Angelo.

We hoorden de voordeur opengaan en Foxtrot Carlo's gasten begroeten. 'Kom binnen,' zei hij. 'Let niet op de rommel, we hebben vanavond wat problemen gehad.'

'Foxy, makker, geen enkel probleem,' zei een vertrouwde stem met een Cockney-accent. 'Waar is mijn meisje?'

Charlie draaide zich verbaasd naar me om.

'Uw meisje?' herhaalde Foxtrot toen hij de kamer weer in kwam, vergezeld van een stevige kerel met grijzend haar en een zonnebankkleurtje.

De pas aangekomene grinnikte toen hij me zag en er verschenen rimpeltjes om zijn grijze ogen.

'Katrina!' zei hij. 'Dat is een tijd geleden.'

Ik wist een spijtig lachje tevoorschijn te toveren. 'Hallo, pa.'

HOOFDSTUK EENENDERTIG

'Is Harper jouw vader?' zei mijn man ongelovig.

'Charlie, het spijt me vreselijk,' zei ik. 'Ik probeerde het je te vertellen in de hotelkamer, maar toen kwam Johnson en...'

Kytell moest bukken om door de deuropening te kunnen. Hij wrong zich langs mijn vader en kwam recht op me af, maar stopte op het allerlaatste moment toen hij mijn handen zag. Zijn stralende gezicht betrok bij het zien van mijn gebroken vingers.

'Wie heeft je dat verdomme aangedaan?' gromde hij. 'Ik vermoord ze.'

'Dat hebben we al gedaan, Grote Man,' zei Luke laconiek vanaf de bank.

Kytell keek vragend naar mij en ik knikte. Toen ontspande hij een beetje en kuste me op het voorhoofd. Ik zag zijn ogen groter worden toen hij Charlie in het oog kreeg.

'Verdomme, makker. Dus je bent niet dood?'

'Het is een lang verhaal,' zei Charlie, die mij aan stond te staren.

'Wat doe jij hier in godsnaam?' vroeg ik aan Kytell.

'Denk je dat ik thuis op je ging zitten wachten?' zei hij. 'Ik weet dat je je vader er niet bij wilde betrekken, maar verdomme, Kate, hij leek de beste persoon om naartoe te gaan. Het blijkt dat hij Sorrentino kent; hij heeft in het verleden met hem te maken gehad.'

'Een akelig stuk vreten,' zei mijn vader met een boos gezicht.

'Zelfs volgens jouw normen?'

'Ik heb bewondering voor het lef waarmee je achter hem aan ging, liefje, maar we waren niet van plan je het helemaal alleen te laten doen. Heeft hij je dit aangedaan?'

'Nee,' zei ik. 'Het is een lang verhaal. Hoe wist je dat ik in Las Vegas was?'

Kytell grinnikte. '1471, domoor. Denk je dat ik geen postcode kan opzoeken op het internet?' Ik was er zo in opgegaan wraak te nemen voor Charlie dat ik mijn sporen niet eens behoorlijk had uitgewist. 'En toen we beseften dat de Carlo's ook in de stad waren, bedachten we dat zij er waarschijnlijk ook mee te maken hadden.'

'Dus jullie en de Carlo's zijn opeens grote vrienden?' zei ik.

'Dit zijn de mensen over wie ik je heb verteld. Waar Luke ons mee in contact heeft gebracht. Ik heb ze zelf nog niet echt ontmoet; je weet dat pa altijd wil dat ik me concentreer op de clubs en dat soort zooi.'

Luke wuifde om zich heen. 'Kytell, mag ik je voorstellen aan Angelo Carlo, Paulie Carlo, Fran Carlo de jongere en Foxtrot. Joe ken je geloof ik al. Carlo's, dit is Kytell Davis, de broer van Kate en blijkbaar lid van de Harper-clan.'

'Kate, wil je me alsjeblieft vertellen wat er verdomme aan de hand is?' vroeg Charlie boos.

'Ik heb Ky over Sorrentino verteld zodat er nog steeds met hem afgerekend zou worden als ik het niet zou redden,' legde ik uit.

'Om eerlijk te zijn is dat niet het raadsel,' zei mijn man strak. 'Wat ik graag wil weten is waarom je me niet verteld hebt dat de man die alles regelt in Londen jouw vader is, verdomme!'

'Hij regelt niet alles in Londen,' zei ik. 'Alleen ten zuiden van de rivier.'

'O, dat verklaart waarom je het niet de moeite vond het me te vertellen!' riep hij sarcastisch.

'Waag het niet mij aan te vallen op eerlijkheid,' riep ik terug. 'Juist jij zou moeten begrijpen waarom ik je niet wilde vertellen dat mijn vader een misdadiger is.'

'Hé, laat dat misdadiger maar weg,' zei mijn vader. 'Ik kan je vertellen dat ik tegenwoordig een respectabel zakenman ben.'

'O, dus je schiet geen knieën meer kapot?' zei ik getergd.

'Nee.' Hij haalde zijn schouders op. 'Daar heb ik nu mensen voor.'

'Wacht eens even.' Ik herinnerde me opeens iets wat Charlie me in het hotel had verteld. 'Charlie, je zei dat jouw vader contacten legde in Londen om iemand te zoeken die me kon ontvoeren. Had je het over deze mensen?'

Het duurde even, maar toen verdween alle woede en spanning uit Charlies trekken en bleef alleen het heerlijk vertrouwde gezicht over van mijn lachende echtgenoot.

Het was een beetje een ongemakkelijke reünie nu Angelo en mijn vader al een paar maanden Engels-Amerikaanse relaties aan het smeden waren zonder er enig idee van te hebben dat ze aangetrouwde familie waren. Maar toen Sal eenmaal de lijken van de vijf dode agenten had weggereden, met instructies 'om ze op dezelfde plek op te bergen als Hoffa', haalde Angelo zijn beste moutwhisky voor de dag en werd de stemming lichter. Tegen de tijd dat de maffiadokter arriveerde om Luke op te lappen, mijn vingers te verbinden en ons allebei een gulle dosis morfine te geven, vermaakten de twee heren uit de onderwereld elkaar met verhalen over de weigering van hun nazaten om in het familiebedrijf te komen werken.

'Toen ze vijf was, kon ze een vuurwapen uit elkaar halen en weer in elkaar zetten,' zei mijn vader tegen Angelo. 'Ze was een prima schutter. We hadden haar echt kunnen gebruiken in de zaak, maar haar moeder wilde dat ze naar een chique school ging en leerde een dame te zijn.'

Angelo knikte en nam een slokje whisky. 'Het was precies hetzelfde met Guiseppe. De vrouwen kunnen het verdragen dat hun man en hun broers in het leven zitten, maar als het om hun kinderen gaat is het een ander verhaal. Joe's cijfers waren zo goed dat Francesca zei dat het zonde zou zijn om hem niet naar de universiteit te sturen.'

Pa snoof. 'Katrina's cijfers waren abominabel. Ze was lui. Werd niet van één kostschool gestuurd, maar van twee. Uiteindelijk gaven we het op en deden haar op de plaatselijke school, bij de jongens. Maar haar accent was te bekakt omdat ze met al die verwaande meiden had rondgehangen, dus werd ze een beetje gepest. De jongens wilden het wel voor haar opnemen, maar zij stond er altijd op haar eigen zaken te regelen, dus leerden ze haar een paar van de bewegingen die ik ze had laten zien. Ze was een taai snotaapje, een echte wilde meid. Ik dacht dat ze op een dag een goede schurk zou zijn. Jullie Italianen laten geen vrouwen toe in jullie werk, nietwaar, Angelo?'

Fran schonk zichzelf nog een whisky in.

'Nee, nee,' zei Angelo. 'Ze kunnen nuttig zijn, maar ze leggen nooit de eed af en leven niet volgens dezelfde code. Je kunt ze niet vertrouwen zoals je een man kunt vertrouwen.'

'Maar mijn meisje,' zei pa, die zijn hoofd boog en zijn punt benadrukte met zijn glas, 'mijn meisje was fantastisch geworden. Ze was een beetje driftig, maar soms is dat juist goed. Nee, haar probleem was die morele kant van haar, vooral met de hoeren.'

'Bij Joe waren het de drugs,' zei Angelo. '"Papa, waarom moet je geld verdienen aan de ellende van andere mensen?" Heel naïef.'

'Naïef?' zei Charlie, die net als ik zwijgend had zitten luisteren zonder iets te drinken. 'Je zag wat het deed met Lukes moeder.'

Ik keek naar Luke, die met zijn ogen dicht op de bank lag. Ik kon niet zien of hij wakker was of niet.

'Een zwaar drugsprobleem,' zei Angelo zachtjes tegen mijn vader. 'Coke om mee te beginnen, toen heroïne. Nam een overdosis toen hij nog maar een kind was. Geen vader om van te spreken. – Mijn vrouw en ik hebben hem grootgebracht.'

'Je hebt mijn andere zoon Kytell niet eerder ontmoet,' begon pa, en ik wist dat hij wilde beginnen aan het verhaal van Ky's moeder en het feit dat ze als hoer voor hem had gewerkt. Ik wilde niet dat Kytell moest horen hoe een stel vreemden zijn verleden kregen uitgemeten.

De dokter was net klaar met het verbinden van mijn laatste gebroken vinger en ik bedankte hem en kwam overeind.

'Pa, ik ben dankbaar dat je hierheen gekomen bent,' zei ik. Mijn vader keek verbaasd en zijn whiskyglas bleef roerloos voor zijn lippen hangen. 'Je zult wel denken dat dit een begin is, dat ik misschien terugkom naar de familie en mijn wortels accepteer...'

'Je zou verdomd goed zijn,' zei hij tegen me. 'Geef het maar toe, Kate, het zit je in het bloed. Kijk naar je man! Je kunt mij niet vertellen dat je niet geboren bent voor dit leven.'

'... Maar dat is het niet. Ik heb geleerd dat ik bereid ben te doden voor de mensen van wie ik hou. Maar dat geldt voor zoveel mensen, pa. Ik ben er alleen beter in, dankzij jou. En het feit dat Charlie en ik nog leven, daar moet ik je misschien ook dankbaar voor zijn.'

Ik liep naar Angelo Carlo, die naar me keek met een vreemde uitdrukking in zijn ogen. Ik bukte en kuste hem op beide wangen.

'Dank je, Angelo. Voor alles. Maar nu zou ik hem graag willen meenemen, als ik kan. We zullen ver weg moeten gaan en jullie zullen ons heel lang niet kunnen zien. Zeg alsjeblieft dat het oké is.' Ik slikte moeizaam. 'Ik beloof je dat ik hem gelukkig zal maken.'

Even dacht ik dat ik de glans van tranen zag in de ogen van Angelo Carlo, maar toen knikte hij traag en waren ze weg.

'Dat weet ik, Katerina. Je hebt mijn zegen.'

Kytell glimlachte naar me toen ik langs hem naar Charlie liep. De ogen van mijn man waren donker toen hij naar me opkeek. Ik streelde zijn gezicht met mijn belachelijke verbonden hand.

'Geen geheimen meer?' fluisterde ik.

Hij staarde me aan en ik kon achter in zijn ogen zien dat hij eindelijk begon te begrijpen, net als ik, waarom we ons vanaf het allereerste moment zo tot elkaar aangetrokken hadden gevoeld. Zijn glimlach brak door op het moment dat de eerste straal licht van de rode dageraad over de rand van de hemel piepte.

'Geen geheimen meer,' fluisterde hij terug.

EEN PAAR MAANDEN LATER

Er is geen wolkje te bekennen aan de weidse blauwe hemel. Aan de horizon verschijnt een wit vlekje, dat glinstert in de warme lucht. Het wordt groter als het dichterbij komt; driehoekjes van witte zeilen, strak in het briesje.

Een vrouw in een bikini met een honkbalpetje op, een en al van zout doortrokken haar en bruine ledematen, staat achter in de boot en stuurt hem door het water. Op het voordek leunt een man in een kaki korte broek tegen de reling, zijn huid gebruind door de felle zon; hij kijkt naar de rand van de hemel.

'Hier,' zegt hij. 'Dit is volmaakt.'

Binnen een paar minuten ligt het anker uit en zijn de zeilen tegen de masten gebonden. De twee zijn er handig in geworden om samen te werken, met geoefende en precieze bewegingen. Nu liggen ze languit op een grote witte handdoek op het dek uit te rusten. Het enige geluid is dat van de oceaan, die tegen de zijkant van de boot kabbelt.

Het lange zwarte haar van de vrouw ligt als ravenvleugels om haar hoofd. Ze glimlacht naar haar man en er verschijnen twee kuiltjes in haar wangen. Hij buigt zich over haar heen en kust haar, en hij voelt de warmte van de zon op zijn rug. Ze hebben eerder mojito's zonder alcohol gedronken en ze smaakt naar munt en bruine suiker.

'Gefeliciteerd met je verjaardag, Joe,' zegt ze. Ze draait zich om, pakt een tas die onder een ligstoel verborgen lag en geeft hem met een grijns aan hem.

Hij kijkt er nieuwsgierig in en haalt er een boek uit. Een oude paperback met omgekrulde bladeren en een gescheurde kaft. Hij lacht als hij de titel ziet.

'Niet te geloven dat je dat nog wist,' zegt hij.

'Je hebt het niet gelezen toen...' Ze maakt de zin niet af, omdat ze het niet graag heeft over het jaar dat ze zonder elkaar hebben geleefd.

'Nee,' zegt hij, en hij buigt zijn hoofd om nog een zachte kus op haar lippen te drukken. 'Maar we zitten hier kilometers overal vandaan. Waar heb je het in godsnaam gevonden?' Het is vele kilometers geleden dat ze in de buurt van een boekenwinkel waren.

'Dat oude ding waar we vorige maand logeerden. Ze hadden een plank vol boeken om mee te nemen.'

Hij gaat op zijn rug liggen, doet het boek open en leest de eerste vertrouwde bladzijden. Hij heeft zich al meer dan een jaar afgevraagd wat er van de personages geworden is. Opeens valt hem in hoeveel geluk hij heeft dat hij een nieuwe kans heeft gekregen om het te lezen, om het uit te lezen. Hoe vaak kunnen mensen terug en herwinnen wat ze zijn kwijtgeraakt? Hij houdt het boek tegen zijn borst en doet zijn ogen even dicht.

Ze mist het niet. Ze mist nooit iets. Ze streelt zijn haar terwijl achter hem elke golf het licht van de late middagzon weerspiegelt, als duizend piepkleine spiegels.

Hij draait zich naar haar om en legt zijn hoofd op haar schouder. Ze houdt hem vast en hij streelt haar licht bollende buik. De huid staat strak en begint te rekken. Zijn andere hand neemt die van haar en de vingers verstrengelen zich. Zo blijven ze heel lang liggen, tot de zon uit de hemel begint te verdwijnen en de Indische Oceaan een diepere blauwe tint krijgt.

Dankwoord

Voor hun feedback, steun en advies: Terry Daly, Grant Jerkins, Tim Loynes, Una McCormack, Philip Stiles, Paul Taylor, Brett Van Toen, Sylvia Van Toen en Steve Woolfries. Enorme dank ook aan Vivien Green, Gaia Banks en de rest van het geweldige team van Sheil Land, aan Libby Yevtushenko, Kate Lyall-Grant, Suzanne Baboneau, Florence Partridge, Joan Deitch en alle anderen van het fantastische Simon & Schuster, en aan Susan Hill omdat ze een verbazingwekkende deur voor me heeft opengezet.